SERTİFİKA NO 15033

ISBN 978 - 975 - 22 - 0270 - 2

2016 . 06 . Y . 0105 . 5489

1.-15. Basım 2008
16.-18. Basım Şubat 2016
19.-24. Basım Mart 2016

25. Basım
Mart 2016

06420 / ANKARA
22

EMİN ÇÖLAŞAN

Her Kuşun Eti Yenmez

BİLGİ YAYINEVİ

kapak: murat sayın

baskı: pelin ofset
(0-312) 395 25 80-81
sertifika no: 16157

ÖNSÖZ

Bu kitapta size işsiz bırakılan bir gazetecinin Ağustos 2007 ile Ağustos 2008 arasındaki bir yıllık dönemde yaşadıklarını, duygularını anlatmaya çalışacağım. 14 Ağustos 2007'de **Aydın Doğan-Ertuğrul Özkök** ikilisi tarafından, 22 yıl emek verdiğim *Hürriyet*'ten kovulmuştum.

Bu işlemin ayrıntılarını *Kovulduk Ey Halkım Unutma Bizi* kitabımda bire bir açıklamıştım. Burada bir parantez açayım. Şimdi okumaya başladığınız bu kitap aslında *Kovulduk*'un bir anlamda devamı. O nedenle, anlatacağım olayları daha iyi kavrayabilmek açısından *Kovulduk*'u mutlaka okumanızı öneririm.

Ülkemizde bugüne kadar belki binlerce gazeteci, çalıştığı kurumlardan şu veya bu nedenle kovuldu. Çoğu niçin kovulduğunu bilemedi.

Ben ise bilenlerden biriyim. Çünkü benim açımdan perşembenin gelişi çarşambadan belliydi!

AKP iktidar olmuştu. Hem de tek parti iktidarı.

Ben yazılarımda bu iktidarın yolsuzluklarını, usulsüzlüklerini, ülkemin nerelere sürüklendiğini, yerli ve yabancı işbirlikçilere nasıl peşkeş çekildiğini, nasıl soyulduğunu, din devletine nasıl sürüklendiğini ısrarla vurguluyordum.

Bu yazılarım hem iktidarı, hem de **Aydın Doğan** ve kalfası **Ertuğrul Özkök**'ü rahatsız ediyordu. **Tayyip**'in, eleştirilince ve gerçekler yazılınca sinir sistemi altüst oluyordu. "Bizimkilerin" ise AKP iktidarı ile bir sürü işleri, hükümetten beklentileri vardı...

5

Ve bu beklentiler milyarlarca dolarlık tutarlara ulaşıyordu. Dostluk ve aynı yolun yolcusu olma ilişkileri muazzam boyutlara varmıştı.

Elinde yedi gazete ve dört televizyon kanalı, cebinde milyarlarca doları olan, Türkiye'nin en zenginleri arasında **Koç** ve **Sabancı**'yı bille sollayıp neredeyse birinci sırada yer alan koskoca "Medya İmparatoru", iktidardan korkuyordu.

Bu nedenle, AKP'nin işbaşına geldiği 2002 yılından başlayarak, **Tayyip** ve ekibine sürekli destek verdiler. Destek vermek, ille de övmek değildir. Olanları görmezden gelirsiniz, en büyük destek budur.

Hürriyet, okurlarının gözünde tüm saygınlığını yitirmişti. Gazeteye protestolar yağıyordu. Durumu biz birkaç köşe yazarı kurtarıyorduk.

Tayyip ve ekibi özellikle benden hiç memnun değildi! Şikâyetlerini yönetim katına sürekli iletiyorlardı.

Büyük baskı altındaydım. Yazılarım **Ertuğrul** tarafından sık sık sansür ediliyordu. Ayrıntıları *Kovulduk Ey Halkım Unutma Bizi* kitabımda anlatmıştım.

Sonuçta iş olacağına vardı ve kovdular.

Ben işsiz kaldım. Oturup o kitabı yazdım ve olay yarattım. Gerçekler ortaya çıkınca beyefendiler çok rahatsız oldular.

Şimdi bu kitabımda size işsizlik günlerimi ve halkın unutmadığı bir gazetecinin duygularını ve yaşadıklarını anlatacağım.

Bu süreçte Türkiye'de çok önemli olaylar oldu. AKP'li "Müslüman" biri **Atatürk**'ün makamına oturtuldu. YÖK ele geçirildi. *Sabah* gazetesi ve *ATV* devlet parasıyla **Tayyip**'in adamına armağan edildi. *Kanaltürk* bitirildi ve **Fethullah**'a satıldı. AKP için kapatma davası açıldı. **Ergenekon** olayı gündeme sürüldü. Deniz Feneri hortumu patladı. Daha neler neler...

Ben bunların hiçbirini yazamadım.

Bütün bu süreçte AKP ile **Aydın Doğan** ve **Ertuğrul** kalfa yine el ele, omuz omuza idi. Aralarından su sızmıyordu.

Sonra ne olduysa, Eylül 2008'de Deniz Feneri yüzünden kayıkçı kavgası, horoz dövüşü patladı! Göstermelik olarak birbirlerine girdiler.

Ama en önemlisi, medyadaki tekelcilik aynen devam etti. Bu konuyu, kovulmamdan hemen sonra ülke gündemine taşıdım. Kitabımda, ekranlarda, gazetelerde ve dergilerde bu rezaleti dilimin döndüğü kadar açıkladım.

Medyadaki çarpık düzeni, **Aydın Doğan**'ı, kalfası **Ertuğrul**'u kamuoyunun gözleri önüne serdim.

Sanırım başardım.

Onları size tanıtmayı bu kitapta da sürdüreceğim.

Bunu yaparken çok sayıda arşiv belgesinden yararlandım. Olayımız daha net anlaşılsın diye, AKP karşıtı az sayıda medya kuruluşunda yer alanlarla birlikte, bu iktidarı kayıtsız şartsız destekleyen *Zaman, Yeni Şafak, Star, Bugün, Vakit, Sabah* gibi gazetelerde konumuzla ilgili olarak çıkan haber ve köşe yazılarından da alıntılar yaptım.

Şimdi aklınıza bir soru gelebilir:

"Ey Emin Çölaşan, sen bunları Hürriyet'te iken niçin yazmadın?"

Gerçekçi olalım, işte bu mümkün değildi. Herhangi bir yerde çalışırken orası hakkında nasıl yazabilirsiniz? Ben yazmıyordum ama gördüğüm rezillikleri uluorta konuşuyordum. Medyadaki rezaleti sadece ben değil, bütün gazeteciler biliyor ve görüyordu.

Aslında benim yazdıklarım yetmez. Herkesin, bütün gazetecilerin günün birinde yaşadıklarını yazması gerekiyor. Yazsınlar ki, toplum olanları bütün boyutlarıyla öğrensin.

***

Bu kitabın ismini nasıl koyduğumu da size anlatmak isterim. Yazmayı bitirmek üzereydim ama yine kafamda isim yoktu. Bilgi Yayınevi'ndeki arkadaşlardan rica ettim, isim düşünsünler diye. Hem onlar düşünüyordu, hem de ben. Bu sırada Bahçelievler 7. Cadde'de yürüyorum. Karşıma yedi-sekiz kişilik kızlı erkekli genç bir öğrenci grubu çıktı. Üzerlerinde okul üniformaları. Cumhuriyet Lisesi öğrencileri olduklarını söylediler. Kaldırımda ayaküstü konuşuyoruz. Biri dışında hepsi benim yazıları okuyormuş. *Kovulduk*'u da okumuşlar. Onlara şimdi yeni bir kitap yazmakta olduğumu söyledim.

Bir kız atıldı:

"Biz sizi ailece bir yıldır izliyoruz. Valla çok iyi mücadele veriyorsunuz bunlara karşı. Gösterdiniz ki, her kuşun eti yenmez."

O anda kafamda şimşek çaktı! O kız öğrenciye teşekkür ettim.

"Sağ ol arkadaş, kitabın ismini sen koymuş oldun."

***

Teknoloji özürlü bir yazar olarak, bu kitabı yazarken de Bilgi Yayınevi çalışanlarından —her konuda olduğu gibi— bilgisayar açısından da çok büyük yardım ve destek gördüm. **Biray Üstüner**, **Argun Tozun**, **Özlem Dağ**, **Bekir Tekkaya** ve **Ferruh Bayşu**'ya, kitabın bu "anlamlı" kapağını yapan **Murat Sayın**'a, Bilgi Yayınevi'nin kurucusu ve sahibi **Ahmet Tevfik Küflü**'ye ve bana en sıcak çalışma ortamını sunan bütün çalışanlarına burada teşekkür etmeyi bir görev biliyorum.

Şimdi dönelim 2008 yılının 14 Ağustos gününe...

Ve olayımızı anlatmaya, öncesine kısaca değinip anımsatarak başlayalım.

HER KUŞUN ETİ YENMEZ

Bugün 14 Ağustos 2008. Yeni bir kitaba bugün başlıyorum. 14 Ağustos aslında pek çok kimse için sıradan bir gün. Eğer bugün doğum gününüz ya da sizin için başka bir önemli olayın yıldönümü değilse, öteki 365 gün gibi sıradan bir gün.

Oysa benim için çok önemli.

Bir yıl önce bugün, tam 22 yıl şan ve şerefle, açık alınla emek verdiğim *Hürriyet*'ten **Aydın Doğan-Ertuğrul Özkök** ikilisinin kararıyla kovulmuştum. İlginç bir olaydı!

AKP iktidar olana kadar her şey düzgün gidiyordu. Geçmişte hep koalisyon dönemleri vardı. Patron Bey ve ekibi, biz bir partiye muhalefet yaptıkça, tepki aldıkları takdirde öteki koalisyon ortağının koruması altına girerlerdi.

Hem de o zaman "askerler" vardı. Refahyol iktidarları döneminde falan asker ses verir, tepki göstermeyi bilir ve ağırlık koyardı... Çünkü o zaman AB vesaire yoktu. Birileri Türkiye'yi dışarıdan yönetmiyordu. **Patron Bey** bu kadar güçlenmemiş, Hilton arazilerini, POAŞ'ı almamış, elektrik ihalelerine girmemiş, nice şirketler ve holdingler kurmamıştı. Onu ilk günden tanırdım. *Milliyet*'i satın alıp bizim alana adım attığında sıradan bir tüccardı. Sirkeci'de otomobil bayiliği yapardı. O sırada *Milliyet*'te idim. Yeni patronu tanıdık! Sevecen, mütevazı bir adamdı.

Sonra Allah ona "Yürü ya kulum Aydın" deyince yürümeye değil, hızla koşmaya başladı. *Hürriyet*'i satın aldı, sonra sıra öteki gazetelere ve televizyon kuruluşlarına geldi. 2008 yılı itibariyle yedi gazetesi ve benim bildiğim dört televizyon kanalı var.

9

Gazeteleri: *Hürriyet, Milliyet, Posta, Vatan, Fanatik, Referans, Radikal.* Televizyonları: *Kanal D, Star,* kamuoyunda "CNN-Kürt" adıyla bilinen *CNN Türk* ve *D Smart.* Grupta AKP'ye muhalefet yapan bir tek gazete vardı: *Gözcü.* Onu da zarar ediyor gerekçesiyle Temmuz 2007 seçiminden hemen önce kapattı! Oysa *Hürriyet* dışında yayın kuruluşlarının hemen hepsi zarar ediyordu ama onlar muhalefet yapmadığı için sorun olmuyordu.

Bay Patron Türk yazılı basınının üçte birinden fazlasının sahibi. Öteki ticari işleri hariç! Borsada bir sürü şirketleri var. Binbir girişimin peşinde. Milyarlarca dolara hükmediyor. Yanında seçkin danışman kadroları var. **Bay Patron** artık yaşlandı. Olayları sadece kendi ilişkileri açısından izliyor. Gazete falan pek okumadığını bana kendisi söylemiştir. Önüne her gün giden belli süzmece raporlar vardır. Bunları danışmanları hazırlar:

O günkü ilan durumu. Kaç liralık ilan geldi! Yapılan ve yapılacak ödemeler. Döviz fiyatları! Borsanın durumu. Şirketleri ne yapıyor. Kâr-zarar vaziyetleri!

Bu belgeler kendisine özet rapor olarak günde iki kez sunulur. Beyefendi İstanbul'da değilse ya bulunduğu yere, ya dinlenmekte olduğu tatil köyüne, ya da görkemli teknesine fakslanır.

Gazetelerin ve televizyonların başında dört kızı ve bir damadı var ama esas güç **Ertuğrul**'da. Biri TÜSİAD'ın başına getirilen kızlar birbirini sevmez. Allah uzun ömür versin, yarın **Bay Patron**'un başına bir iş gelse, Doğan Grubu çalışanlarının bildiği tek şey, ortalıkta kıyametin kopacağı!

***

AKP 2002 yılında iktidar olana kadar onların en sevdiği gazetecilerin başında geliyordum. Ne zaman ki AKP tek başına iktidar oldu, başta **Tayyip** olmak üzere bu partinin yöneticileri benim yazılarımdan yakınmaya başladılar. Patronun bir de **Ertuğrul** isimli elemanı var. Görünürde *Hürriyet*'in başında ama aslında bütün medya kuruluşlarından ve Bay Patron'un yiyeceği içeceği dahil her şeyinden sorumlu. **Tayyip** ve AKP'nin hakkımdaki yakınmaları doğrudan veya dolaylı yollarla bu ikisine iletiliyordu. İlk birkaç ay fazla umursamadılar. Sonra işler değişti. Bana ikisinden de uyarılar gelmeye başladı.

"Bunları eleştirme, yumuşak git, Başbakan, Maliye Bakanı ve TMSF ile işlerimiz var, onlara dokunma..."

Yazılarım makaslanmaya başladı. Suyun başında **Ertuğrul** vardı. Yazdığım bazı yazıları benden habersizce makaslıyor, sansür ediyordu. Bunları herkesle konuşuyorduk. Acaba bu durumda istifa etmem mi gerekirdi? Herkes, gazetedeki arkadaşlar dahil aynı şeyi söylüyordu:

"Sakın haa, sen burada bir mevzi tutuyorsun. O mevziyi bırakıp kaçmaya hakkın yok. Kan kusacaksın kızılcık şerbeti içtim diyeceksin. Kol kırılacak yen içinde kalacak."

Aynen devam ediyordum. Artık **Bay Patron** bana küsmüştü! Evet, resmen küsmüştü. Benimle konuşmadığı gibi, ben oradayım diye *Hürriyet*'in Cinnah Caddesi'ndeki Ankara bürosuna yıllar boyu adım atmadı. Benimle ilişkileri **Ertuğrul** götürüyordu.

2007 yılında üzerimdeki baskılar iyice ağırlaşmaya başladı. Şubat ayında **Ertuğrul** bana gelip üç öneride bulundu:

*"Arkadaş sana **Aydın Bey**'den üç seçenek getirdim. Birincisi, iktidar ve hükümet aleyhine yazı yazmayacaksın. Veya haftada bir falan eleştireceksin. İkincisi, uzun bir tatile çıkacaksın. Üçüncüsü, gazeteden ayrılacaksın. Bu son şıkkı kabul edersen patron sana çok büyük para verecek ve ömrünün sonuna kadar rahat edeceksin."*

Hiçbirini kabul etmedim ve yazmaya devam ettim.

Sonra 22 Temmuz 2007 seçimleri geldi. Seçimden önce **Ertuğrul**'a sormuştum:

"Kime vereceksin oyunu?"

Verdiği yanıt muhteşemdi:

"Daha karar vermedim. Ya AKP'ye, ya CHP'ye."

Bunu, belediye yardımıyla geçinen eğitimsiz bir cahil söyleseydi şaşırmazdım. Ama onun ağzından duyunca şok geçirdim. Ya AKP, ya CHP! Dam üstünde saksağan.

Seçimden hemen sonra yazdığı yazıda bana bindiriyor ve AKP yüzde 47 oy aldığı için zafer çığlıkları atıyordu:

"Azgın azınlıklar her cephede hezimete uğradı. Dün bizim mahallede biraz şaşkınlık, daha fazla düş kırıklığı vardı."

28 Temmuz tarihli yazısında ise benim başıma gelecekleri −isim vermeden− bildiriyordu:

"Bundan birkaç yıl önce köşe yazarı sınıfına seslenip şunu yazmıştım. Bu köşeler babamızın malı değildir. Bugün bir adım daha atıyorum. Bu köşeler ait olduğumuz cemaatlerin malı hiç değildir. Bu seçim (22 Temmuz 2007) durumumuzu yeniden gözden geçirmek için çok iyi bir fırsat oldu.

Diyorum ki, şimdi teneffüse çıkma zamanı.

Şöyle biraz dışarı çıkıp temiz hava alalım.

Emin olun, cemaat evleri havasının ne kadar kirli, ne kadar ağır, ne kadar kâbus gibi üzerimize abandığını anlayacağız. Körlüğümüzün farkına daha çok varacağız.

Artık cemaat evlerini boşaltmanın zamanı geldi. Çünkü bu cemaat taassubu Türkiye'ye çok zarar verdi.

Köşelerden verilen ucuz kavgalar, şahsi kahramanlık menkıbeleri, 'bir tek ben dürüstüm, geriye kalan herkes namussuz' babalanmaları bir günde demode oldu.

Tanrı yazarlar için de artık ölümlüler katına inme zamanı geldi.

Cemaat şeyhlerinin, köşe babalarının süngüsü düştü. So-kakta asayiş sağlandı."

Seçimde AKP'nin başarısından sonra coşmuştu ve baba-lanıyordu. Sözünü ettiği cemaat evleri elbette ki bildiğimiz ce-maat evleri değildi. Bizlerdik. **Atatürk**'ün evlatlarıydı. Yolsuz-luklara, vurgunlara, şeriat düzerine karşı çıkan ve **Tayyip**'le birlikte AKP'yi de eleştiren yurtsever insanlarımızdı...

O, anladığımız cemaatleri nasıl eleştirecekti ki! *Zaman* gazetesine gidip ziyaretlerde bulunuyor, onlardan **Fethullah** usulü gömlekler alıyordu. Bunları da yazılarında açık açık ya-zıyordu.

Ve bu mektubu bana yazdığını hepimiz anlamıştık. Bu adamın ciğerinin içini bilen gazetedeki arkadaşlar başta ol-mak üzere, herkes aynı kanıya varmıştı:

"Emin Abi, bunlar seni kovacak. Bunların Tayyip'le çok işi var ve seni feda edecekler. Dört yıl daha seni taşıyamazlar."

Yanıtım hep aynı oluyordu:

"Kovmazlarsa hatırım kalır."

***

Evde kitaplığın üzerinde bir masa takvimi var. Yılbaşla-rında çeşitli kurumlar gazeteye çeşit çeşit takvimler gönderir. Ben de onlardan birini işyerimde masa takvimi olarak kulla-nırım, dik duranlardan birini de eve götürüp kitaplığın üze-rine koyarım.

Ağustos 2007'nin ilk günleri. İzne ne zaman çıkacağımı düşünüyorum. Hangi gün gideyim, kaç yedek yazı yazıp bı-rakayım.

Kafam durmuş durumda. Evdeki takvime bakıyorum... Ve kararımı veriyorum. 13 Ağustos Pazartesi günü yola çıkarım.

Fakat bu arada bir şey dikkatimi çekti. Takvimde 14 Ağus-tos günü yok. 14'ün yerinde 20 rakamı var. Merak ettim, tak-vimin 12 ayına birden baktım. Hiçbirinde benzer bir durum

13

yoktu. Bu elbette bir dizgi hatasıydı ama çok dikkatimi çekmişti. Sanki bana verilen bir mesajdı!

Bu olay kafama çakıldı. Acaba 14 Ağustos kötü bir gün mü olacaktı? Sonra unuttum gitti.

***

Yıllardan beri yorgundum. İzin yok, tatil yok. Her gün gazetedeyim. Önüme her gün yüzlerce okuyucu mesajı geliyor, hepsini tek tek okuyorum ama yanıt vermem mümkün olmuyor. Bir sürü yolsuzluk dosyasının tamamı bana gönderiliyor. Bazılarını yazıyorum, **Ertuğrul** bazılarının yazılmasını istemiyor. Bazılarını da ilgili muhabir arkadaşlara veriyorum. Gelen giden, telefon trafiği... Haftada bir gün olsun tatilim yok. Ne olur bir tatil yapabilsem...

Ertuğrul'u aradım, izne çıkmak istediğimi söyledim. Bir süre benim yazılardan kurtulacak ya, pek mutlu oldu!

13 Ağustos Pazartesi günü arabayla İzmir'e doğru yola çıktım. 14 Ağustos Salı günü bir yazım çıkacak. Onu önceden yazıp İstanbul'a geçmiştim. Çarşamba günü de izin yazım çıkacak. *Hürriyet* okurlarına duyduğum saygı nedeniyle, her izne çıkışta kısa bir yazı yazar ve onlara bilgi verirdim. İzin yazısını da İstanbul'a geçtim.

Araçla giderken yolda beni aradı. Yarın İzmir'de olup olmayacağımı soruyor. İzmir'de olacağımı söyledim. Ben de ona sordum niçin İzmir'e geleceğini... Efendim bir üvey kardeşi varmış, onun çocuğu varmış, yarın onun düğünü olacakmış da onun için İzmir'e gelecekmiş!

Bana telefonda soruyor:

"Sen yarın öğlen mi uygunsun, akşam mı?"

Düğün varsa saati belli değil mi, niye zamanlamayı bana bırakıyor! Kafamda bu sorular oluştu, bir de evdeki takvim aklıma geldi! Yarın 14 Ağustos... Ve o takvimde 14 Ağustos yoktu!

2007 August **Ağustos**

Hafta Week	Pazartesi Monday	Salı Tuesday	Çarşamba Wednesday	Perşembe Thursday	Cuma Friday	Cumartesi Saturday	Pazar Sunday
31			1	2	3	4	5
32	6	7	8	9	10	11	12
33	13	20	15	16	17	18	19
34	20	21	22	23	24	25	26
35	27	28	29	30	31		

July **Temmuz** 2007

Pazartesi	Salı	Çarşamba	Perşembe	Cuma	Cumartesi	Pazar
						1
2	3	4	5	6	7	8
9	10	11	12	13	14	15
16	17	18	19	20	21	22
23/30	24/31	25	26	27	28	29

November **Eylül** 2007

Pazartesi	Salı	Çarşamba	Perşembe	Cuma	Cumartesi	Pazar
					1	2
3	4	5	6	7	8	9
10	11	12	13	14	15	16
17	18	19	20	21	22	23
24	25	26	27	28	29	30

YATAK-MOBİLYA

BASSOLS
Nevresim Takımı

Çölaşan'ın evindeki masa takvimi. Kovulduğu gün olan "14 Ağustos" takvimde yok!

Öğlen buluştuk.

Bana kovulduğumu bildirdi. **Bay Patron** artık benimle çalışmak istemiyormuş. Kendisine zarar veriyormuşum. *"Canın sağ olsun, onun da canı sağ olsun, Allah hepinize daha nice hayırlı kazançlar ihsan etsin"* dedim. Başka ne diyeyim!

Fakat o sırada, üzerinde 14 Ağustos olmayan takvim yaprağı yine aklıma geldi. Kendi kendime *"Vay be Emin, ilginç bir rastlantı"* dedim. Karşımda bana kovma tebligatını yapan şahıs da niye güldüğümü sorunca *"Yok bir şey"* dedim.

Fakat bu arada ilginç bir gelişme yaşıyorduk. Yemekte bana sürekli olarak *"Patron Bodrum'da. Sen şimdi atla bir arabaya, git onunla konuş"* diye ısrar ediyordu. Bunu masada oturduğumuz sürece belki beş veya altı kez söyledi. Kabul etmedim.

Akşam saatlerinde oteldeyim, telefon etti. Israrla yine aynı şeyleri söylüyordu. *"Patronu hemen bir arayıver. Sana gazeteden bir araba vereyim, git Bodrum'a patronla konuş."*

Oyunun son perdesini oynuyorlardı. Onun bu isteminden elbette **Bay Patron**'un haberi vardı. Aralarında ne konuştuklarını bilemem ama **Ertuğrul** bana böyle bir şeyi kendiliğinden söyleyemezdi.

Amaç belliydi. Beni küçük düşüreceklerdi. Kovulmuş biri olarak arabaya atlayıp İzmir'den Bodrum'a patron ziyaretine gitseydim, randevu almak için önceden kendisini arasaydım, ortada üç olasılık olacaktı:

1) Bana olan nefreti yüzünden telefonuma çıkmayacaktı.

2) *"Gel bakalım"* deyip beni Bodrum'a çağıracaktı ve gidecektim. Orada beni niçin kovduklarını kendi dilinden anlatacak ve kibarca güle güle diyecekti.

3) Beni affettiğini söyleyecek, ancak nasihatler verecekti. *"Haydi ben sana son bir kıyak yapayım da kal bakalım ga-*

zetede. *Fakat bundan sonra çok dikkatli olacaksın. Hükümeti, Başbakanı, Maliye Bakanını eleştirmeyeceksin. Bu takıntılardan kurtulup cici çocuk, uysal çocuk olacaksın. Haydi bakalım seni affettim. Bu iyiliğimi de unutma."*

Bu üç olasılıkta da ben küçülecektim. Onurum çiğnenmiş olacaktı.

İşin bir boyutu daha vardı. Bodrum'a patron ziyaretine gittiğim takdirde olay duyulacak, belki de internet sitelerine, gazetelere ve televizyonlara düşecek, *"Kovulan **Emin Çölaşan** Bodrum'a gidip **Aydın Doğan'a** yalvardı ve kendini affettirmek istedi"* diye yayınlar yapılacaktı.

Ertuğrul'un telefondaki bu istemini yine reddettim ve Bodrum'a gitmedim...

Ve o gece İzmir'de otel odasında kararımı verdim.

Ben bu olayın kitabını yazacaktım.

O kitabı yazmalıydım. Türk medyasının halini, patronların ve onların emir ve hizmetindeki bazı kişilerin kimliğini, kişiliğini, bir gazeteciye çektirdiklerini herkesin bilmesi gerekirdi. Hele **Ertuğrul'**la aramızda geçenleri mutlaka yazmalıydım.

Ertuğrul Türk medyasında önemli adamdır! 18 yıl *Hürriyet'*in başında bulunmak, **Bay Patron'**la böyle içli dışlı olmak kolay iş değildir. **Ertuğrul** bize kendisini tanımlarken şöyle derdi:

"Beyler ben gazeteci falan değilim. Ben cambazım. Bir sürü topu havaya atıp hiçbirini yere düşürmemeye çalışan bir jonglörüm. Ben burada patronu idare ediyorum, kızlarını, damadını idare ediyorum, ne fırçalar yiyorum, neler yaşıyorum."

Belki o da yaşadıklarını –eğer yüreği yeterse– bir gün yazar! Bizimkiler nedir ki! Ortaya ne olaylar, ne gerçekler dökülüp saçılır.

17

***

İzmir'den iki gün kalmak için Ayvalık'a gittim. Hem **Tansel** oradaydı, hem de **Bekir Coşkun**. Gazeteciler ordusu çevremi sardı. Hiç kimseyle konuşmadım. Konuşacak zaman daha sonra yazacağım kitapla gelecekti. Ayvalık'ta bir kez, sadece yarım saat denize indim. Kovulma olayı aynı gün, yani 14 Ağustos akşamı *Kanaltürk* tarafından duyurulmuştu.

(**Tuncay Özkan** yakın arkadaşımdı. Ankara'ya dönünce kendisine bu haberi birkaç saat sonra nereden duyduklarını sordum. Gazeteciye haber kaynağı sorulmaz ama benimki arkadaşça bir meraktı. *Kanaltürk* çalışanlarının *Milliyet*'ten duyduklarını söyledi.)

Ayvalık'ta ve plajda etrafımı yüzlerce insan sardı. Merak ediyorlardı, **Bay Patron** ve **Ertuğrul**'a protestolar yağdıran insanlar pek çok şey soruyorlardı. Hepsine aynı şeyi söyledim:

"Bu işin kitabını yazacağım. Hem de en kısa zamanda. Her şeyi orada okuyacaksınız."

Ayvalık'ta olan **Bekir Coşkun** bana *Hürriyet* yönetiminin kendisi aracılığı ile gönderdiği mesajları iletiyordu. Gönderdikleri haber şuydu:

"Emin sessiz kalsın, sesini çıkarmasın, hiç kimseyle konuşmasın, birkaç ay sonra biz onu Milliyet'te başlatırız."

Yine yem atıyorlardı. Sadece güldüm! Bu adamlar ya beni hiç tanımamıştı, kişiliğimi hiç bilmiyorlardı, ya da herkesi kafakola almanın şu veya bu biçimde mümkün olabileceğini zannediyorlardı.

Birkaç gün sonra Ankara'ya döndüm...

Kafam artık kitapta idi. Sadece ve sadece onu düşünüyordum. Ama önce gazetedeki odamı toplamam gerekiyordu. Çünkü bir gün yanıma gelip *"Çık odadan"* diyeceklerdi. Toplama işi günler aldı.

18

Bu arada 31 Ağustos günü bana yazılı tebligatı getirdiler. *Hürriyet*'te tam 22 yıl şanla şerefle görev yapmıştım. Ayrılırken ne **Aydın Doğan**, ne **Ertuğrul**, ne de *Hürriyet*'in başında olan kızı **Vuslat Doğan Sabancı**'dan bir tek teşekkür gelmedi. Bu nasıl bir nefretmiş, nasıl bir vefasızlıkmış ki, gazetelerine on binlerce okuyucu kazandıran bir gazeteciye, *"Sağ ol arkadaş, 22 yıl gece gündüz bize çalıştın, hakkını helal et"* demeye dilleri varmadı. Eğer deselerdi ben de onlara, *"Siz de hakkınızı helal edin"* diyecek ve belki de çok şeyi unutacaktım.

Dillerinin varmadığı bir başka önemli konu daha vardı. Beni niçin kovduklarını ısrarla soranlar dahil hiç kimseye açıklayamadılar! *"Kurumsal anlaşmazlık"* gibi yuvarlak laflarla geçiştirmeye kalkıştılar. Gerçeği söyleyecek yürekleri yoktu.

Onlar ki, kendilerine gelen *"Tayyip'in kucağına düştünüz, onun emrine girdiniz"* diyen her kişiye *"Nasıl olur, **Emin Çölaşan** bizde yazmıyor mu"* deyip kendilerini benim ismimle savunmaya kalkışanlardı!

Evet, bugün 14 Ağustos 2008. Kovulalı tam bir yıl oldu ve bu kitabı yazmaya başladım!

Geçen yıl bu zamanlar çok merak ettiğim birkaç konu vardı.

İlki, artık işsiz bir gazeteciyim. Bundan sonra ne yapacağım?

İkincisi, insanların bana olan tepkisi bundan sonra nasıl olacak? Unutulacak mıyım?

Üçüncüsü, kovulma sonrasında özellikle bana karşı olan AKP medyasında –şeriatçı medya dahil– hakkımda neler yazılacak? Öyle ya, derler ki *"**Emin Çölaşan** şöyle bir ahlaksızlık yapmıştı, ismi bazı olaylara karışmıştı, iş bitirmişti, para ve çıkar karşılığında yazılar yazıyordu ve bunlar ortaya çıktığı için kovuldu."* Bunlar olacak mıydı?

***

19

Şimdi artık yeni kitaba, yani bu kitaba başlayabiliriz! Bundan sonra okuyacaklarınız, işsiz bir gazetecinin yaşadıklarıdır. Kalleşlikler, mutluluklar, coşkular, halkın sevgisi, beni bile şaşırtan umulmayan sürprizler... Bu süreçte neler oldu? Neler yaşadım? Size bunları anlatmaya çalışacağım.

Kovulduğum 14 Ağustosun ertesi gününden başlayarak neredeyse tüm gazetelerin manşetlerindeydim.

Akşam: "Hürriyet Çölaşan'ı susturdu. 22 yıllık Hürriyet yazarı Emin Çölaşan'ın işine son verildi. Muhalife Hürriyet'te yer yok. Bekir Coşkun da istifa edecek mi?"

Cumhuriyet: "Hürriyet'te deprem. Çölaşan'ın işine son verildi."

Bugün: "Hürriyet'te Çölaşan depremi."

Zaman: "Hürriyet'te Çölaşan'ın işine son verildi iddiası."

Türkiye: "Hürriyet Çölaşan'la yolunu ayırdı."

Tercüman: "Ve, Hürriyet bitti. Laik Cumhuriyeti savunan Atatürkçü Emin Çölaşan'ın Hürriyet'teki işine son verdiler. İşte Hürriyet bu."

Sabah: "Büyük gazetede büyük deprem. İktidara yönelik sert yazılarıyla tanınan Çölaşan'ın Hürriyet'teki yazılarına dün son verildi."

Ayrıca o gün bütün televizyon kanallarında bizim olay haber oldu.

Doğan grubu gazetelerinde 15 Ağustos günü tık yok!

Burada bir gazetecilik örneğine daha dikkat çekmek gerekiyor. Şeriatçı, AKP destekçisi bir gazetede aynı gün birinci sayfadan çıkan haber:

"Hürriyet Çölaşan'la yolunu ayırdı. Ayrılık haberini Çölaşan kendisi duyurdu (Yalan). Kanaltürk televizyonu Çölaşan'ın verdiği bilgiyi son dakika anonsuyla izleyicilerine haber verdi (Yalan. Haberi ben vermedim). Tuncay Özkan'ı telefonla arayan Emin Çölaşan gazeteden kovulduğunu bil-

20

dirdi (Yalan. **Tuncay Özkan**'ın telefon numarası bile bende yoktu). *Bu gelişme* **Çölaşan**'*ın Hürriyet'ten ilk ayrılma girişimi değil. Geçtiğimiz yıllarda Star gazetesinin* **Uzan** *ailesinde olduğu dönemde büyük bir transfer ücretiyle anlaşma yapan* **Çölaşan** *Hürriyet'teki arkadaşlarıyla vedalaşmıştı bile* (Tamamen yalan. Her kelimesi yalan)."

16 Ağustos günkü gazetelerden:
Tercüman: *"***Doğan** *grubuna halk ateş püskürdü.* **Emin Çölaşan**'*a destek yağdı. Vatandaştan ve meslek örgütlerinden büyük tepki. Hedefteki isimler* **Aydın Doğan** *ve* **Ertuğrul Özkök**."

Aynı gün hemen her gazetede köşe yazıları başlıyor. **Behiç Kılıç, Sırrı Yüksel Cebeci, Deniz Som, Orhan Bursalı, Umur Talu, Ahmet Kekeç, Nuh Gönültaş, Yavuz Semerci, Burhan Ayeri, Necati Doğru, Emin Pazarcı, Mustafa Mutlu, Özay Şendir, Emre Aköz, Hıncal Uluç, Ergun Babahan, Oray Eğin, Melih Aşık, Tufan Türenç, Reha Muhtar, Hikmet Bila, Hikmet Çetinkaya, Fehmi Koru, Lale Şıvgın, Turan Alkan, Nasuhi Güngör, Hakan Aygün, Balçiçek Pamir, Serdar Turgut, Erol Manisalı, Orhan Erinç, Ali Atıf Bir, Şamil Tayyar, Özdemir İnce, Hakkı Devrim, Altemur Kılıç, Emre Kongar, İclal Aydın, Doğan Hızlan, Mehmet Ali Ilıcak, Oktay Akbal, Metin Özkan, Hasan Karakaya** yazmaya başlıyor. Bazıları bizim olaya birkaç kez değiniyor.

Güneş gazetesinin sürmanşeti: *"***Doğan** *medyasında* **Fethullah** *operasyonu.* **Çölaşan**'*ın* **Fethullah Hoca**'*nın isteği ile Hürriyet'ten kovulduğu öne sürülüyor.* **Bekir Coşkun**: '*Şimdi sıra bana geldi.*'"

Şeriatçı *Vakit* gazetesinin yazarı **Hasan Karakaya**'nın yazısının başlığı: *"Hürriyet'ten atılan* **Emin**'*e iş teklifimdir."* O da aklınca gırgır geçiyor, bana *Vakit*'te yazma çağrısında bulunuyor!

Reha Muhtar'ın yazısının başlığı: *"Satılmamış kalemler."*
Melih Aşık yazıyor: *"Kimi ün için, kimi para için yazar. Emin Çölaşan toplumsal sorumluluk adına yazdı yıllarca. Gönüllerde, beyinlerde parlak izler bıraktı..."*
Mustafa Mutlu yazıyor: *"O, örnek aldığım bir meslek büyüğüm. Vatan sevgisi, namusu, onuru, dürüstlüğü ile idollerimden biri. Yıllarca ülkemizin başına oturan dosyaların üzerinde hep onun imzasını gördük. Biz gazeteciler bazı haber ve yazıları okurken 'Ah, ben bunu nasıl görmedim' kıskançlığına kapılırız. İşte o, bu duyguyu bana en sık yaşatan kalemlerin başında gelir. Adım gibi eminim ki daha nice çöller aşacak, kurumuş dudaklarımıza daha nice serin sular taşıyacak. Kolay gelsin Emin Abi."*

16 Ağustosta, bizim kovulma olayı medyada patlayınca **Ertuğrul Özkök** *"Çölaşan'la Veda Yemeği"* başlıklı bir yazı yazdı *Hürriyet*'te. Günah çıkarıyor, ancak kovma olayının nedenlerine giremiyordu. Özetliyorum:

*"Son yıllarda **Çölaşan**'la Hürriyet arasında bazı sorunlar çıkmaya başladı. Sonunda iş, gazetenin kurumsal kimliği ile çatışma noktasına geldi. Dün **Emin Çölaşan**'ın ayrılması dolayısıyla* (kamuoyunda ve medyada) *verilen tepkilere baktığımda şunu anlıyorum. Hürriyet bu ülkenin en temel üç-beş müessesesinden biri. Şöyle yakın geçmişe bir göz atın.* (Burada gazetelerinden kovulan bazı tanınmış isimleri sıralıyor ve onlar ayrıldığında hiç kimsenin tepki göstermediğini vurguluyor!) *Onların her biri büyük yazardı. O zaman, acaba yazdıkları gazeteler mi küçüktü? Hürriyet'e gelince işin rengi değişiyor. Bir muhabirin işine son verilmesi bile olay oluyor. Büyük gazete olmanın bedeli var. Başkaları hep küçük kalmaya, kendilerini küçük görmeye devam ettikçe biz olduğumuzdan da büyük görüneceğiz ve bu bedeli ödemeye devam edeceğiz... **Çölaşan**'a güle güle diyorum."*

Kovma nedenini anlatamıyor, bunu (her ne demekse) kurumsal anlaşmazlık (!) olarak tanımlıyor. AKP baskısı, iktidar baskısı vesairenin adı kurumsal anlaşmazlık olarak konuluyor!..

Ve aynı gün, 16 Ağustos tarihli *Hürriyet*'te **Bekir Coşkun**'un muhteşem yazısı. Başlığı *"Kürek Mahkûmları".*

"Bu yazıyı zor şartlar altında yazıyorum. Telefonlar durmadan çalıyor. Televizyonlar kapıda, haberciler durmadan bizden söz ediyorlar, benim ise söyleyecek çok sözüm yok... Olan şu. Biz bir kayıktaydık. Kürek arkadaşımı dalgalar aldı. Bizim ulaşmak istediğimiz bir yer vardı: Mustafa Kemal'in memleketi.

***Emin Çölaşan** artık yok.*

Ne yapmalıyım? Bırakmalı mıyım kürekleri? Şimdi soruyorum: Ne yapmalıyım?"

Bekir bu yazısını İstanbul'a geçiyor... Ve **Ertuğrul** yazıyı okuyunca **Bekir**'i arıyor:

*"Senden bir ricam olacak. Yazıdan **Emin**'in adını çıkaralım."*

Bekir kabul etmiyor. Aksi takdirde istifa edeceğini söylüyor.

Bekir'in bu yazısının tamamını internetten okuyabilirsiniz... Çünkü o yazı, çıktığı gün *Hürriyet* çalışanları dahil on binlerce insanı ağlatmıştı.

17 Ağustos tarihli *Tercüman* gazetesinin iki ayrı manşeti. Yanında bir de takkeli **Ertuğrul Özkök** resmi:

*"**Fethullah Gülen** gömleğini giydi, **Emin Çölaşan**'a güle güle dedi. Özkök'ten alay eder gibi bir yazı. **Fethullah** ekibiyle kol kola giren **Özkök** dünkü köşesinde alay edercesine **Emin Çölaşan**'a güle güle dedi."*

İkinci manşet: *"Keser döner sap döner."* *"**Çölaşan**'ın görevine son verilince sabaha kadar uyumadığını söyleyen **Bekir***

Coşkun: *'Türk medyası ciddi tehdit altında. Yazınca istenmeyen adam olduk. Haykırıyorum! Türkiye intihar ediyor. Türkiye işgal ediliyor. Ama ülkenin sahipleri vardır. Keser döner sap döner, gün gelir hesap döner."*

Akşam'da **Sevim Gözay** yazıyor: *"Hiçbir zaman hayranı, hatta seven bir okuru olmadım. Ama **Emin Çölaşan**'a yapılan şeyi, daha da önemlisi bunun yapılma biçimini çok tehlikeli ve manidar buluyorum."*

Sabah'ta *"**Çölaşan** Neden Seçildi"* başlığı ile **Hıncal Uluç** yazıyor: *"**Ertuğrul**, '**Emin**'in kovuluşunda söylenen sebepler (iktidar baskısı) olsaydı **Yılmaz Özdil**'i alır mıydık' diyebiliyor. Ona öyle demezler sevgili **Ertuğrul**! Ona minareyi çalanın hazırladığı kılıf derler. **Emin**'le mukayese edilecek yazar bugün ülkemizde yok. **Emin** farklı bir şey yapıyordu. Bir **Uğur Mumcu** o. Köşesinde belgeli kanıtlı haber yayımlıyordu. **Aydın Bey** istememiş, tamam. **Ertuğrul** o gazetenin yöneticisi olarak patronu ikna edemez miydi, en azından zamanlama açısından? '**Aydın Bey**, Petrol Ofisi dedikoduları almış yürümüş. Hükümetle 3 milyar dolarlık anlaşma yapıldığı söylentileri yayılmışken **Emin**'i atarsak pazarlığın parçası diyebilirler. En azından bir süre bekleyelim' diyemez miydin? O yazıyı keşke hiç yazmasaydın. Bir gün sen de keşke diyeceksin."*

Günlerden 19 Ağustos. *Hürriyet*'in başyazısındaki başlığı görünce şaşırdım! **Oktay Ekşi**'nin yazısının başlığı: *"**Çölaşan** Olayı ve Biz."* Özetliyorum:

*"**Emin Çölaşan**'ın Hürriyet'le iş ilişkisi bitince okuyucular o kadar çok e-mail gönderip telefon ederek 'Bir şeyler söylesene, orada artık ne arıyorsun, istifa edip ayrılsana, yarın senin de başına gelecek türü çağrı yaptılar ki, bu yazıyı yazmak kaçınılmaz oldu...Önce **Emin Çölaşan**'la ilgili düşüncemizi yazalım. **Çölaşan**'ı takdir etmemek mümkün değil. Okuyucunun dünyasında öylesine derin bir iz bırakmış ki, hem bir dostu, hem de meslektaşı olarak gıpta ettik. Okuyucula-*

rın böyle bir yazara sahip çıkması nedeniyle de büyük mutluluk duyduk..."

Güneş ve *Tercüman* gazetelerinde benzer bir manşet:

*"Okurun **Çölaşan** öfkesi. **Çölaşan**'ın işine son veren Hürriyet'e tepki, kitlesel bir boykota dönüştü. Hürriyet 58 bin tiraj kaybetti. Hürriyet'e büyük şamar."*

20 Ağustos 2007 tarihli *Hürriyet*'te okur temsilcisi **Temuçin Tüzecan**'ın yazısı:

*"Haftanın konusu **Çölaşan**. Bu haftanın konusu **Emin Çölaşan**'ın bundan böyle Hürriyet'te yazmayacağının açıklanmasıydı. Bin'in üzerindeki mesaj bu kararla ilgiliydi. **Çölaşan**'ın Hürriyet'te yazmaya devam etmesini isteyenlerin çok büyük bölümü İstanbul'dandı. İşin ilginç yanı, çokuluslu şirketlerde görev yaptığını anladığım çok sayıda okurun, yabancı sermaye karşıtı yazılarıyla da tanınan **Çölaşan**'ı desteklemesiydi.*

*Elime ulaşan mesajların sadece yüzde 5 kadarı **Çölaşan**'ın Hürriyet'ten ayrılmasını destekliyordu. İşte okur mesajlarından bazı örnekler..."*

***

Kovuldum, iki gün Ayvalık'ta kaldım ve artık Ankara'dayım. Gazetede odamı topluyorum. 22 yılın birikimlerini, arşivleri, belgeleri, kitapları, dosyaları, çekmeceleri, rafları toparlamak mümkün değil. Toz toprak içinde çalışıyorum. Bu arada **Bekir**'le ikimizin sağ kolu olan **Leyla**, okurlardan yağan binlerce mesajı her gün kâğıda çekip bana taşıyor. İnsan biraz haddini bilmese *"Ben neymişim be abi!"* diye düşünecek. Büroya fakslar, mektuplar, telefonlar yağıyor. İnsanlar geçmiş olsun ziyaretine geliyor, resim çektiriyoruz. **Aydın Doğan** ve **Ertuğrul Özkök** kınanıyor. Bu mesajların tamamını daha sonra, inceleyip kitap yapmaları için Ankara Ticaret Odası'na verdim. Pek çok üniversite dışında onlar da istemişti. Aradan yaklaşık bir buçuk yıl geçti, ATO'dan ses yok. Bu konuda ciddi bir çalışma yaptıklarını öğrenmem bir türlü mümkün olmadı!

Bu günlerde (22 Ağustos) evden gazeteye yürürken Cumhurbaşkanımız Sayın **Ahmet Necdet Sezer**'le rastlaştık. Konvoyu ile Farabi Sokak'tan geçiyordu. Beni kaldırımda görünce konvoyu durdurdu, makam aracından indi ve yolun ortasında yaklaşık beş dakika konuştuk. Ne olup bittiğini, kovulma olayını sordu.

İlginçtir, bu günlerde sık sık gözlerim doluyordu. Kovulma olayından hemen sonra Ayvalık'ta iki gece üst üste yapılan büyük tezahürat sırasında içimden doya doya ağlamak gelmişti de kendimi zor tutmuştum. Sayın **Sezer**'le konuşurken de aynı duyguyu yaşadım. Gözlerim dolu dolu idi... Ve düşünün ki, böyle bir olay Türkiye'de herhalde ilk kez oluyordu. Bir Cumhurbaşkanı kaldırımda yürüyen bir gazeteciyi görüyor, konvoyunu yol ortasında durduruyor ve onunla konuşuyordu.

Konvoyda Cumhurbaşkanı'nın fotoğrafçısı da varmış. Biz konuşurken resimlerimiz çekilmiş. Hiç farkında değildim. Bu olay aynı akşam neredeyse bütün televizyon kanallarında haber oldu. Ertesi gün de pek çok gazetede fotoğrafımızla birlikte birinci sayfadan verildi. *Hürriyet*'te tık yok!

Aynı günlerde ilginç bir olay daha yaşadım. *Sözcü* gazetesinden **Mehmet Şehirli** isimli bir arkadaş aradı. Doğrusunu isterseniz *Sözcü* gazetesi okumuyordum. **Mehmet Şehirli**'yi de hiç tanımıyordum. Ancak bizim arkadaşlar 18 Ağustos tarihli *Sözcü*'yü de benim için ayırmışlar. Ankara'ya dönünce görmüştüm. Manşeti şöyleydi:

"Hürriyet'teki yazma hürriyeti elinden alınan **Çölaşan** *konuştu: Susmayacağım, yine yazacağım."*

21 Ağustos manşeti:

"Türkiye'nin tek bağımsız ve cesur gazetesi Sözcü'den **Çölaşan**'a *açık davet. Hürriyet'te yazma hürriyeti elinden alı-*

26

nan **Emin Çölaşan** *için binlerce okur ayağa kalktı. Cesur yazarı cesur gazetede istiyoruz diyen okurlar Sözcü'ye telefon ve faks yağdırıyor."*

22 Ağustos tarihli *Sözcü'*de okur mektupları yayımlanıyor. Hepsi de beni *Sözcü'*de görmek istiyor.

Evet, bugün **Mehmet Şehirli** yine aradı. Benden istekleri vardı. *Sözcü'*de yazmamı istiyorlardı. *Sözcü'*yü, **Aydın Doğan'**ın kapattığı *Gözcü* gazetesi ekibi çıkarıyormuş. Nisan ayında **Bay Patron**, muhalefet yapan tek gazetesi olan *Gözcü'*yü hükümet korkusundan kapatmıştı! *Gözcü'*de açıkta kalan ekip bu kez biraraya gelmiş ve *Sözcü'*yü çıkarmaya karar vermiş. Patronları da, tanınmış gazeteci **Ertuğrul Akbay'**ın oğlu **Burak Akbay**. Bu sıralarda *Sözcü* 40 bin dolaylarında satıyormuş. **Mehmet'**le aramızda şu konuşma geçti:

"Abi biz seni istiyoruz. Bizim arkamızda büyük sermaye yok, holdingler yok. Ötekiler gibi ihale kovalamıyoruz. Tayyip'ten bir beklentimiz ve korkumuz yok. Gel bize, istediğin gibi yaz."

"Mehmet şimdi ben tam bir karambol yaşıyorum. Çevremde kıyamet kopuyor. Yani bunları düşünecek, karar verecek durumda değilim. Ayrıca bir de kitap yazacağım. Düşün ki kafamı toplayıp kitaba bile başlayamıyorum."

Bu günlerde *Hürriyet'*te ilginç olaylar yaşanıyor! *Hürriyet* **Bekir'**in de gitmesinden korktuğu için onu manşetlerine taşıyor ve Bekir'e sahip çıkıyor görüntüsü veriyor. **Bekir** tarihte ilk kez gazetenin manşetinde yer buluyor!.. Ve *Hürriyet* benden sonra yitirdiği saygınlığını biraz olsun giderebilmek amacıyla hükümete posta koyuyormuş görüntüsüne bürünüyor! Hafiften bir kayıkçı kavgası görüntüsü yaratıyor.

Nuh Gönültaş iktidar yanlısı *Bugün* gazetesinde yazıyor (23 Ağustos):

*"Madem öyle, **Çölaşan'**ın günahı neydi? Çölaşan'ın gönderilmesiyle tiraj kaybeden Hürriyet, ağzı bozuk yazarlarla hü-*

kümetle çatışıyormuş, muhalefet ediyormuş gibi bir hava vermeye çalışıyor. Madem böyle devam edecektiniz, **Çölaşan**'ın günahı neydi sorusunun cevabını birilerinin vermesi gerekir. Böylece **Çölaşan**'ın ayrılmasından sonra kaybolan tirajın dengelenmeye çalışıldığı söyleniyor. Başbakanın (**Bekir Coşkun** için söylediği) 'vatandaşlıktan çıksın gitsin' cümlesi etrafında koparılan fırtına bu amaca hizmet ediyor."

Oynanan oyunu herkes görüyordu.

23 Ağustos 2007 tarihli *Tercüman* gazetesi kuşe kâğıda basılı kocaman posterimi verdi. Gazetenin manşeti:

*"Cesur kalemleri susturanlara Türk halkından cevap: Hepimiz **Çölaşan**'ız. Hepimiz **Hrant**'ız pankartlarını manşetlerine taşıyan bir kısım medyaya, **Atatürkçü** kalemlere sahip çıkan Türk halkından hepimiz **Çölaşan**'ız cevabı."*

24 Ağustos tarihli *Hürriyet*'te **Doğan Hızlan**'ın çok ilginç bir yazısı çıktı. **Hızlan** hem **Bay Patron**, hem de **Ertuğrul**'un en yakınlarından biridir ve bu yazıyı onlardan habersiz yazması söz konusu değildir. Özetliyorum:

"Dün Cumhuriyet'te yayımlanan bir fotoğraf ve resimaltı beni çok etkiledi, duygulandırdı. Neydi o fotoğraf?

*Çok saydığım, sevdiğim Cumhurbaşkanı **Ahmet Necdet Sezer** veda ziyaretlerinden birinden dönerken yolda **Emin Çölaşan**'a rastlıyor, konvoyu durdurup, arabadan iniyor ve **Emin**'e, 'Son derece üzgünüm, geçmiş olsun' diyor. **Emin Çölaşan** da, 'Şaşırdım tabii. Çok gururlandım, güç kazandım' sözleriyle duygularını aktarıyor.*

Keşke Hürriyet de kullansaydı o fotoğrafı diye geçirdim içimden. Ama ertesi gün Hürriyet'in internet sitesinde gördüm, çok sevindim. Üstelik beş manşetten biriydi.

Cumhurbaşkanı'nın bu tavrı çok hoşuma gitti.

İki tarafı da tanıdığım için bu tablo bende silinmeyecek, belleğime yerleşen duygusal bir iz bıraktı.

Emin Çölaşan'ı yakından tanıyorum.

Cumhurbaşkanı Ahmet Necdet Sezer'i yakından görenler ona saygı ve sevginin oluşturduğu bir hayranlık duyarlar.

Dışardan bakar, onu tanımazsanız, hakkında doğru yargıya varamazsınız. Ne yazık ki böyle yanlış yazılar yayımlandı hakkında.

Bu niteliklerini bildiğim için de Emin Çölaşan'a karşı davranışı beni şaşırtmadı, aksine, tutarlığının yeni bir örneğini verdi.

Herkesi de etkilediğini biliyorum.

Yıllardır tanıdığım, okuduğum, sevdiğim Emin Çölaşan hakkında bilgim var. Bana gelen e-postalardan çıkan sonuç, benim gibi herkesin de onu okuduğu, sevdiği gerçeği.

Bu bir yazar için çok önemlidir, övünülesi bir husustur. Bir gazete için de önemli olduğunu eklemeliyim.

Emin Çölaşan'ı da taşımak bir gazete için kolay değildir. Onu ancak Hürriyet'in gücü taşıyabilir. Bu bir güç ve başarı ortaklığıdır.

Ben inanıyorum ki, Emin'in buradan ayrılışının nedeni siyasi değil.

Bâb-ı Âli'nin yarım yüzyıllık canlı tanığıyım. Bu ayrılıklar her gazetede, her dönemde yaşandı.

Çetin Altan, İlhan Selçuk, Hasan Pulur ayrıldıkları gazetelere yeniden döndüler. Bunun da tanığıyım. Hepsi de Bâb-ı Âli'nin efsaneleşmiş adlarıdır.

Gazetelerin döner kapılarının özelliğidir, çıkarken girersiniz.

Sadece tanıklık yapmadım. Ayrılmaları, dönüşleri ben de yaşadım.

Kendim de bu kuralı uyguladım, adını andıklarım da. Geçmişe sevgi ve saygıyı hiç unutmadım, unutmadılar.

Önemli olan, ayrılıklardan sonra, kurumların ve kişilerin birbirlerine olan saygı ve sevgilerini kaybetmemeleridir.

Aydın Bey'in siyasi baskıların etkisi altında kalarak el sı-kıştığına inanmıyorum.

Elbette her ayrılıkta duygusallık rol oynar. Bunu çok iyi bilirim.

Tanıklığımın, inandıklarımın, tanıdıklarımın izdüşü-münde bir dipnotu sayın bu yazıyı."

Doğan Abi bunları iyi niyetle niçin yazıyordu? Bana sabırlı olmamı, bir gün yine bunların patronluğu altında yazı yazacağımın mesajını veriyordu. Aynı mesajı bana kovulduğumun ertesi günü **Bekir Coşkun**'la da iletmişlerdi. Benim için olmayacak tek şeydi. Benim onlarla işim bitmişti.

***

Bugün 24 Ağustos 2007. Kovulalı tam 10 gün oldu. Bu 10 günün nasıl geçtiğini anlamadım. Kıyamet kopuyordu. Sokakta yüzlerce insan tarafından çevrilip öpülmüştüm. Yanımdaki herkes bu olaylara tanık oluyordu. Sevgi seli yaşıyordum. Bu sabah benim bu meslekte ilk tanıdığım isim olan dostum ve arkadaşım **Yavuz Donat**'la biraz lafladık.

Dün *Sözcü* gazetesinden **Mehmet Şehirli** aramıştı:

*"**Emin Abi**, biz senin eski yazılarını yayımlamak istiyoruz. Sence bir sakınca olabilir mi? Bunu profesyonelce yapmak istiyoruz. Sana telif ücreti ödeyeceğiz."*

*"**Mehmet** benim açımdan bir sakınca olmaz. O yazılar zaten yayınlanmış. Ama Hürriyet su koyverirse, itiraz ederse onu bilemem. İşin yasal boyutunu siz araştırın. Ayrıca ben o yazılarım için zaten Hürriyet'te iken maaş almışım. Sizden bir kuruş bile istemem ve kabul etmem. İşin yasal boyutunu çözmek ise size aittir."*

24 Ağustos günü *Sözcü*'de kocaman bir sürmanşet:

"Ünlü yazarın susturulmasına neden olan yazılar her gün Sözcü'de. ÇÖLAŞAN YAZIYOR. Hürriyet'ten hürriyeti alınan

Emin Çölaşan'ın iktidarı rahatsız eden ve kovulmasına neden olan yazıları bugünden itibaren her gün beşinci sayfamızda."

Böylece *Sözcü*'de yazılarım başladı. Yazıları bir gün bile ben seçmedim. Hep onlar seçti ve ben ertesi günü *Sözcü*'de okudum. Ama öyle güzel seçtiler ki, güncel olaylara öylesine uyum sağladılar ki, ben bile kendi kendime *"Valla o günlerde iyi yazmışım"* diyordum!.. Çünkü binlerce yazı yazmışım ve bazılarını ister istemez unutmuşum.

Şimdi aradan bir yılı aşkın bir zaman geçti. Eski yazılarım yine her gün *Sözcü*'nün birinci sayfasında...Ve *Sözcü* gazetesi neredeyse 150 bin satışa ulaştı. Çorbada benim de tuzum varsa ne mutlu.

24 Ağustos: Bu gece ATO Başkanı **Sinan Aygün**, görkemli evinde ve bahçesinde benim onuruma bir toplantı düzenledi. Ankara'nın neredeyse bütün gazetecileri oradaydı. Olayı hiç kimsenin aklı almamıştı. Her biri *Hürriyet*'in patron kademesinin kulaklarını çınlatıyordu! *Hürriyet*'teki arkadaşlar dahil. İçlerinden biri bile onlardan saygıyla, sevgiyle söz etmiyordu... Çünkü sömürü çarkının içinde yaşayanlar onlardı. Aynı süreci ben yaşamıştım.

Arkadaşlara dedim ki: *"Ben artık emekli olmuş işsiz bir gazeteciyim. Bundan sonra unutulurum, her şey biter. Bu tantananın birkaç gün ömrü daha var. Bu balık hafızalı toplumda kısa süre sonra her şey unutulur, ben de unutulurum."*

Orada **Taki Doğan**'ın yüksek sesle herkese hitaben söylediği sözler beynime çakıldı:

"Emin Abi, sen bir efsanesin. Türk basını senin gibi adamı az gördü. Halkın sevgisi seninle. Sen unutulmayacaksın. Bu sözlerimi unutma. Allah ömür versin, sözlerimin doğru olduğunu sen de göreceksin, biz de göreceğiz."

60 dolaylarında gazeteci geç vakte kadar lafladık, muhabbet ettik, resimler çektirdik.

Sinan Aygün'ün evinde bir gecenin saz heyeti! Kanun Saygı Öztürk, keman Sinan Aygün, ud **Bekir Coşkun**, darbuka Emin Çölaşan.

Metin Özkan'ın *Tercüman*'daki yazısından:

*"ATO Başkanı **Sinan Aygün**'ün gazeteci abimiz **Emin Çölaşan** için verdiği dostluk daveti bir yalnızlığa değil, aksine en kötü günde bile biraraya gelip kucaklaşarak tek vücut olabilme adına önemli bir fotoğraftı. Altmışı aşkın gazete ve televizyon yöneticisinin katıldığı gecede küçük büyük hepimiz sevgili **Emin Abi**'ye yanındayız mesajı verdik..."*

25 Ağustos günü *Sabah* gazetesinde **Yavuz Donat**'ın *"Çölaşan'ın Duygu Dünyası"* başlıklı yazısını özetliyorum:

*"**Emin Çölaşan** arayanları saydı. **Süleyman Demirel, Deniz Baykal, Tansu Çiller, Erol Simavi, Hülya Avşar**... Ya askerler? 'Hayır' dedi. 'Askerlerden hiç kimse aramadı.' Oysa **Büyükanıt** arayabilirdi. Herhalde 30 Ağustos telaşıdır. Şu ara işleri çok yoğun.*

*Kovulmaya talimli (Daha önce Devlet Planlama Teşkilatı ve PETKİM'den kovulmuştum!) **Emin**'e yıllar önce sorduğumuz soruyu tekrarladım: 'Nasıl bir duygu?' **Emin Çölaşan:** 'Olayın hâlâ sıcaklığını yaşıyorum. Üzüldüm tabii. Böyle olmamalıydı. Bir somut gerekçe olsa neyse.*

*Dün bir yandan anılara dalıp bir yandan da yürürken gelip geçen el sıktı, birkaç söz söyledi. Kimi abi üçkâğıdın yok, düzgün adamsın, kimi de Sayın **Çölaşan** adınız temiz kaldı dedi..."*

Ve **Yavuz** bana kocaman bir Türk bayrağı armağan etti.

Aynı gün *Cumhuriyet*'te **Oktay Akbal**'ın yazısından:

*"**Emin Çölaşan**'a geçmiş olsun diyemiyorum, gerçek geçmiş olsunu Hürriyet gazetesinin başındakilere söylemeli. O gazetenin binlerce okuru gibi."*

26 Ağustos tarihli *Aydınlık* dergisinde kapaktan bir yazı:

*"**Çölaşan** operasyonunun fiyatını öğrendik: İlksan (Hilton) arazisinin imarı. Arazinin imarının çıkması gerekiyordu. Bunun için (**Doğan Holding** tarafından) 22 Temmuz 2007 seçimleri öncesinde belediyeye başvuruldu. Seçimden sonra da*

başvurunun akıbeti soruldu. *İşte karşı talep bu ikinci başvurudan sonra geldi. Arazinin imarı çıkarılacaktı ama bir şartla: O adamın, yani Emin Çölaşan'ın yazılarına son verilmeliydi."*

28 Ağustos günü **Hıncal Uluç**'un *Sabah*'taki yazısından (Bu sırada bizim **Ertuğrul** hükümete sert çıkmaya başlıyor ve alay konusu olmuş durumda):

"Takiyyecinin daniskası meğer benim meslektaşlarımmış. **Recep Tayyip Erdoğan***'ın* **Bekir Coşkun** *gafını günlerdir nasıl kullanıyorlar, inanamıyorum.* (**Tayyip Bekir**'in bir yazısını okuyunca kızmış ve *"İsterse vatandaşlıktan çıksın"* demişti. **Ertuğrul** bu olayı kullanıp **Tayyip**'e ömründe ilk kez bindiriyor!) *En başta Hürriyet.* **Emin Çölaşan***'ı kovmaları gazetenin adını, itibarını ve de tirajını fena halde sallayınca,* **Bekir Coşkun** *olayına nasıl da sarıldılar.* **Umur Talu** *harika bir yazı yazdı tabloyu sergileyen. Ben dahasını söyleyeyim.* **Emin***'i de yarın geri alırlarsa şaşırmayın. Çünkü* **Emin, Abdullah Gül***'ün seçim sürecini sallayacak potansiyel tehlike idi belgeli yazılarıyla. Şimdi o iş bitti ya, gel* **Emin** *başla!"*

Bu aşamada yine bir yandan odamı topluyorum, bir yandan da kitabımı yazacak bir büro arıyorum. Ben evde çalışamam. Evde bilgisayarım yok. Ben sadece iş ortamında çalışabilirim. Fakat gelin görün ki, yazacak bir büro bulamıyorum. 30 yıllık gazeteciyim ama işadamı, müteahhit, holding sahibi yakın bir tanıdığım yok. Hiç kimseye gidip *"Yaa arkadaş aç bana büronu, bir sekreter ver, bir de araba ver altıma"* diyecek durumum yok. O tür ilişkilerim hiçbir zaman olmamış.

Bir arkadaşımın iki odalı bürosu var. Beni oraya götürdü. Orada bilgisayar da var. Fakat ben aynı zamanda teknoloji özürlüyüm. Bilgisayarda en ufak bir yanlış yapsam çuvallarım ve bütün günüm gider. Oysa kitabımı en kısa zamanda yazmak zorundayım.

Bilgi Yayınevi'nin sahibi **Ahmet Küflü**'yü aradım. **Ahmet Abi** benden hep Bilgi'den yayımlanacak kitap yazmamı isterdi.

"Ahmet Abi, durum böyle böyle. Muhteşem bir kitap yazacağım. Sanırım çok büyük ilgi uyandıracak. Hürriyet'te yaşadıklarımı anlatacağım. Ancak benim çalışacak yerim yok."

"Bu da laf mı yani, gel bize be kardeşim. Gel burada yaz. Bizde her şey var. Sana bir oda vereyim. Ayrıca bilgisayarcımız var, bütün arkadaşlar da sana yardımcı olur."

Birkaç gün sonra Bilgi Yayınevi'ne gittim. Oraya ilk kez adım atıyorum. Uygar, sessiz, sakin bir yer. **Ahmet Abi** 77 yaşında, Türkiye'nin en eski ve deneyimli yayıncılarından biri. Bugüne kadar dört bin dolaylarında kitap yayımlamış. Ayrıca kitap dağıtım şirketi var. **Ahmet Abi** bana boş bir odayı gösterdi. Bu odayı dolduracak ve ben orada yazmaya başlayacağım.

İki gün sonra gittiğimde oda dört dörtlük dolmuştu. Masa, telefon, konuk koltukları, kitap rafları, bilgisayar, televizyon, hatta masanın üzerindeki makasa, tel zımbaya varıncaya kadar bütün gerekli şeyler...

Hürriyet'teki eşyalarımın, arşivimin, dosyaların, ciltlerin, ödüllerin neredeyse tamamını dostum ve arkadaşım **Salim Taşçı**'nın bürosuna taşımıştık. **Salim**'in bürosuna gidip bana kitap yazarken gerekecek belgeleri, arşivleri aldım. Onları Bilgi Yayınevi'ne getirdik.

***

Bugün 30 Ağustos 2007. Akşam Kara Kuvvetleri bahçesinde Genelkurmay resepsiyonu var. Ben de davetliydim. Orada Genelkurmay Başkanı **Yaşar Büyükanıt**'la karşılaştık. Kovulma olayının üzerinden sadece 16 gün geçmiş ve medya bu olayla dolu. Kendisinden bir *"Geçmiş olsun, üzüldük"* sözü bekliyorum. Orada birkaç kez karşılaştık, konuştuk. Hiçbir şey söylemedi.

Bir ara Kara Kuvvetleri Komutanı **İlker Başbuğ**'la karşılaştık:

"Emin Bey, gelin isterseniz biraz yanımıza. Birlikte oturalım."

Gittik. O bölümde çoğunu isim olarak tanıdığım, ancak orada ilk kez tanıştığım orgeneraller ve eşleri oturuyor. Sağ olsunlar, hepsi de büyük ilgi gösterdiler. Herkes bizim olayı soruyordu. Belki bir saat konuştuk. Bir ara **İlker Paşa** kulağıma eğildi:

"Emin Bey, korunuyor musunuz? Korumanız yoksa biz bu görevi üstleniriz. Siz bu millet için çok şey yaptınız. Sizi korumak bizim görevimizdir. Koruma verelim mi size?"

"Sağ olun Paşam, teşekkür ederim. Korunuyorum."

İlker Başbuğ'un bu sözleri beni gerçekten duygulandırmıştı. En azından bir ilgi gösteriyordu. **Büyükanıt Paşa** gibi ilgisiz kalmamıştı.

***

31 Ağustos günü *Hürriyet* İnsan Kaynakları Müdürü **Sancak Basa** İstanbul'dan geldi ve yazılı kovma tebligatını imza karşılığı teslim etti.

7 Şubat 1977 günü *Milliyet*'te gazeteciliğe başlayacaktım. Hiç bilmediğim bir işe girecektim. Başarılı olacak mıydım, ne yapacaktım, bilemiyordum ve korkuyordum. Bir gün önce Ankara'da Hacıbayram Veli Hazretleri'nin türbesine gidip *"Allahım bana yardımcı ol, beni bu meslekte başarılı kıl, beni mahcup etme"* diye dua etmiştim. Şimdi aradan 30 yılı aşkın bir süre geçmiş ve yazılı kovulma tebligatını almıştım. Hemen ardından yine Hacıbayram'a gittim ve aynı yerde bu kez şükür duası ettim. Allah bu meslekte beni bir yerlere getirmiş, mahcup etmemiş, yüzümü kara çıkarmamıştı. Görevimi

açık alınla, onurla, lekesiz, şaibesiz, şanla ve şerefle –şimdilik bile olsa– noktalamıştım. İçimden fışkıran tüm duyguları Allah'la ve Hacıbayram Veli Hazretleri ile paylaştım. İçim rahatlamıştı.

2007 yılının Ağustos ayı böyle geçti. İsmim gazetelerde ve ekranlarda yüzlerce kez geçmiş, yanıma binlerce kişi gelip kutlamıştı... Ve inanın, bir tek kişiden saygısızlık görmediğim gibi, eleştiri de almamıştım.

İşin benim için çok, ama çok önemli bir boyutu daha vardı. Bana ve yazdıklarıma en karşı olan gazetelerden, köşe yazarlarından bile bir tek küçültücü söz, iftira çıkmamıştı. Aslında en korktuğum şey buydu ve olursa yadırgamazdım. Sür mermiyi namluya, atışa başla:

"Emin Çölaşan iş takip etmişti, kendi adına iş bitirmişti, şu ahlaksızlığı yapmıştı, para ve çıkar karşılığında yazı yazmıştı, yalan yazmıştı, o yüzden şutlandı..."

Bir kişi bile böyle bir şey yazmadı. Dahası, bir kişinin bile aklına böyle bir şey gelmemişti. Eleştirilen, alay edilen hep iki kişi vardı: **Bay Patron** ve kalfası **Ertuğrul**. Bu da onlara herhalde yeterdi. Eğer anladılarsa!

Ağustos ayı böyle geçti.

***

İşleri büyük ölçüde toparladım. Şimdi artık kitaba yumulmam gerekiyor. Belgeleri düzenledim, arşivi sıraya soktum. Bir huyum vardır, başladığım işi hiç ara vermeden bitiririm. Öyle iki gün yazayım, iki gün ara vereyim muhabbeti bende hiç yoktur.

Kitap yazma işi, kovulduğum gece İzmir'deki otel odasında kafamda netleşmişti. İki-üç gün Ayvalık tarafına gittiğimde ve Ankara'da herkes etrafımı sarıp bir yandan olayı lanetliyor, öbür yandan soruyordu:

"*Şimdi ne yapacaksınız Emin Bey? Nerede yazacaksınız?*"

Herkese aynı şeyi söylüyordum:

"*Önce kitap yazacağım. Neler yaşadığımı anlatacağım. Kimlerin korktuğunu, kimlerin baş eğmediğini belgelerle açıklayacağım. Biraz sabırlı olun.*"

Benden bu yanıtı alan ve bana ulaşamadığı için ne yapacağımı bilemeyen on binlerce insan herhalde kitabımı okuyunca bana hak vermişlerdir. Evet, sıra kitap yazmaya gelmişti.

Eylül ayı başlarında iki kez Bilgi Yayınevi'ne uğradım ve çalışanlarla tanıştım. Hepsi de sağ olsunlar, büyük yakınlık gösterdi. Yeni bir ortama giriyorsunuz ve siz orada yabancısınız. Bu yabancılığı bana hiç yaşatmadılar. Ayrıca oraya **Turgut Özakman** geliyor, **Vural Savaş** ve öteki yazarlar geliyor, bol bol laflıyoruz. Ama aklım fikrim bir an önce yazmaya başlamakta.

***

Bugün 10 Eylül 2007. Kafam oluşmuş, yazmaya odaklanmışım. Besmele çekip ilk tuşu vurdum. Zaten bütün mesele ilk tuşu vurmaktır. Sonrası kendiliğinden gelir.

Bu sabah yazmaya başladım. Hiç ara vermeden yazıyorum. Kitabın ismi aklımda hiç yok. Bunu düşünecek zamanım bile olmamış...

Ve ömrümde ilk kez kitabın son bölümünden başlayarak yazmaya başladım. Yani sonunu yazıyorum. Baş tarafını son bölüm bitince yazacağım. Canavar gibi çalışıyorum. Bilgisayarın başına sabah saat 10 gibi oturuyorum, akşam saatlerinde kafam durunca, beynim tıkanınca kalkıyorum. Yaşadıklarımın tamamı notlarımda, belgelerimde ve belleğimde olduğu için hiç zorlanmıyorum. Su gibi akıp gidiyor. Ortaya iyi bir şey çıkaracağımı sanıyorum.

Yazmaya başladığımın ilk günü gecesi, Ankara Koleji'nden sınıf arkadaşlarım benim onuruma Planet Restoran'da yemek veriyor. Bu sırada kitap yazmaya başladığım, neyi yazacağım herkes tarafından duyulmuş durumda. Herkes merak ediyor. Aynı restoranda *Vatan* gazetesi Ankara temsilcisi **Bilal Çetin** ve eşi **Semra Çetin** de var. Bilal kulağıma eğildi:

"Abi bitince kitabın ilk haberini manşetten biz yapalım."
Bilal bunu iyi niyetle söylüyordu.

*"Aman **Bilal**, Vatan gazetesi de **Aydın Doğan**'ın. O kitap size hiç yaramaz. Bırak manşeti, gazetede bir sözcükle bile değinemezsiniz."*

Gülüştük.

Yazarken Bilgi Yayınevi'nin dışına hiç çıkmıyorum. Burası çok rahat bir yer. Öğlen karavana çıkıyor, çayınız kahveniz geliyor, sessiz, sakin ve uygar bir ortam var. Nerede olduğumu hemen hiç kimse bilmediği için telefon gelmiyor, gelen giden olmuyor.

Kitabın yazımını tam sekiz iş gününde, 18 eylül günü bitirdim. Bu bir rekordu. Ancak iş bununla bitmiyordu. Kitabı yazacaksınız, sonra yeniden okuyup harf hatalarını, cümle hatalarını düzelteceksiniz. Eklemeler ve çıkarmalar yapacaksınız.

24 Eylül günü bu işleri de tamamladım.

Peki ben ne yazmıştım? Yazdıklarım iyi olmuş muydu? Bu kitap tutar mıydı? Bugüne kadar sürekli yazmıştım ama benden başka kimse okumamıştı. Ne yazdığımı sadece ben biliyordum.

Kitabı Bilgi Yayınevi'nde bu işleri çok iyi bilen **Ahmet Küflü** ve **Biray Üstüner**'le birlikte kitap kararlarını veren ekipteki **Argun Tozun**'a da verdim.

"Argun iş bitti. Şimdi bunu okuyan ilk kişi sen olacaksın. Oku ve bana fikrini lütfen açıkça söyle. Eleştirin varsa açıkça söyle."

Argun birkaç saat sonra yanıma geldi:

"Hepsini henüz okumadım ama yarıya geldim. Tüylerim ürperdi. Müthiş olmuş. Ellerinize sağlık."

"Eleştirdiğin, şunu çıkaralım, şurasını genişletelim diyeceğin bir şey yok mu?"

"Valla yok. Bütün samimiyetimle söylüyorum. Olsa zaten söylerim çünkü sonuçta bu kitabı biz basıp satacağız. Halkın karşısına sizinle birlikte yayınevi olarak biz de çıkacağız."

Bu kadarı bana yeterdi. Kitabı matbaaya gönderdiler. İlk 48 baskısı birden yapılacak. Ben kuşkuluyum.

"Arkadaşlar fazla basmayın, elinizde kalmasın. Sonra en azından ben size karşı mahcup duruma düşerim, siz de zarar edersiniz."

"Siz merak etmeyin, biz hangi kitabın ne kadar satacağını biliriz. İşimiz bu."

Bilgi Yayınevi gerçekten profesyonelce çalışıyor. Her işin uzmanları var. Okuma, düzeltme, baskı, satış, dağıtım, pazarlama, muhasebe...

Kitap matbaaya gönderildi, basılmak üzere. Kapağını da **Murat Sayın** hazırladı. Bir deste *Hürriyet* gazetesinin arasından **Tayyip**'in kafası fışkırıyor! Kapaktaki *Hürriyet*'in manşeti: *"Durmak yok, yola devam."*

Kovulalı bir ayı aşkın bir zaman geçmiş ve ben ağzımı açıp hiç kimseye konuşmamışım. Neredeyse bütün medya benimle söyleşi yapmak istiyor, telefonlar ediliyor, sorular gönderiliyor, randevular ayarlanmaya çalışılıyor ama hiçbirini kabul etmiyorum. Hepsine de aynı şeyi söylüyorum:

"Ben kitabımla konuşacağım. Kitap çıksın, sonra görüşürüz."

Fakat gelin görün ki, kitabın henüz ismi yok! Ben yoğunluktan bunu düşünmemişim. Şimdi ismini koymak gerekiyor. **Ahmet Küflü**'nün odasında toplandık. Kitap baskıya girecek, kapak bile hazır ama isim belli değil. **Ahmet Küflü**, **Turgut**

Özakman, **Biray Üstüner**, **Argun Tozun** ve ben, "Ne yapalım, hangi isim uygun düşer" diye tartışıyoruz ama ortaya atılan isimler hiçbirimizin içine sinmiyor. Her kafadan bir ses çıkıyor ama sonuç yok.

Tam bu sırada **Biray Üstüner**'in cep telefonu çaldı... Ve **Biray Hanım** konuşmaya başladı:

"İyiyiz Muzaffer Bey, siz nasılsınız... Burada toplandık, Emin Çölaşan'ın kitabına isim bulmaya çalışıyoruz... Evet, kitap baskıya gönderildi de, isim olmadığı için bekletiyoruz. Nasıl nasıl?.. Kovulduk Ey Halkım Unutma Bizi mi?.. Peki, ben arkadaşlara iletirim..."

Bu ismi duyunca ayağa fırladım, **Biray Üstüner**'e sordum:

"Kim bu konuştuğunuz Muzaffer Bey?"

"Muzaffer İzgü, İzmir'den arıyor."

Telefonu aldım.

"Muzaffer Abicim, ağzına sağlık. Kitabın ismi konulmuştur. Kovulduk Ey Halkım Unutma Bizi değil mi?"

Hepimiz mutluyuz. Bu ismi herkes beğendi. Yüzlerce kitabın yazarı olan **Muzaffer İzgü** Abimiz bizim günlerdir bulamadığımız ismi bir anda bulmuştu. Hem de en anlamlı, kitabın konusunu en iyi anlatan bir biçimde. Kitabım basıldıktan sonra **Muzaffer Abi**'ye de imzalı gönderdim:

"Kitabımın isim babası Muzaffer İzgü Abimize..."

Artık herkese kitabın ismini söylüyorum. Olayı *Hürriyet* yönetimi de duydu. Kitabı en çok endişe ve merakla bekleyenler onlar!

***

Bu sırada internet sitelerinde **Salim Taşçı**'nın yazdıkları dolaşıyor:

41

"Doğru söyleyeni dokuz köyden kovarlarmış. KOVULDUK EY HALKIM UNUTMA BÎZİ...

Eksik veya fazla bir kelime için uykusuz geçen gecelerde ayla, yıldızlarla sohbetimiz olmuştur. Kimselere haksızlık yapmamak, zedelememek için kılı kırk yarmışızdır. Üzmemiş, üzülmüşüzdür. Kol bacak kırıldı yen'in içinde bırakmışızdır... Sıra kalemimize gelmiştir, kırdırmamış yen'in dışına çıkmışızdır. Çıkınca da kovulmuşuzdur... KOVULDUK EY HALKIM UNUTMA BİZİ...

Cepheye sürülmüşsün, direktif verilmiştir: 'Şuna ateş et, buna etme. Bu cici, bu kaka, aman ha ileri gitme. Gidersen eğer, evet gidersen eğer, kovulursun...' Baş eğmedik, eğilmedik, bükülmedik, yılmadık, sinmedik, doğru bildiğimiz yoldan sapmadık, eğriye, yanlışa, peşkeşe, vurguna karşı çıktık. Vatanın bölünmez bütünlüğüne, Atatürk ilkelerine sahip çıktık. KOVULDUK EY HALKIM UNUTMA BİZİ...

İkbal peşinde koşmadık,
İhale takipçiliği yapmadık,
Yalakalığın, yağcılığın semtine uğramadık,
Hatıra gönüle yazı yazmadık,
KOVULDUK EY HALKIM UNUTMA BİZİ...
Haklının yanında, haksızın karşısında olduk.
Ölüm tehditleri aldık yığınla,
Korkmadık yazdık.
Önce millet önce vatan dedik... Ve kovulduk!
KOVULDUK EY HALKIM, UNUTMA BİZİ...

Evet, KOVULDUK EY HALKIM UNUTMA BİZİ, ünlü gazeteci-yazar **Emin Çölaşan**'ın kitabının adıdır.

Son dönemlerde yaşadıklarını, yazıyor. Belki bir solukta, belki nefesinizi tutarak okuyacaksınız. Okurken çoğu yerde irkilecek, çoğu yerde hüzünlenecek, 'Doğru söyleyeni dokuz köyden kovarlarmış' atasözü üzerinde düşüneceksiniz."

***

Kovulduğumda, **Mustafa Balbay**'la birlikte pazar günleri *ART*'de yaptığımız program da benim gibi tatildeydi. 16 Eylül Pazar günü tatil sonrası ilk programı yapacağız. *ART*'nin Genel Müdürü **Ahmet Özbek**'e birkaç gün öncesinden sordum: "*Ben artık Hürriyet'te değilim. Üzerimde artık Hürriyet yazarı kimliği yok. Dolayısıyla benim programdan ayrılmamı isteyebilirsiniz. Mustafa bir başka arkadaşla devam eder. Ayrılmamı isterseniz asla kırılmam.*"

Aldığım yanıt ilginçti:

"***Emin Bey****, siz* ***Emin Çölaşan****'sınız. Bizim için sizin Hürriyet'te olup olmamanız hiç önemli değil. Sizin adınız yeter. Bu program Türkiye'de pazar sabahları saat 11.00'le 12.30 arasında seyredilen reytingi en yüksek program. Bir numaradayız* ***Balbay*** *ve sizinle. Siz bırakmadığınız sürece program aynen devam edecektir.*"

16 Eylül Pazar günü, dört hafta aradan sonra ilk programı yaptık. Doğal olarak ilk konu benim olayımdı. *Hürriyet*'te yaşadıklarımı, üzerime nasıl geldiklerini, baskıları, iktidar korkusunu anlattım ve bu işin kitabını yazmaya başladığımı kamuoyuna açıkladım.

Her programa izleyicilerden ortalama 200 mesaj gelirdi. Çok büyük rakamdı. Bugün tam 1.840 mesaj geldi. İşte birkaç örnek:

"***Emin Çölaşan*** *küresel sermayeye kurban edilmiştir... Sonuna kadar yanındayız... Kitabını merakla bekliyoruz... Sizi gazeteden uzaklaştırabilirler ama yüreğimizden asla... Cumhuriyet tehlikededir, yanınızdayız, mücadele şimdi başlıyor... Basın dünyamızın mavi gözlü devi, hep senin yanındayız... İyi ki varsınız...* ***Emin Bey*** *lütfen mücadeleyi bırakmayın, arkanızda büyük kitleler var...* ***Balbay*** *ve* ***Çölaşan****, sizi seviyoruz... Sizden sonra Hürriyet'i bıraktık...* ***Tayyip*** *alana* ***Aydın Doğan*** *bedava diye haykıranlar ne kadar haklı çıktı... Sizi kovanlar acaba bir gün utanır mı... Sakın üzülmeyin, nerede isterseniz yazarsınız... Bu ülkeden ne **Aydın Doğan**'lar, ne **Ertuğrul**'lar geldi geçti, hepsi de unutuldu..."*

Böyle 1.840 adet mesaj! Bunları yayın sırasında kâğıda çekip stüdyoya getiriyorlar. Bugün sayı öylesine çoktu ki, kâğıda çekme işlemi bitmemişti.

Yine duygusallaşmıştım. Bunları daha sonra okurken gözlerim doldu. Sokakta benzer ilgi ve sevgiyi görüyordum ama iş ekrana da yansımıştı. Daha neler görecektim neler!

İki gün sonra bazı gazete manşetlerinde yine ben vardım:

*"**Emin Çölaşan** Hürriyet'ten nasıl atıldığını ART'de ilk kez anlattı. AKP'nin medya patronlarını teslim aldığını söyledi..."*

*"**Çölaşan** Hürriyet'in yayın politikasını ART'de açıkladı. İlk kez konuşan **Çölaşan** yaşadığı baskıları anlattı... Gazete patronlarının hepsinin medya dışı işleri var. İktidarın baskısına göğüs geremiyorlar..."*

Bütün bunlar olurken internet sitelerine ilgili ilgisiz bir sürü haber yansıyor. İşte bunlardan biri:

*"Bir süre önce Hürriyet'le yolları ayrılan **Emin Çölaşan**'a ilk teklif, Akşam ve Tercüman gazetesi ile Show TV ve Sky Türk'ün sahibi **Mehmet Emin Karamehmet**'ten geldi. **Karamehmet Çölaşan**'a yaptığı teklifte 'Açık çek veriyorum. Bizim grupta işe başlasın, Tercüman'da yazsın' dedi. **Çölaşan** ise 'Yazarsam Akşam'da yazarım. Tercüman'ı kabul etmem' dedi ve **Karamehmet**'in bol sıfırlı teklifini reddetti. Ancak **Çölaşan** Cumhuriyet'in teklifini kabul etti."*

Bu haberlerin tamamı uydurma. **Karamehmet**'ten bana ne öneri geldi, ne de çek! Onlar bu konuda tam bir suskunluğa bürünmüştü. Kovulma olayımı günlerce manşetlerden veren, önceki yıllarda ben *Hürriyet*'te iken iki kez transfer teklif eden

Akşam grubu artık suskundu. Normal koşullarda bana görev teklif etmeleri gerekirdi. Peki niçin suskun kaldılar?

Bu sorunun yanıtını aylar sonra o grubun en yetkili isimlerinden biri bana verdi.

Ben *Hürriyet*'ten kovulduktan sonra "Başbakanlık çevresi", **Tayyip**'in en yakınlarından biri **Karamehmet** grubuna telefon etmiş ve *"Bu adamı almayı sakın haa düşünmeyin, sonra aramızda sorun çıkar ve bunun zararını siz görürsünüz"* demişti. Bu "rica" daha sonra sözlü olarak bir kez daha yinelenmişti.

Evet, kovulalı bir buçuk ay olmuştu ama gündemden düşmüyorum.

Yavuz Donat yazıyor:

*"**Emin Çölaşan**'la ilgili olarak ortalıkta dolaşan laf çok. Lafların hepsi de 'miş'li. **Karamehmet** grubu açık çek vermiş gibi. Cumhuriyet'le anlaşmış gibi. Öylesine çok 'miş' var ki. Dün **Çölaşan**'la bu konuları konuştuk.*

***Karamehmet** grubu?*

'Hayır, hiç kimseyle konuşmadım. Ne açık çek ne başka bir şey.'

Cumhuriyet?

'Teklif geldi, ısrarla istediler.'

Kimler aradı?

*'**İlhan Selçuk, Alev Coşkun, Hikmet Çetinkaya, Emre Kongar, Mustafa Balbay**... Tek tek aradılar ve gel Cumhuriyet'te yaz dediler.'*

*Kararını sorduk. **Çölaşan** 'Bir-bir buçuk ay bu konulara kapalıyım, kitap yazıyorum' dedi.*

Nasıl bir kitap?

'Gazetecilikte yaşadığım bazı olayların konu edildiği bir kitap.'

Kitabın ekim ortasında çıkacağını sanıyoruz. Kitapla ilgili iki şey söyleyebiliriz.
1- Hayli ses getirecek.
2- Basın dünyasını sallayacak."

Yakın arkadaşım **Yavuz** yazdığım kitabı biliyordu. Ancak yazısında buna üstü kapalı değinmişti. Daha sonra öğrendim. Neler yazacağımı tahmin eden **Aydın Doğan**, **Yavuz**'u arayıp benim çıkmamış kitabı gündeme getirdiği için sitem etmiş, kırgınlığını dile getirmiş. Bu bir taktikti. Kitap piyasaya çıkınca önünü kesmenin, yazılmasını önlemenin yollarından biriydi!

***

Mutlu olayların önü arkası kesilmiyor. **Nedim Saban**'ın internet sitelerinde çıkan bir yazısı gözüme ilişti. Ünlü İtalyan tenor **Pavarotti**'nin ölümünden hemen sonra yazmış. **Pavarotti** uzun yıllar önce dünya çapında tanınmış biri değilken Ankara Operası'na gelmiş. **Cüneyt Gökçer** kendisini dinlemiş ama sesini gevrek, vücudunu şişman bulup beğenmemiş ve İtalya'ya geri göndermiş. Yani **Pavarotti**, Ankara'dan kovulmuş. **Nedim Saban** yazısında bu olayı anlatıyor. Yazının başlığı:

"Nedim Saban'dan Çölaşan'a adanmış bir Pavarotti yazısı."

Yazının son bölümü:

"İktidarlar gelir geçer. Tarih iktidarla birlikte gelip geçenlerin, iktidara geçirmeyi başaranların ölümsüz aryalarını sonsuza dek kaydedecektir.

Bugün kralın soytarısı olanlara yarın hepimiz ağlayacağız. Bugün sesi kesilenleri ise büyük tenorlar olarak hatırlayacağız.

*Bu yazı **Emin Çölaşan**'a adanmıştır."*

Nedim Saban'ı hiç tanımamıştım. Yazısını başkaları bana göndermiş. Yine çok mutlu oldum. Unutulmuyordum! Seviliyordum!

***

Kitap matbaada basılıyor. *Gazeteport* internet sitesinin Ankara Temsilcisi **Emin Özgönül**, kardeş gibi sevdiğim gazeteci arkadaşlardan biri. Habire ısrar ediyor *"Abi ilk söyleşiyi bizimle yap"* diye. Onu kıramadım. Suskunluğumu *ART*'den sonra ilk kez **Emin Özgönül**'e bozdum. İşte 30 Eylül 2007'de iki gün süren o söyleşinin geniş özeti:

*"Hürriyet gazetesinin en çok okunan köşe yazarıyken, yazdıkları yüzünden kovulan **Emin Çölaşan**, kovulma sürecinde yaşadıklarını GAZETEPORT'a anlattı.*

***Emin Çölaşan** müthiş bir baskı gördüğünü, bu yüzden frene bastığını ama yine de yazdığını açıkladı. **Çölaşan** baskılar arttığı zaman Nasrettin Hoca fıkraları yazarak günü geçirmeyi bile düşündüğünü belirterek, AKP aleyhinde yazdığı çok sayıda belgeli yazısının sümenaltı edildiğini GAZETEPORT'a açıkladı.*

*Türk basınının simge ismi **Emin Çölaşan**'ın 22 yıl çalıştığı Hürriyet gazetesi ile yollarını ayırmasının üzerinden bir ayı aşkın zaman geçti. 'Ben Hürriyet ile yolumu ayırmadım, resmen kovuldum" diyen **Çölaşan**'ın işine, önce sözlü biçimde, ardından da 31 Ağustos günü 'övgü dolu bir mektupla' ve yazılı olarak son verildi. O övgü dolu mektup, âdet olduğu biçimde, 'başarı ve mutluluk dilekleriyle' sona erdi. **Çölaşan** şimdi 'işsiz ama vakti olmayan' bir gazeteci. Çünkü 30 yıllık meslek hayatının son döneminde yaşadıklarını ve özellikle de 'kendisini kovduran süreci' yazıyor. Sabah erkenden evinden çıkıyor, Bilgi Yayınevi'ne gidiyor ve kendisine ayrılan odaya kapanıp bilgisayarının başına geçiyor...*

250 sayfa olacak kitabın temeli atıldı. Çerçevesi de belli. Yaklaşık 15-20 gün sonra da bilgisayar ekranından çıkıp, birinci hamur kâğıtların üzerine dökülecek ve kitap raflarında yerini alacak...

Çölaşan, kitabını yazdığı şu günlerde, yaşadıklarını ve duygularını da anlattı. Yeni kitabının henüz oluşan sayfalarına kısa bir mola verdi ve GAZETEPORT'un sorularını cevapladı:

– 30 yıl el üzerinde tutulup sonra da kovulmak nasıl bir duygu?

– *Ben gazeteciliğe 1977 yılında Milliyet'te başladım 1985'te de Hürriyet'e geçtim. İş teklifini bana bizzat o dönemdeki patron **Erol Simavi** yaptı. Ben başladığımda Milliyet, **Ercüment Karacan**'ındı. **Aydın Doğan**'a sattı. **Aydın Bey**'le Milliyet'te de çalıştım, sonra Hürriyet'i satın alınca, yine patronum **Aydın Doğan** oldu. Toplam üç patronla çalıştım ve sonra da kovuldum. Kovulmak bir gazeteci için çok aykırı bir durum değildir. Bu sektör böyle. Her gazetecinin başına gelebilecek bir olay... Benden önce de çok kovulan oldu, benden sonra da olacaktır...*

– Siz *Milliyet*'ten *Hürriyet*'e geçerken (*Milliyet*'teki) patron **Aydın Doğan**'dı. Bu transferi kendisi nasıl karşılamıştı?

– *1985 yılıydı. Çok üzgündü. Vedalaşmaya odasına gittim. Milliyet'ten ayrılmamı istemiyordu. 'Bizi bırakma' dedi. Ama kararımı vermiştim ve **Erol Bey**'e de sözüm vardı. Geri dönemezdim. Birbirimize sarıldık, gözlerimiz doldu. **Aydın Bey**'le duygusal bir veda oldu. Sonra Hürriyet'te yeniden buluştuk.*

– Buluştunuz ama bu buluşmadan yıllar sonra, bu kez sizi gönderen de yine **Aydın Doğan** oldu. 22 yıl önce 'Bizi bırakma, gitme' diyen patronunuz bu kez ne dedi?

– Hiçbir şey demedi. Çünkü o bana küs. Nedenini de bilmiyorum. Yerel seçimlerden kısa bir süre önce bana küstü. O günden bu yana da konuşmadık. Bu küslüğe ilişkin yorumlarımı yeni kitabımda yapacağım. Kovulma meselesinde ise bana tebligatı **Ertuğrul Özkök** yaptı. Özetle '**Aydın Bey** seninle çalışmak istemiyor' dedi. Bu olay sırasında **Aydın Bey** beni arayıp bir şey söylemiş değildir.

– Peki **Ertuğrul Bey** ne tür gerekçeler söyledi? **Aydın Doğan**'ın sizinle neden çalışmak istemediğini öğrendiniz mi?

– Ana sebep iktidarın gazete yönetimine olan baskısıdır. Mesela ben uzun süredir **Tayyip Erdoğan, Kemal Unakıtan** ve **Abdullah Gül** aleyhinde yazmamam konusunda uyarılıyordum. Özellikle **Kemal Unakıtan**. Çünkü patronun Maliye ile iyi geçinmesi gerek. Birçok ticari işi var. Onlar aleyhinde tek satır istenmiyordu. Uyarı ve baskılar geldikçe ben frene bastım. Tabii etkileniyor insan. Ama yine de belgeli konuları yazmaya devam ettim.

– Baskılar nasıl oluyordu? Kim sizi arayıp 'şunu yazma, ya da yazdığın şu bölümü çıkar' diyordu?

– Yüzde 99 **Ertuğrul Özkök** arardı. Benim yazımın işte şu paragrafının sıkıntı yaratacağını söylerdi. Değiştirmemi isterdi. Karşı çıkardım. Kimi zaman değiştirirdim ya da yumuşatırdım.

– Ama yine bu konularda yazmaya devam ettiniz. Fazlaca taviz vermediğiniz için mi bardak taştı?

– Baskılar artıyordu ama kol kırılır yen içinde kalır misali, kimseye bir şey anlatmadan ben de yoluma devam ettim. Çok bunaldığım günler de oldu. O zamanlarda köşeme Nasrettin Hoca fıkrası yazmayı bile düşündüm...

– Değiştirdiğiniz yazılarda neler vardı? Hiç yazamadığınız ya da sayfaya konulmayan yazınız oldu mu?

– *Oldu tabii. AKP iktidarı ile bağlantılı birçok usulsüzlük, yolsuzluk konulu ve belgeli yazım sümenaltı edildi. 'Aman bu konu başımızı ağrıtır' denildi. Bunların hepsini saklıyorum. Kitabımda tümünü açıklayacağım...*

– Size yönelik baskılar, sadece kritik yazıları yazıp İstanbul'a geçtikten sonra mı geliyordu? Yoksa **Ertuğrul Özkök** ile yüz yüze görüşmelerinizde de sizden talepleri oluyor muydu?

– *Oluyordu. Benim meslekte 30. yılımı dolduracağım 7 Şubat tarihinden birkaç gün önce **Özkök** Ankara'ya geldi. Kendisi ile uzun uzun görüştük. Bana üç öneride bulundu. Önce Başbakan, Maliye Bakanı hakkında aleyhte yazmamamı istedi. Ya da bir müddet yıllık izne çıkmamı önerdi. Bunları yapmıyorsam istifa etmemi istedi. Eğer istifa edersem, **Aydın Bey**'in benimle ilgili güzel bir proje ve önerisi olacağını söyledi. Ne tür bir öneri olduğunu da anlattı. İstifa edersem, bana yüklü miktarda para verileceğini, bu para ile ilerdeki yaşamımda yolumu daha rahat çizebileceğimi söyledi.*

– Yüklü miktar neydi ve siz buna ne dediniz?

– *O paranın meblağını hiç sormadım. Duymamış göründüm. İzne çıkacağımı söyledim ve izin öncesi yazacağım yazının altına da not olarak 'Sevgili okuyucularım, bir müddet izne çıkıyorum. İzin bitiminde tekrar görüşebilir miyiz bilemem' diye bir not koyacağımı söyledim.*

– Bu tür bir not, okuyucunun ve medya dünyasının kafasında **Çölaşan**'a yine baskı var, zorunlu izin gibi anlamlar doğurmayacak mıydı?

– *Tabii. Ben daha önce de zorunlu izne gitmiştim ve gazete okuyuculardan müthiş baskı gördü. Böyle bir notun gazeteyi yine sıkıntıya sokacağını gördüler. O zaman da izne çık-*

mam önerisinden vazgeçtiler. Ben de çıkmadım, yazılarıma bildiğim gibi devam ettim. İstifa etmeyeceğimi de söyledim. Daha önce istifayı düşünmüştüm ama bu mevzi korunmalı görüşü ağır basınca vazgeçmiştim. İzne çıkmayıp yazılarıma devam ettim, baskılar da devam etti.

– Şimdi *Hürriyet*'le ilişkileriniz nasıl? Yönetim katından arayan soran oluyor mu?

– *Hürriyet çalışanları ile aram her zaman iyi oldu. Bana çok destek verdiler. Köşelerinde yazamasalar da destek oldular. Şimdi bazı mesajlar geliyor. 'Altı ay bekle, biz Aydın Bey'i ikna edeceğiz, yeniden Hürriyet'e başlayacaksın' biçiminde.*

– Peki bu tür bir gelişme olursa, yeniden *Hürriyet*'e dönebilir misiniz?

– *Hayır artık dönmem. Bana bu mesajları ulaştıranlara da söyledim. Kimse kimseyi iknaya uğraşmasın, ben dönmeyi düşünmüyorum dedim.*

– *Hürriyet*'ten ayrıldıktan sonra bir kitap projeniz var ve üzerinde çalışıyorsunuz. Bu kitapta kovulma süreci mi olacak?

– *Evet, o dönemi anlatıyorum. Yaşadıklarımın tümünü yazacağım. İsim isim, gün gün ve saat saat. Sanırım yazdıklarım ses de getirecek. 200-250 sayfalık bir kitap olarak planladım. Ekim ayında piyasaya çıkmış olur...*

– Kitabın ismi belli oldu mu?

– *'Kovulduk Ey Halkım Unutma Bizi' olacak. Altında da 'Bir Medya Belgeseli' yazacak. Bunu ilk kez sana açıklıyorum.*

– İlginç ve çarpıcı bir isim bulmuşsunuz. **Uğur Mumcu** ile yakın dosttunuz. Bu ismi **Mumcu**'nun anısına bir ithaf olarak mı düşündünüz?

– *Kitabın isim babası Muzaffer İzgü'dür. İsmi o buldu. Ben de beğendim... Tabii bu beğenide, Uğur'un 'Vurulduk ey halkım, unutma bizi' başlıklı çok ses getiren yazısı da etkili olmuştur...*

– İktidarların basını susturma gayretleri ve baskılar her dönemde yaşandı. Siz de bunları yaşadınız. Bu iktidar döneminde ne fark vardı?

– *AKP, 2002 yılı sonunda iktidara gelene kadar bu derece sorun ve baskı yoktu. Koalisyon hükümetleri nedeniyle dengeleniyordu. Ama AKP 2002'de tek başına gelince koşullar değişti. Bütün medyaya yönelik bir baskı başladı. Gazete patronlarının hepsi iş adamı. Medya dışı işleri var. İktidarla içli dışlılar. O nedenle baskılar eskisi gibi göğüslenemedi. İktidardan gelen bu tavırlar, artık üstü kapalı da yapılmıyor. Açıkça baskı var.*

– Bu baskıya giden süreç nasıl gerçekleşiyor? Patron katında Başbakan, Bakanlar ya da parti yöneticilerinin ziyaretleri sırasında mı şekilleniyor?

– *Tabii, ikili-üçlü görüşmeler. Patronun ve gazetelerin yöneticilerinin, iktidar mensupları ile buluştukları toplantılar oluyor. Zaten Başbakan bir gazetenin patronu ile görüşüp, 'Şu sizin falan yazarınız da fazla oluyor, abartıyor' bile dese, bu söz yetiyor. Hemen gazetenin yönetim katına bu yansıyor, sonra da dalga dalga yayılıyor. Tabii o görüşmelerin tam içeriği nedir, nasıl bir yaklaşım sergileniyor bilemem ama tahmin edebiliyorum. Bu lafların ardından patron da o zaman düşünüyor. Çünkü o yazar frenlenmezse patronun birçok alandaki işleri aksayacak. Mesela atılan bir manşet de iktidarı rahatsız ediyorsa, hemen tepkisi gelir. Sonra bir otokontrol başlar. Tek parti iktidarında da bu baskıları engelleyecek bir başka adres olmuyor.*

– Geçmişte 1983 sonundan itibaren ANAP tek başına iktidar oldu. Mesela o yıllarda **Erol Simavi**'ye, **Turgut Özal**'dan sizinle ilgili bir sitem geldiğinde bu nasıl yansıyordu?

– *Bugünkü gibi değil.* **Özal** *da,* **Tansu Çiller** *de, beni yönetime şikâyet ettiler.* **Bülent Ecevit** *de, bazı yazılarıma kızıp sitem etti. Ama bu durum, iktidar gücünü kullanarak siyasi baskıya dönüştürülmedi. Mesela* **Turgut Nereden Koşuyor** *kitabımın ardından* **Özal** *beni şikâyet etti ve* **Erol Simavi** *de bana bu konuda bir mektup yazdı.*

– O mektup sizi etkiledi mi? Yani o zaman da mı frene basmak durumunda kaldınız?

– *Erol Simavi, gazeteci olduğu için onun mektubu, siyasetçiden gelen talepler sonucu, bana baskı kurma niteliğinde değildi. Gayet kibar üslupla yazılmış bir mektuptu. Gazeteci iktidar ilişkileri konusundaki görüşlerini aktarıyordu. Ben de bu mektuba dokuz sayfalık bir cevap verdim. Kendi görüşlerimi aktardım. Ertesi gün* **Erol Bey** *aradı, 'Yahu çok insafsızsın. Dokuz sayfa yazılır mı? Okumaktan gözlerim yoruldu' diye espri yaptı.* **Simavi** *gazeteci bir patrondu. Rahmetli* **Çetin Emeç** *ile de genel yönetmenken çok çatışmalarımız oldu. Ama bunlar gazetecilik kaygılarıyla ilgiliydi.* **Erol Simavi** *basın dışında ciddi sayılabilecek bir iş de yapmadı. Patron düzgünse, gazeteciyse ve basın dışı işlere kayıp iktidarla içli dışlı değilse, bu baskılar vız gelir... İşten kovulduktan sonra da beni arayan ilk kişilerden biridir* **Erol Simavi.** *Saygın bir isimdir.*

– Patronların iktidar ile olan bu ilişkileri, gazete yönetimini de iktidar yanlısı mı yapıyor?

– *İster istemez. Bir otokontrol başlıyor. Muhabir ya da yazar için 'Şu haberi yazarsam başım derde girer' kaygısı oluyor. Aslında bugün Hürriyet'te çalışan insanların yüzde 99'u AKP karşıtıdır. Bu partiye ve iktidara sempati beslemezler. Ama üstte oluşan hava alta yansıyor ve böyle oluyor.*

– Sizin AKP karşıtı bazı yazılarınız sayfaya konulmuyor ya da tırpanlanıyordu. Muhabirlerin bu tür haberinin akıbeti ne oluyordu?

– *Ben yazımı yazar geçerdim. Sonra* **Ertuğrul Özkök** *arayıp 'şurası sıkıntıya neden olur, çıkaralım' falan derdi. Bazen de benden habersiz tırpanlardı. Kimi zaman tüm yazımı veto ederler, yeni bir yazı yazardım. Muhabir arkadaşlarım ise ya bu tür bir haberi nasıl olsa çıkmaz diye yazmazlar, ya da her şeye rağmen gazetecilik tutkusu ile belgeleri ile birlikte yazarlardı. Biz o gün geçilen haberlerin değerlendirmesini de yapardık. Hangi haber ertesi günkü gazetede yer alacak, hangisi çıkmayacak diye. Çıkmaz dediklerimizde hiç yanılmadık. Bu konuda haber sarrafı olduk! İktidar aleyhinde bir şey varsa o haber çöp tenekesine giderdi.*

– Şimdi kitap çalışmasıyla ilgileniyorsunuz ve her gün Bilgi Yayınevi'ne yürüyerek gelip gidiyorsunuz. Yolda karşılaştığınız insanlar ne diyorlar?

– *Büyük bölümü 'geçmiş olsun' diyerek hal hatır soruyor. Binlerce mail geldi. Telefonlardan Hürriyet'in santralı kilitlendi. 'Yanınızdayız' diyorlar. Ama beni geçenlerde çok etkileyen bir durum oldu. Filistin Caddesi'nde bir arkadaşımla buluştum ve yürürken bir kadın yanımıza geldi. 'Emin Bey, sizi göğsünüzden öpmek istiyorum' dedi. Hiç böyle bir şey duymamıştım. Nedenini sordum, 'Çünkü senin göğsünde görünmese de şeref madalyası' var. 'Şerefli, haysiyetli bir gazetecisin. Hep öyle oldun' dedi ve göğsümden öptü.*

– Peki *Hürriyet* yönetiminin tavrı nasıl oldu? Halktan gelen bu tavra nasıl yaklaştılar?

– *Onlar zaten kafaya koymuşlar. Ama beni mertçe bile kovamadılar. Binbir dereden su getirdiler. Bahaneler uydurdular. Mesela ben insanlara lakap takıyormuşum ve bu da Hürriyet'in ilkelerine aykırıymış. Yıllardır insanlara lakap takıp bu lakapları manşete çeken kimdi acaba? Bir günde iki parti değiştiren eski milletvekili için 'Jet Tevfik' diyerek manşete çektiler. Yine eski milletvekili* **Ömer Bilgin** *için 'Piş-*

kin Ömer' manşeti attılar. **Kubilay Uygun** *için 'Fırıldak Kubi' yazdılar. Bu lakapları takıp manşete çeken kimdi?* **Ertuğrul Özkök** *değil miydi?*

– Size gönderilen yazılı işten çıkarılma tebligatındaki ifadeler de ilginçti. Onu nasıl değerlendirdiniz?

– *Enteresandır. O belgeye Hürriyet'te görev yaptığım dönemde, kuruma büyük katkılarım olduğunu yazmışlar. Türk toplumunun yakından tanıyıp takdir ettiği başarılı bir gazeteci olduğumu yazmışlar. 'Çok iyisin, herkes seni takdir ediyor ama biz seni kovduk' diyorlar...*

– İşten çıkarılma tebligatı sözlü olarak İzmir Deniz Restoran'da yapıldı. **Ertuğrul Özkök** ile o buluşma nasıl gerçekleşti ve neler konuştunuz?

– *Ben yıllık izne çıkmıştım ve İzmir'de oteldeydim.* **Özkök** *de İzmir'deymiş, 'Yemek yiyelim' dedi. O restoranda buluştuk.* **Aydın Doğan**'*ın kararı olarak bana durumu iletti. Bu konunun tüm detaylarını kitabımda yazacağım.*

– Siz o yemeğe giderken kovulma tebligatı alacağınızı biliyor muydunuz?

– *Hayır. Ama hava pek iyi değildi. Bazı şeyleri hissediyorsun. Ama masaya oturana kadar bilmiyordum...*

– Olayın ardından yakın arkadaşınız **Bekir Coşkun** ile buluştunuz. **Coşkun**'un size destek amacıyla istifa edeceği konuşuldu. Siz de böyle bir destek istifası beklediniz mi?

– *Bekir benim çok eski arkadaşım. Hürriyet'te yaşadıklarımı paylaştığım dostum. Benim kovulmamdan sonra kendisiyle buluştuk, konuştuk. Ama 'Sen ne yapacaksın?' diye hiç sormadım. Sormam da doğru olmazdı. Bu kişisel bir konu. İnsan bu tür durumlarda kendi kararını kendisi verir.*

– Kovulma olayının ardından *Hürriyet* yazarlarının size yeterince destek vermediği, kalem oynatmadıkları yorumları yapıldı. Bu tür bir kırgınlığınız oldu mu?

– *Hayır. Hepsi desteğini esirgemedi. Tümü aradı. **Doğan Hızlan** benimle ilgili uzun bir yazı yazdı. **Bekir Coşkun** müthiş bir analiz yaptı. Hiç bir şey yazmayana da kırılmam. Doğaldır. Patron birini kovmuş. Siz ona ne kadar sahip çıkabilirsiniz? Herkesin gelecekle ilgili kaygıları var. Aldığım onur verici destekler bana yeter.*

– Özellikle sizin olayın ardından *Hürriyet*'in tepe yönetiminde değişiklik iddiaları yine gündeme geldi. **Zafer Mutlu**'nun adı geçiyor. **Ertuğrul Özkök**'ün başyazar olacağı, **Oktay Ekşi**'nin jübile yapacağı söyleniyor.

– *Bu tür konuları ben her zaman en son duyarım. Çalıştığım dönemde de şimdi de hiç ilgilenmedim. Ama benim kulağıma da böyle şeyler geliyor. O geliyor, bu gidiyor falan diye. Ama medyada bir şey gerçekleşmeden ve resmen ilan edilmeden inanmayacaksın.*

– 'Medyanın tümü baskı altında' demiştiniz. Siz bu baskıyı bir kitap ile kamuoyunun gözü önüne sereceksiniz. Diğer meslektaşlarınız ne yapmalı?

– *Onlara tavsiyem bu konuları not almaları. Bugün yazamasalar bile ilerde yazıp tarihe ışık tutmalılar. Medyanın AKP iktidarı döneminde nasıl ters yüz edildiğini aktarmalılar.*

– 15-20 gün sonra kitap çalışmanız da bitecek. Sonra ne yapacaksınız. Bir gazetede çalışacak mısınız? Değerlendirdiğiniz teklifler var mı?

– *Şu anda tüm mesaimi kitaba veriyorum. Uzun süredir tatile çıkmadım. Hürriyet'te izne çıktığım gün kovulduğumu öğrendim. Bundan sonra ne yaparım, karar vermiş değilim. Bakalım zaman ne gösterecek? Şu anda tek düşüncem kitabımı tamamlamak."*

***

Kitap çıkmadan az önce **Murat Çelik** *Bugün* gazetesinde yazıyor. **Murat** o günlerde *Bugün*'ün Ankara temsilcisi. (Bu kitap yazıldığı sırada **Aydın Doğan**'a ait *Star* televizyonunun haber koordinatörü.) Yazının başlığı *"Emin Çölaşan Nerelerde?"* İşte geniş özeti:

"Hürriyet'ten ayrılışı doğal olarak çok konuşulmuştu **Emin Çölaşan**'ın. *İlk günlerde medya ve siyaset dünyasının ötesinde sokaktaki insan bile* **Çölaşan**'ı *soruyordu yolumuzu çevirip.*

Emin Çölaşan *nerelerde, ne yapıyor?*

Bu soru beliriverdi dün sabah zihnimde.

Sordum soruşturdum, biraz kurcaladım; ulaştığım sonucu şöyle özetleyebilirim:

Çölaşan, *çok yakında gündemin yine en üst sıralarında olacak. Çünkü bitirmek üzere olduğu kitabının ciddi tartışmalar yaratacağı konuşuluyor.*

Kitabın içeriğini öğrendim.

3 Kasım 2002 sonrası, yani Adalet ve Kalkınma Partisi'nin iktidara gelişinin ardından **Emin Çölaşan**'ın *Hürriyet gazetesinde yaşadıklarından oluşuyormuş kitap.*

Yaklaşık 200 sayfalık kitap, Ekim ortasına doğru Bilgi Yayınevi'nden çıkacakmış.

Çölaşan'ın *bire bir yaşadığı olayları anlatacağı kitaptaki anılar, anekdotlar ve diyalogların hepsinin, yaşandığı dönemde yazar tarafından alınan notlar ve hatta daha ötesi, belgelere dayanacağından söz ediliyor.*

Anladığım kadarıyla **Emin Çölaşan**, *son beş yılda, çalıştığı gazetenin yönetimi ile aralarında geçenleri, yaşadıkları tartışmaları, gerginlikleri kamuoyu ile paylaşacak bu kitapla.*

Bir anlamda, Hürriyet'in aile içi sırları ortaya dökülecek gibi görünüyor.

Çölaşan'ın, 'Aydın Doğan ve Ertuğrul Özkök'ün parasal çıkarlarını, korkularını ve bana yapılan baskıları anlatacağım' dediği konuşuluyor.

Eğer gerçekten böyleyse, kitabın 'en çok satanlar' listesinde yer alacağına kesin gözüyle bakabiliriz..."

*Cumhuriyet'*te **Hikmet Çetinkaya,** *Hürriyet'*te yazan "göz bebeği" **Hadi Uluengin** için yazıyor:

"Yoksulluğun, yolsuzluğun, dinci yapılanmanın üzerine giden Atatürkçü Emin Çölaşan'ı Hürriyet'ten kovan Aydın Doğan, bu Atatürk ve Cumhuriyet düşmanı zibidiyi nasıl içine sindiriyor, anlayabilmiş değilim..."

Tek zibidi o değil ki! Ama onlar topluca bu dönemin, AKP döneminin elemanları!

***

Tarih 5 Ekim 2007 Cuma. Kitap bugün matbaadan gelecek. Birkaç haftadan beri sokaktaki insanlar bile kitabı soruyor. Bilgi Yayınevi'nde kitabın yolunu gözlüyorum... Ve saat 15.00'te kitap elimde!

Yazmaya 10 Eylül günü başlamıştım. Aradan tam 25 gün geçti ve *Kovulduk Ey Halkım Unutma Bizi* elime ulaştı. Rekor! Jet hızı!

Hürriyet yönetimi çılgınlar gibi, kitabın bir nüshasını mümkün olduğu kadar erkenden ele geçirmeye çalışıyor. Daha önce birkaç kişiye *"Bilgi'de tanıdığınız varsa bize kitabın bir kopyasını basılmadan önce elde edip gönderir misiniz"* gibisinden istekler gelmişti. Nedense çok merak ediyorlardı! Ancak tanıdık bulamamışlardı! Kitap bugün Ankara'da dağıtıma çıkacak, kitapçılara verilecek.

Gece *Hürriyet'*ten bir arkadaş aradı.

58

"*Abi akşamüstü bir kitapçıdan kitabı aldırdılar, hemen fotokopi yapıp İstanbul'daki yönetime faksladılar. Adamlar kitabın aslını bile bekleyemediler. Sen bunları öldüreceksin!*"

Biraz gülüştük.

Kitabımdan bir nüshayı eve götürdüm ve sanki başkasının kitabıymış gibi yeniden okumaya başladım.

Kitap yarından itibaren Türkiye piyasasına dağıtılacak.

***

Bugün 6 Ekim 2007. Yazar ve sanatçı **Zülfü Livaneli**'den Bilgi Yayınevi'nin sahibi **Ahmet Küflü**'ye çok ilginç bir faks geldi. Bu, noter kanalıyla çekilen bir protesto idi. Aynen size iletiyorum:

KEŞİDECİ: **Ömer Zülfü LİVANELİ (Zülfü LİVANELİ)**
Muhatap: **Ahmet Tevfik KÜFLÜ** - *Bilgi Yayınevi*
Konu: Sayın **Emin Çölaşan**'ın *yayımlanacak kitabının adı.*

Açıklama ve Uyarı

1) Sayın **Emin Çölaşan** *tarafından yazılan ve Muhatap (Bilgi Yayınevi) tarafından yayımlanacak bir kitabın adının "**Kovulduk Ey Halkım Unutma Bizi**" olacağı yolunda duyumlar almış bulunuyorum.*

2) Kitabın adı, 1973 yılında yayımlanan albümümün içerdiği "Vurulduk Ey Halkım Unutma Bizi" adlı şiirden (şarkı sözünden) alınmıştır. Şiirin adı olan dize, anılan albümde yer alan yapıt içinde değişik kafiyelerle birçok kez yinelenmiştir.

3) Anılan şiirin adı üzerinde 5846 sayılı Fikir ve Sanat Eserleri Kanunu uyarınca manevi haklarımın olduğu açıktır. Aynı biçimde, bana ait bir şiirin (şarkı sözünün) dizelerinin değiştirilmesi de manevi haklarıma tecavüz oluşturacaktır.

4) Bu bağlamda, anılan kitabın bu ad ile yayımlanmamasını, ya da "Kitabın adı, Zülfü Livaneli'nin, 'Vurulduk Ey Halkım Unutma Bizi' adlı şiirinden esinlenerek oluşturulmuştur" biçiminde bir notun kitaba konulmasını talep ediyorum. Talebim yerine getirilmediği takdirde, bana ait bir şiirin adının bir ölçüde değiştirilerek kullanılmasına iznim olmadığını, izinsiz kullanımın gerçekleşmesi hâlinde, yasal haklarımı kullanmak zorunda kalacağımı Muhatap Sayın Ahmet Tevfik Küflü'nün bilgilerine sunarım.

Sayın Noter, üç nüsha olarak düzenlenen bu ihtarnamenin, APS ile usulü çerçevesinde Muhataba tebliğini saygılarımla arz ve talep ederim.

Saygılarımla.
Ömer Zülfü LİVANELİ (Zülfü LİVANELİ)

Doğrusunu isterseniz ben *"Vurulduk ey halkım unutma bizi"* sözünün **Uğur Mumcu**'ya ait olduğunu zannederdim. Meğer **Zülfü Livaneli**'ye aitmiş. Bu belge noter kanalıyla gelince hukukçulara sorduk ne yapılması gerektiğini. Kitap artık basılmıştı ve o açıdan yapacak bir şey yoktu. Hukukçular *"Hiçbir şey olmaz"* dediler.

Zülfü'nün yaptığı doğrusu yakışık almayan bir şeydi. Gereksiz bir işe kalkışmıştı. Sonra kendisi de bu olaydan dava konusu çıkmayacağını anlamış olmalı ki, yasal haklarını kullanmadı. Şimdi bu kitapta dizelerin ona ait olduğunu herkes öğrenmiş olacak. Geç kaldığımız için kendisinden özür dilerim!

***

Evet, Ekim ayı başlarında kitap piyasaya çıktı. Bakalım rağbet görecek mi, görmeyecek mi? Bunu merakla bekleyenlerin en başında ben geliyorum. Yol üzerinde, ya da biraz yolumu değiştererek kitapçılara uğrayıp satış durumunu soruyorum. Hepsi de aynı şeyi söylüyor:

"Çok iyi gidiyor. Sürekli yeni sipariş veriyoruz."

Bu arada kitapçı dükkanlarında kitabımı almakta olanlarla karşılaşıyorum, herkes imzalatıyor...

Kitabın sonuna bir de mesaj adresi koymuştuk. Bakalım okuyanların tepkisi ne olacak. Mesaj gelecek mi? İnsanlar ne düşünecek, diyecek? Ya da ortaya bir fiyasko, hezimet mi çıkacak her açıdan!

İkinci günden itibaren Bilgi Yayınevi'ne mesajlar yağmaya başladı. Bir ara bunları kitap yapmayı düşündüm, sonra vazgeçtim. Size yemin ederek söylüyorum, üç kişi dışında bütün mesajlar olumluydu. Olumlunun da ötesinde muhteşemdi. Kitlelerin **Emin Çölaşan**, **Aydın Doğan**, **Ertuğrul Özkök** ve kartel medyası hakkındaki görüşleri bire bir önüme yağıyordu.

Bunların tamamını kâğıda çektirdim ve ilk mesajdan sonuncuya kadar hepsini saklıyorum. Bu kitabı yazarken aklıma ilginç bir fikir geldi. Acaba bu mesajlarla dolu kâğıtların ağırlığı ne kadardı? Bilgi Yayınevi'nin hemen bitişiğindeki markette tarttırdım. Evet, onları teraziye koyduk.

Tam 9 kilo 200 gram geldi. Dokuz kilo ağırlığı bir düşünün ve bunların sayısını siz tahmin edin... Çünkü ben kimseye yük olmamak için bunları –deli pösteki sayar gibi– tek tek saydırmadım. İlk gelen mesaj şöyleydi:

*"7 Ekim 2007 Pazar. Sayın **Emin Çölaşan**. Kitabınızı dün –6 Ekim– tarihinde eşim bana almış ve bu muhteşem kitabı bir solukta bugün bitirdim. Yaşadıklarınıza çok üzüldüm. Tahammül etmek zorunda kaldığınız kişi ve olaylar için ben niye bunca yıl onları okudum diye kendime kızdım. Bunca yıllık emeğiniz ve bizleri Pazartesi hariç her gün yazılarınızla beslediğiniz için size teşekkür etmek istiyorum. 12 yaşında bir oğlum var ve gazetede her gün bir tek sizi okurdu. Dedesi ve anneannesi ona sizi okumasını aşılamıştı... **Deniz Çakmak**."*

İkinci mesaj **Prof. Dr. Şükrü Kızılot**'tan ve yine aynı tarihli:

*"Sevgili **Çölaşan**, bugün pazar. Remzi Kitabevi'ne gittim, baktım, kitap gelmişti. Belki bulamazlar diye arkadaşlarıma da aldım. Ardından merak edip satıcı elemana sordum. 'Kapış kapış gidiyor, çok kişi birden fazla alıyor' dedi. Bunu tahmin ediyordum ama duyunca daha çok mutlu oldum. Bugün pazar olmasından da yararlanarak kitabı bir solukta okudum.*

AKP iktidarında olanlar, baskılar, medyanın büyük bölümünde yaşanan inanılmaz değişiklikler, AKP'nin hükümet olma gücünü kullanarak basını ve insanları nasıl sindirdiğini de açıklayan güzel bir eser ve aynı zamanda belgesel olmuş. Ellerine, beynine ve kalemine sağlık..."

Yine mutluluğun doruk noktalarında dolaşıyorum. Sokakta insanlar çeviriyor, kutluyor. Bazıları da kitabı henüz alamadığını ama en kısa zamanda alıp okuyacağını söylüyor. **Bay Patron** ve onun kalfasının kulakları herkes tarafından çınlatılıyor.

İşin henüz başında olduğumu anlıyorum...

Bilgi Yayınevi'ne televizyoncular gelip benimle çekim yapıyor, muhabirler söyleşi yapıyor, resimler çekiliyor. Aslında Yayınevi bu olaylara alışkın...Çünkü **Turgut Özakman**'ın satış rekorları kıran *Şu Çılgın Türkler* kitabını, **Vural Savaş**'ın kitaplarını da Bilgi yayımlamıştı. **Özakman** ve **Savaş**'la da orada nice röportajlar yapılmıştı.

Bundan sonra Bilgi'deki odamda –her konuda– medya ile en az 100 söyleşi ve çekim yapacağımı o gün elbette bilmiyordum ve tahmin edemiyordum...

Çünkü ben "unutulmayı" bekliyordum.

Bilgi Yayınevi de en az benim kadar mutlu çünkü ilk anda 48 baskısı yapılan kitap acayip satılıyor...

Ve kitap medyada da patladı.

7 Ekim 2007 tarihli *Akşam* gazetesinin sürmanşeti:

"Muhalif yazıları nedeniyle Hürriyet'ten kovulan **Emin Çölaşan**, *gazeteden çıkarılış öyküsünü yazdı.* **Kovulduk Ey Halkım Unutma Bizi.** *Kitaptan önemli bölümleri önce Akşam yayımlıyor.* **Ertuğrul Özkök** *Ankara'ya gelip* **Çölaşan'ı** *nasıl uyardı... 'Beni böyle kovdular ey halkım'. Yazı dizisi yarın Akşam'da..."*

Ertesi gün yazı dizisi başladı. Yine sürmanşetten veriliyor. Kimse yanlış anlamasın, diziyi ben değil onlar yapıyor.

8 Ekim tarihli *Sözcü*'de kitabım yine sürmanşet.

*"**Emin Çölaşan'ın** kitabı bugün piyasada. Basındaki kara olaylar AKP döneminde başladı..."*

Hemen ardından **Ufuk Söylemez, Sebahattin Önkibar, Tuna Serim, Osman Tığraklı, Serdar Turgut, Ahmet Kekeç, Nazlı Ilıcak, Ahmet Hakan, Abdürrahim Karakoç, Serdar Arseven, Mehmet Türker, Emre Kongar, Umur Talu, Işık Kansu, Aykut Işıklar, Behiç Kılıç, Mustafa Balbay, Hüseyin Üzmez, Hikmet Çiçek, Şamil Tayyar, Erdoğan Tokmakçıoğlu, Ali İhsan Karahasanoğlu, Serdar Arseven, Vural Savaş, Abdurrahman Dilipak** gibi yazarların yazıları başladı.

Bunlardan bazıları kitabı göklere çıkarıyor, bazıları ise eleştiriyor. Ancak ilginçtir, her kesimden ve her siyasi görüşten yazarlar kitabı kendi açılarından irdeliyor.

Şeriatçı *Vakit* gazetesi bile kitabı haber yaptı. Haber yapmak bir yana, o da yazı dizisi yaptı!

Sonra devreye tam sayfa ile *Cumhuriyet* girdi.

"Gazeteci yazar **Emin Çölaşan** *AKP iktidarı döneminde medyada yaşanan baskıları ve kovuluşunun perde arkasını kitaplaştırdı."*

Kitabı *Sözcü* de dizi yapıyor.

Güneş gazetesi kitabı yine sürmanşetten verdi.

63

Fehmi Koru'nun *Yeni Şafak*'taki 10 Ekim tarihli yazısı şöyle başlıyor:

*"Nereye gitsem, kimle karşılaşsam aynı soruya muhatap oluyorum: **Emin Çölaşan**'ın kitabını okudun mu? Hayatında eline kitap almamışlar da var bu soruyu soranlar arasında. Hepsine verdiğim cevap aynı: Okumadım, yazdım..."*

Kitap basılma aşamasında iken noter kanalıyla protesto çeken ve gerekirse yasal yollara başvuracağını bildiren **Zülfü Livaneli**, *Vatan*'daki 10 Ekim tarihli yazısında şöyle diyor:

*"Bilgi Yayınevi **Emin Çölaşan**'ın bir kitabını bastı. Adı **Kovulduk Ey Halkım Unutma Bizi**.*

*Bu isim benim 1973'te yayımladığım, daha sonra **Uğur Mumcu**'nun da kullandığı 'Vurulduk Ey Halkım Unutma Bizi' şiirinden alınmış. Telif haklarına ve düşünceye saygılı bir ülkede, yayınevi ve yazarın bu isim için eser sahibinden izin almaları gerekirdi.*

Ne yazık ki böyle bir şey yapmadıkları gibi, kitabın içine kaynak belirten küçücük bir not bile koymadılar. Bu bana yapılan ne ilk, ne de son haksızlık.

Yasalar önünde haklıyım ama dava açmaya falan niyetim yok. Sadece kırgınlığımı paylaşmak ve Türkiye'de eser sahiplerinin acıklı halini bir kez daha vurgulamak istedim."

Kitap doruk noktasında. *Cumhuriyet*'in haberi:

*"**Emin Çölaşan**'ın Hürriyet'ten sancılı kovulma sürecini ve AKP iktidarının medya üzerindeki baskılarını tüm çıplaklığı ile ortaya koyduğu kitabı **Kovulduk Ey Halkım Unutma Bizi**, rekora koşuyor. Bilgi Yayınevi tarafından yayımlanan kitaba baskı dayanmıyor. İki günde 62 bin satan kitap 31. baskısını yaptı. Bir haftayı bulmadan 100 bin rakamını geçmesine kesin gözüyle bakılıyor. Kitapevleri ve satış noktaları yayınevi tarafından çok az kitap gönderildiğini, bu nedenle okurların*

talebini karşılayamadıklarını vurguluyor. Bilgi Dağıtım yetkilisi **Serkan Erdoğmuş** *bunun nedenini rekor talebe bağladı. 'Hepsine bir defada veremiyoruz yoksa diğer talep sahiplerine hak geçecek' dedi. Bilgi Yayınevi editörlerinden* **Biray Üstüner** *de kitaba olan yoğun talebi 'halkın patlaması' olarak yorumladı.* **Üstüner** *'İnternet sitemize gerek* **Emin Bey**'in *şahsına iletilmek üzere, gerekse Bilgi Yayınevi'ne yollanan e-postalara yetişemiyoruz. Yurdun her köşesinden mesajlar var. Öyle ki, hiç duymadığımız kasabalardan bile talep geliyor' dedi.*

Artı Dağıtım'ın yöneticisi **Dursun Çimen,** *Çölaşan'ın kitabı için her yerden talep geldiğine, Yayınevinin taleplere yetişemediğine dikkat çekerek, 'Dağıtımcılar olarak ayağa kalktığımız kitaplar oldu. Yakın zamanda bir milyon satan Şu Çılgın Türkler gibi. Bir diğeri de* **Çölaşan**'ın **Turgut Nereden Koşuyor** *kitabıydı. Satışı 300 bin'i geçmişti. 1990'lı yıllar için muhteşem bir şeydi bu' dedi.*

Dursun Çimen, *Çölaşan'ın yeni kitabının da kısa sürede 200 bin satış rakamına ulaşacağına inandığını sözlerine ekledi."*

Bu günlerde ortalık ayağa kalkmışken, yüz binlerce insanımız **Bay Patron** ve kalfası **Ertuğrul**'un kulağını çınlatırken, **Ertuğrul**'a bir "destek atışı" geliyor! **Bay Patron**'un sahibi olduğu *Milliyet*'teki **Abbas Güçlü**'den. Bu arkadaş patron katını çok sevdiği için, arada sırada onlara övgüler düzmeyi iyi bilir. İşte 13 Ekim tarihli *Milliyet*'te çıkan yazısından birkaç cümle. Yazının başlığı *"Ertuğrul Özkök."*

"Ertuğrul Özkök'ü çok uzun yıllardır tanırım. Özkök'ün yönettiği gazete yıllardır Türkiye'nin en iyisi. O koltukta başarılı olunmadığı takdirde üç gün bile kalınmayacağını herkes bilir. Eğer 15 yılı aşkın süredir o koltukta oturuyorsa görevini iyi yaptığı içindir. Hürriyet'in dinamizmini hep kıskandım. Bu Ertuğrul Özkök'ün son yıllardaki başarısının bir gösterge-

sidir... Bir gazeteci olarak iyi ki varsın **Ertuğrul Bey.** *Eminim ki sana en sert eleştirileri yönetenlere bile hâlâ hoşgörüyle bakıyorsundur..."*

Böyle açmaza düştüklerinde birilerine "kurtarıcı!" gerekir. **Abbas** yazısıyla bu role soyunuyor ve patron takımından aferin alma peşinde koşuyor. Yazısında elbette ki benden ve kitabımdan söz etmiyor ama **Ertuğrul**'a yağ çekip gözüne giriyor. Fırsattan yararlanmayı çok iyi biliyor.

Bu arkadaş 2008'in yaz aylarında **Bay Patron Aydın Doğan** için durup dururken bir başka yazı yazdı, onu öylesine övdü ki, ben patron olsam Abbas'a 20 maaş ikramiye verirdim.

Bizim gibi bazıları baş eğmezken, bazıları da ikbali yağcılıkta buluyordu. Türk medyasında her çeşit insan vardı.

***

Bugün 10 Ekim 2007. Gece *Kanaltürk*'e çıkacağım. *Kanaltürk*, ülkenin en sağlam, ilerici, yurtsever kanalı. Yaptığı yayınlarla **Tayyip** iktidarını hop oturtup hop kaldırıyor. Birkaç gün önce **Tuncay Özkan** aradı:

*"**Emin Abi** kitap iyi patladı. Şimdi biz de bir yayın yapalım bunun üzerine. Çarşamba gecesi **Merdan Yanardağ**'la ekrana çıkar mısın?"*

*"Her şeyi özgürce konuşabilir miyim **Tuncay**?"*

"Elbette abi. Şimdiye kadar kimseye konuşmadın. Artık konuşma zamanın geldi. İstediğin gibi konuşursun."

Gerçekten de *Hürriyet*'ten kovulduktan sonra sadece 16 Eylül günü **Mustafa Balbay**'la pazar sabahları *ART*'de yaptığımız programda konuşmuştum. Aradan yaklaşık bir ay geçmiş, bu süreçte kitabı yazıp bitirmiştim ve şimdi kitabımla ortalık sarsılıyordu. Artık biraz daha konuşmam ve medyanın durumunu irdelemem gerekiyordu!

Medyayı büyük patronlar ele geçirmişti. Bunların en büyüğü o günlerde (henüz *Vatan*'ı almamıştı) altı gazetesi ve televizyon kanallarıyla **Doğan** grubu idi. **Doğan** grubunun **Tayyip** iktidarı ile bir sürü işi vardı.

Ve bunların toplamı milyarlarca dolara ulaşıyordu.

Tuncay Özkan'a kabul ettiğimi söyledim. *Kanaltürk* günlerdir altyazı geçiyor ve 10 Ekim Çarşamba gecesinin tanıtımını veriyor. Ekrana çıkacağım, o günkü gazetelerde haber oldu. Şimdi bütün Türkiye bizim programa kilitlenmiş durumda.

Merdan'la stüdyoda yarım saat öncesinde buluştuk. Programa telefonla **Hikmet Çetinkaya, Fatih Altaylı, Orhan Erinç** ve **Tuncay Özkan**'ın da katılacağını söyledi.

Fatih'le aramız *Hürriyet*'te iken önce çok iyiydi, sonra biraz bozulmuştu. Şimdi o da *Hürriyet*'te değildi. Doğrusu içimden *"Eyvah, ya Fatih benim aleyhime konuşursa"* diye düşündüm ama yapacak bir şey yoktu.

Program başlamadan önce **Merdan** bana ilginç bir şey söyledi:

"Abi bize gelen duyumlara göre Aydın Doğan programa telefonla bağlanmak istiyormuş. Sence bir sakıncası olur mu?"

"Bana ne, paşa gönlü bilir. Bence hiçbir sakıncası yok."

"Yani bu sadece onun yakın çevresinden sızan bilgi. Çünkü biliyorsun, kitaptan sonra bunlar zor durumda kaldılar."

"İstediği gibi bağlansın. Benim ondan korkacak, çekinecek bir şeyim mi var!"

Program başladı. **Merdan** önce benim kitaptan söz etti, ekrana tutup gösterdi ve içeriğini biraz anlattı... Ve ben konuşmaya başladım. Türk medyasının kimlerin elinde kaldığını, **Doğan** grubunun korkmasını, **Tayyip**'in kendi medyasını büyük bir başarıyla nasıl kurduğunu, hükümetin para babası patronlara nasıl baskı yapıp onları sindirdiğini uzun uzun anlattım.

Merdan soruyor, ben yanıt veriyorum. Program acayip bir biçimde akıyor.

(Burada bir parantez açıyorum. Gazeteci arkadaşımız **Merdan Yanardağ**, bu unutulmayan programın bant çözümünü ve buna ek olarak medyada yaşanan kepazelik konusundaki görüşlerini kitap yaptı. Kitabın adı *Medya Nasıl Kuşatıldı* [Siyah Beyaz Yayınevi]. Eylül 2008'de piyasaya çıkan bu kitabı mutlaka okumanızı öneriyorum.)

Biraz sonra yönetmen işaret etti. Telefonda **Bay Patron** varmış. Bağlandı ve konuşmaya başladı.

"Emin, ben seninle uzun süredir çalışmak istemiyordum zaten. Bana seninle ilgili olarak hükümetten baskı falan da gelmedi."

Oysa nasıl baskı geldiğini Eylül 2008'de –aradan 11 ay geçtikten sonra– hem kendisi itiraf edecek, hem de **Tayyip** bunu doğrulayacaktı. Kitabımızın sonunda bunları da kendi ağızlarından belgeleyeceğim.

Sesi heyecanlıydı. Belli ki daha önceden aldığı notları okuyordu.

"Bana göre bu bir intikam kitabıdır."

Kendisine sadece bir soru sordum:

*"Siz kitabı okudunuz mu **Aydın Bey?**"*

"Sadece kendimle ilgili bölümleri okudum."

Bu nasıl iştir ki, kitabın bütününü okumamış, sadece kendisiyle ilgili bölümleri okumuş! Ya da okuduğu halde, bunu söylemeyi kendine yediremiyor! Ne de olsa büyük patron! Yanında çalışmış birinin kitabını okuduğunu söylerse küçülür!

Oysa o, kitabın belki sadece yüzde beşinde vardı. Acaba okumadığını belirtirken doğru mu söylüyordu! Sonra devam etti:

"Emin, özelleştirmelere, AB'ye karşı çıkıyordu. Bunları savunanlara vatan haini diyordu. Ben kendisine bu takıntıları bırakmasını söyledim ama bırakmadı. Ben AB'den yanayım,

68

ben Kıbrıs'ta uzlaşmadan yanayım. **Emin** *böyle düşünenlere vatan haini diyordu."*

Oysa ben bunları savunanlara hiçbir yazımda vatan haini dememiştim. Ben peşkeş düzenine, büyük patron bile olsa kendi çıkarları için ülkemizin soyulmasına göz yumanlara karşı çıkıyordum.

*"**Emin** yaz dedim ama suçlamadan yaz. Hakaret ediyor. Hakkında bir sürü dava açıldı. En çok dava açılandır. Ben* **Emin**'*in davaları için 100 bin dolar ödedim. Ben* **Emin** *yüzünden* **Turgut Özal**'*la da,* **Tansu Çiller**'*le de kavga ettim. 'Satılmış basın' diye yazıyordu. Bana sürekli olarak satılmış basın, ya da vatan haini imasında bulunan bir yazarla benim çalışmama hakkım vardır. Hürriyet'in yayın ilkelerine* **Emin** *çoğu zaman uymadı. Kendini dokunulmaz, tanrı yazar gibi gördü hep. Beni basın dışı işlerim var diye suçluyorlar. Dünyanın hiçbir yerinde sadece medya sahibi kalmadı. Zaten kitabını da önceden planlamış. Bu kitapla bizim yüzümüzü gözümüzü çizdi. Kitapta* **Ertuğrul**'*la yaşadıklarını anlatıyor. Ben onları bilemem. Ancak kitapta anlattıklarının yüzde 80'i doğrudur, yüzde 20'si yanlıştır."*

Merdan Yanardağ'ın kitabı bu açıdan çok yararlı oldu.

Aydın Doğan konuşuyor, ben stüdyoda sadece dinliyorum. Bu kişiyle yıllar boyu birlikte çalışmışım. Geçmiş gözümün önünden geçiyor. **Tayyip** iktidarına kadar her şeyi özgürce yazmışım ve **Doğan** grubunun hep bir numarası olmuşum. Ne zaman ki **Tayyip** işbaşına gelmiş ve bunların büyük işleri ve parasal çıkarları nedeniyle iktidardan beklentileri büyümüş... İşte o zaman ben "tu kaka" olmuşum. Hep bunları düşünüyorum.

Söylediği şeylerin çoğu doğru değil. Örneğin davalardan söz ediyor. Kendi yayın kuruluşları, muhabirleri, yazarları, sunucuları, yöneticileri hakkında açılmış bin'den fazla dava var. Hukuk müşavirleri ve avukatları davalara yetişemediği için dışarıdan hukuk bürolarıyla anlaşmış durumdalar.

Şimdi ekranda kendisine yanıt versem, çok acı konuşacağım. İçimden bir ses *"Konuşma Emin, birlikte geçen yılların hatırı için sadece dinle"* diyor... Ve dinliyorum.

Aydın Doğan sözlerini şöyle bitirdi:

"Ben senin benimle helalleşmeni beklerdim. Allah bahtını açık etsin. Kitabından dolayı bol kazançlar dilerim."

Yanıt verecek olsaydım ona şöyle derdim:

"Ne helalleşmesi Aydın Bey! Siz beni kovarken Hürriyet'teki 22 yıllık emeğime bir teşekkür ettiniz mi? Ben orada açık alınla gece gündüz çalıştım. Bir kişi size 'Bu Emin Çölaşan'ın şöyle bir dümeni var, şöyle bir numara çeviriyor' diyebildi mi? Allah sizin de bahtınızı açık etsin. Benim kitaptan kazancım, sizin kazançlarınızın yanında solda sıfır bile kalmaz. Ben de size özelleştirmelerden, enerji ihalelerinden, POAŞ'tan, rafinerilerden, Hilton arazisinden ve diğerlerinden hayırlı kazançlar dilerim."

Bunların hiçbirini söylemedim. Türkiye'nin medya imparatoru, karşımda gerçekleri söylemekten çekiniyordu. İçimden bir şeyler fışkırıyordu ama kendimi zaptettim, sesimi çıkarmadım.

Bay Patron telefonu kapayınca canlı yayında şunu söyledim:

"Ben kendisiyle yıllar boyu birlikte çalıştım. Onunla televizyon ekranında tartışmayı kendime yakıştıramam. Ayrıca yaşça da büyüğümdür ve saygısızlık etmek istemem."

Bu sözlerim sonra her kesimden büyük takdir aldı.

Burada, sanatçı **İlhan İrem**'in internet sitelerine bu programa ilişkin gönderdiği e-posta mesajını kısaca aktarayım:

"Emin Çölaşan kendini asla tanrı gibi görmedi. Aksine, kendini tanrı gibi görenlerin gerçek kişiliklerini ortaya çıkardığı için kendisine ceza verildi. Aydın Doğan yarattığı impa-

ratorluğu ayakta tutabilmek için en büyük adımı attı ve hükümetin sesi oldu."

Hiç tanımadığım **İlhan İrem** gerçekleri iki cümleyle özetlemişti.

Programa daha sonra telefonla **Fatih Altaylı, Tuncay Özkan, Hikmet Çetinkaya** ve **Orhan Erinç** bağlandılar. **Merdan Yanardağ**'ın kitabından, programın bant çözümlerinden birkaç örnek:

Merdan, Aydın Doğan'a soruyor:

"Hükümetin size bir siyasi baskısı oldu mu?"

Yanıt:

"Hayır olmamıştır. Olamaz da Allah'ın izniyle."

Aradan bir yıl bile geçmeden, **Bay Patron** hükümetin siyasi baskısı olduğunu ve bu baskının daha da artacağını kendi sözleriyle itiraf etmek zorunda kalacaktı. Atalarımızın *"Büyük lokma ye, büyük konuşma"* sözü bir kez daha gerçekleşecekti. İlerideki bölümlerde bunları da kendi ağzından belgeleyeceğim.

Fatih Altaylı açık konuştu:

"(Hürriyet'te iken) Defalarca benim de bulunduğum ve başka gazetecilerin de bulunduğu ortamlarda Başbakan Sayın **Recep Tayyip Erdoğan, Emin Çölaşan**'*ın yazılarından şikâyetçi olmuştur. Ama ağzından hiçbir zaman şöyle bir kelime duymadım:* '**Emin**'*i kovun' ya da* '**Emin**'*in ne işi var burada' gibi."*

Fatih daha sonra *Hürriyet*'te sansür olduğunu söyledi. *"Ben Hürriyet yazıişlerinde görev yaparken* **Emin Çölaşan**'*ın da, öteki arkadaşların da yazılarının makaslandığını, sansür edildiğini biliyorum.* **Emin Çölaşan** *kitabında tamamen doğruları yazmıştır"* dedi.

Programa **Tuncay Özkan** bağlandı:

"Türk medyasının bugün geldiği noktada **Emin Abi**'*nin söylediği ve yazdığı her şey doğrudur. Burada konuşulanların*

71

eksiği yok, fazlası vardır. Tanıklıklarımız vardır, yaşanmışlık-larımız vardır. Tamamı doğrudur. **Emin Abi**'nin kitabı ve bu-rada anlattıkları, gerçekleri anlatıyor. **Fatih Altaylı** gerçek-leri anlatıyor. Ben kendi gerçeklerimi anlatıyorum. Keşke **Er-tuğrul Özkök** burada olsa da karşılıklı tartışabilsek. Her za-man söyledim, **Ertuğrul Özkök** gazeteci değildir. O bir profes-yonel yöneticidir. İşadamıdır. İş görür. Oysa medyada iş gör-memesi gereken insanların başında gelir. Türkiye'yi bu nok-taya onun bakış açısı getirdi. Ne diyor? 'Cambazım, cambaz. Omurgasızım, omurgasız. Her kaba sığarım, beni izlerken yı-lanın beli kırılır...'"

Merdan Yanardağ: "O hep iktidarlardan yana oldu. Grup çıkarlarıyla çelişmediği sürece hep iktidarlarla iyi geçinmeye çalıştı..."

Tuncay Özkan: "Bir gazetenin genel yayın yönetmeni ga-zetecidir. Cambaz değildir. Omurgası vardır. Bu düzen bir ba-taklık haline dönüşmüştür. Üstü magazin sosuyla kapatılmış bir bataklık. Hepimiz bunun dibinde çırpınmaya başlarız bir süre sonra. (**Emin Çölaşan** atıldıktan hemen sonra) Olayı ha-berleştiren bir televizyonun genel yayın yönetmenini arayıp 'Sen niye bu **Emin Çölaşan**'ı ikide bir haber yapıyorsun' diye azarlamayı biliyor RTÜK Başkanı. 'Bu haberi küçük versene' diyor. **Emin Abi** bunu bilmez. Skytürk'ün başındaki **Serdar Akinan**'a söylüyor bunu."

Türkiye Gazeteciler Cemiyeti Başkanı **Orhan Erinç** tele-fonla bağlandı:

"**Emin Çölaşan**'ın işten çıkarılması meslek adına da, ga-zetecilik adına da kabul edilebilir bir şey değildir. Biz bu ola-yı kınayan, **Çölaşan**'ı destekleyen bir açıklama yaptık. Tabii olay medya-ticaret-siyaset üçgeninin her geçen gün biraz da-ha sorun alanı haline gelmesinden kaynaklanıyor... Tabii ga-zetecilik de bir ticaret ama kamu yararının önde tutulması ge-reken bir ticaret. Biz maalesef bunu kaybettik..."

Hikmet Çetinkaya bağlandı:

"*Acaba 22 Temmuz seçimlerinde AKP yüzde 47 oy alma-saydı, CHP ile MHP koalisyon yapsaydı, **Aydın Bey Emin**'i gazeteden atar mıydı? Hiç sanmıyorum. Biraz önce **Tuncay** da değindi, İslam faşizmi geliyor diye. İslam faşizmi gelmiştir arkadaşlar, farkında değiliz. Elli yıldır laik demokratik cumhuriyetin altı, oyula oyula bitti.*

*Sevgili **Merdan**, bu program basın tarihine geçecek, tarihe not düşecek önemde bir programdır. İlk kez yapılıyor. Bunca yıllık gazeteciyim, böyle bir program görmedim. Keşke bu programda bizzat orada olsaydık da, karşımızda **Soros** çocukları otursaydı. **Cengiz**'ler, **Şahin**'ler, **Hasan**'lar falan otursaydı. Bunları bir tartışsaydık bu **Soros** çocuklarıyla. Çok iyi olurdu.*"

Hikmet Çetinkaya daha sonra Türk medyasının iktidardan korktuğunu, AKP iktidarının onları korkuttuğunu, medyada artık sadece çıkarlar ve para gücünün egemen olduğunu anlattı ve "*Biz **Emin Çölaşan**'ı Cumhuriyet'e istiyoruz. Bu açık bir davettir*" dedi.

Yayın gece 01.00 dolaylarında bitti. *Kanaltürk* telefonları kilitlenmişti. Ulaşabilenler tebrik mesajı bırakıyordu ve yine binlerce e-posta mesajı yağmıştı. Büyük çoğunluk kutluyordu.

Merdan Yanardağ kapanışı yaptı:

"*Şu âna kadar programımıza yaklaşık 16 bin mesaj gelmiş. Bu çok yüksek bir rakam. Programı izleyenlerin yüzde 94'ü –ki bu çok yüksek bir orandır– Sayın **Çölaşan**'ın Hürriyet gazetesinden atılmasını protesto ediyor. Anket noter denetiminde yapılıyor.*"

Program ertesi gün ve sonrasında gazetelerde, internet sitelerinde ve öteki bazı kanallarda bütün ayrıntılarıyla yer aldı.

Canlı yayında maçı kazanmıştım.

(**Merdan Yanardağ**'ın bu kitabını mutlaka okumanızı bir kez daha öneriyorum.)

***

Bugün 11 Ekim 2007. *DİVA* dergisinin Genel Yayın Yönetmeni **Gönül Soyoğul** ve foto muhabiri **Haggay Baysel** Ankara'ya geldiler. Önceden saat belirlemiştik. Bu derginin adını ilk kez duyuyordum. İzmir'de çıkan, magazin ve toplumsal haberler ağırlıklı nefis bir dergi olduğunu gördüm. Hiç tanımadığım **Gönül Hanım**'la söyleşi yapacağız. Kitap piyasaya çıkalı bir hafta bile olmamıştı. İzmir'den neredeyse bir bavul dolusu kitap getirmişler. Hilton'da buluştuk, önce yaklaşık bir saat boyunca kitaplarımı İzmir'den gönderen okurlarım için imzaladım. Sonra söyleşi başladı. **Gönül Soyoğul** soruyor, **Haggay Baysel** resim çekiyor.

Söyleşimiz derginin 19 Ekim 2007 sayısında yayımlandı. Benimle yapılan en kaliteli söyleşilerden biriydi ve o günlerdeki durgun ve yorgun durumumu çok iyi yansıtıyordu. İşte o söyleşi:

"EMİN ÇÖLAŞAN:
'ÖFKELİ DEĞİL, ÇOK KIRGINIM...'

*Önce Milliyet'te tanıdık onu. Haberlerini, röportajlarını bir solukta okuduk. **Turgut Nereden Koşuyor** kitabıyla anıtlaştırdık. **Önce İnsanım Sonra Gazeteci** kitabıyla da sevdik bu atılgan, alıngan ve kırılgan gazeteciyi... Yıllar yılı 'Minik Kuş'unun taşıdığı belgelere, bilgilere şaşıp durduk. Hep muhalif, hep gözü pek duruşuna, boyun eğmez yazılarına gıpta ettik. 'Sevgili Okuyucularım' diye başlayan köşesini, düşüncelerini, muhalif bile olsak, hiçbir zaman es geçmedik. Meslektaşlarıyla yaptığı meslek etiği kavgalarına da ilgisiz kalmadık. **İ. Melih Gökçek**'le savaşını kâh gülümseyerek, kâh merakla,*

74

boks maçının seyircileri gibi izledik. Yenilgilerine üzüldük, galibiyetlerine sevindik.

Yazarlar içinde en çok da bu mavi gözlü sarışın gazeteciyi okuduk... O şimdi işsiz. Ama hâlâ çok okunuyor. Bir haftada 50 bin adet satan *Kovulduk Ey Halkım Unutma Bizi* kitabı, yeni bir rekora koşuyor. Okuma sırası yine sizde!

– Kitabın adı niye *Kovulduk Ey Halkım Unutma Bizi*?

– *Kitabın ismiyle ilgili olarak Bilgi Yayınevi'nde konuşuyorduk. Karar verememiştim. Birkaç arkadaş, **Ahmet Küflü** falan oturduk, ne isim koyalım diye düşünüyoruz. Benim kafamda somut bir şey yok. Tam o sırada Bilgi Yayınevi'nden **Biray Hanım**'a bir telefon geldi. **Muzaffer İzgü** arıyormuş. Telefonla konuşurken 'Aa, enteresan, olur ben iletirim' gibi sözler söyledi. 'Ben not alıyorum, **Kovulduk Ey Halkım Unutma Bizi**' dedi.*

– **Muzaffer Abi** mi koydu kitabın ismini? Ne hoş bir tesadüf. İzmirli yazar ağabeyimiz o bizim.

– *Ve o an benim kafamda jetonlar şakır şakır düştü... Tamam dedik, ismi bulduk: **Kovulduk Ey Halkım Unutma Bizi**. İsim babası **Muzaffer İzgü** yani.*

– Burada **Uğur Mumcu**'ya da ithaf var, değil mi?

– *O sloganı **Uğur Mumcu** kamuoyuna duyurmuştu. Hatta yanılmıyorsam, **Mumcu**'nun mezar taşında da 'Vurulduk Ey Halkım, Unutma Bizi' yazar. Fakat, **Zülfü Livaneli** yayınevine mesaj geçmiş, 'Ya kitaba not düşün, ya da yasal haklarımı kullanacağım' demiş. Ama geçen gün yazdığı yazıda, dizelerin ona ait olduğunu, 1973 yılında yazdığı şiirinde geçtiğini belirterek, 'Yasal haklarımı kullanmayacağım ama bunu tüm Türkiye'nin bilmesini istiyorum' dedi. Ben de bir vicdan borcu olarak bunu belirtiyorum. Ama o dizeleri kamuoyuna tanıtan, duyuran **Uğur Mumcu**'dur.*

– Kitabı acele okudum. Ve içim sıkıştı. 'İyi ki **Ertuğrul Özkök**'ün yerinde değilim' dedim kendime. Kitabınız sanki AKP'den ziyade **Ertuğrul Bey**'in üzerine mi yoğunlaşmış? Hatta **Aydın Doğan** bile bir kenarda mı kalmış?

– *Ertuğrul üzerinden AKP'ye yoğunlaşan bir kitap. Çünkü bana yapılan bir siyasi baskıydı. Ama nasıl bir siyasi baskı? Bir tarafta AKP'nin baskısı var. Sadece bana değil. O baskı bana doğrudan yapılmadı hiçbir zaman. Dolaylı yapılıyordu hep. Yani patronlar ya da gazete yönetimleri. Bugün de öyledir; iktidarın bir göz kırpmasından, kendilerine telefonda ya da yüz yüze söylenen birkaç cümleden, mesajı alırlar. Birincisi, medya üzerinde iktidarın baskısı kesinlikle vardır. İkincisi de patronların çıkarları vardır. Özellikle bu dönemde, AKP iktidarı ile birlikte, bu çıkarlar daha büyüdü.*

– Tek parti iktidarı çünkü.

– *Tabii. Mesela bizim **Aydın Bey**'i ele alırsak, bankası vardı. Dışbank. Onu sattı. Biz bekliyorduk ki, onu satınca, rahatlayacak işler.*

– Kitabınızda da yazmışsınız zaten.

– *Onu sattı. Bu sefer başımıza POAŞ çıktı. AKP, POAŞ'tan üzerine gelmeye başladı **Aydın Bey**'in. Enerji ihaleleri, özelleştirme ihaleleri, bankacılıklar... Patronların geneli üzerinden konuşuyorum, büyük holdingler, büyük ihracat ithalatlar. Şimdi bütün patronların kaderi Başbakanın, Maliye Bakanının, daha doğrusu iktidarın iki dudağının arasında. Dolayısıyla bunlar korktular. Olay bu. Ha, bir de korkunun ötesinde ikinci bir bölüm var ki, iktidarın uyguladığı ekonomik politikalar bunların da işine geldi. 'Aman' dediler, 'bunlar bizim çıkarımıza çalışıyorlar, biz iktidarı ürkütmeyelim.'*

– Nedir onlar? Patronların işine gelenler?

– *Mesela **Aydın Bey** bana da söylemiştir kaç kez. Döviz düşük. Özelleştirme rahat. Tamam, biz de razıyız karde-*

şim, özelleştirilsin. Özelleştirme iyi de, mesela ben yazılarımda, peşkeşe karşı çıkıyordum. Yabancılara, eşe dosta, sağa sola Türkiye peşkeş çekiliyor. En stratejik kurumlarımız peşkeş çekiliyor. Dolayısıyla buralarda ihtilafımız çıktı. Ama esas ihtilaf tabii, hükümetin benden şikâyetçi olmasıdır ve bu bana açıkça, net olarak defalarca söylenmiştir. Benim yaşadığım başka olaylar da var ama kitabı şişirmemek için yazmadım.

– Sanki bu kitap **Özkök** için yazılmış gibi... 'Hürriyet ve **Özkök** yanı ağır basıyor' diye onun için söyledim zaten. Telefonda bana söylediğiniz gibi, Yayınevi de baskıda acele etmiş anlaşılan.

– *Bir an önce bitirmek gerekti tabii.*

– Keşke, AKP ile ilgili köşenizde yazamadıklarınızı –sonuçta köşeler boyut açısından da sınırlıdır– bu kitapta, uzun uzun dile getirseydiniz...

– *Ama ben birkaç tane somut örnek verdim zaten kitapta.*

– Vermişsiniz elbet. Ama meslektaşınız/okurunuz olarak doyurucu bulmadım. Az geldi örnekler.

– *Olay şu: Benim amacım, bu kitabı sıcağı sıcağına çıkarmaktı. 14 Ağustosta kovuldum. 5 Ekimde kitap piyasaya çıktı. Yani, 1.5 ayda elimdeki malzemeyi düzenleyip kaleme aldım. Şimdi bunu 1.5 sene sonra yazarsanız, esprisi kalmaz. Amacım olay sıcakken ve şişirmeden yazmaktı. Ben şimdi oturur 700 sayfalık da kitap yazarım. Ama hem okuyucu sıkılır –çünkü üç aşağı beş yukarı aynı olaylardır– hem de zaman kaybı olur benim açımdan.*

– Daha sonrası için kitaba bu konuda ilaveler yapmayı ya da yeni bir kitap yazmayı düşünüyor musunuz peki?

– *Şu anda kitap açısından ne yaparım bilmiyorum. Kafamdan bazı şeyler geçiyor ama sağlıklı düşünce sürecine girmiş değilim henüz.*

– Sizi görünce de söylemiştim ya, üzerinizde yorgunluk var...

– *Yorgunluk var, bir de daha ayrıntılı bakmak lazım eldeki malzemeye. İnsan, belleğini daha iyi çalıştırmalı.*

– Biraz uzaklaşmalı insan değil mi?

– *Evet. Biraz uzaklaşmak, daha sağlıklı görmek için şart. Yazarım ya da yazmam, şu an bir şey diyemiyorum.*

– Sizin az önce 'Sıcağı sıcağına kaleme alınmalıydı' dediğiniz bu kitabı, bu kısa sürede çıkarmanızı 'ranta dönüştürme' olarak yorumlayanlara ne diyeceksiniz?

– *Benim bu kitaptan ne rant elde etme olasılığım var?*

– Kitap satışından gelir elde etmek.

– *Gayet tabii gelir elde edeceğim. Kitap satışından yüzde 15.*

– Bu rant yorumları da işte bu yüzden yapılıyor ya zaten. 'Para kazanmak için alelacele çıkarıldı' deniyor.

– *Burada para falan benim için önemli değil. Rantsa eğer, burada önemli olan manevi ranttır. Ben siyasi bir olay yaşamışım. Onun rantı, manevi ranttır. Ben bir olayı açıklıyorum. Her kafadan bir ses çıkabilir, doğaldır. Ben bu kitaptan tahmin ediyorum, aylar ve yıllar içerisinde toplam 200 milyara yakın gelir elde ederim. Bir hafta içinde 50 bin adet kitap satıldı. Dolayısıyla hangi yazar bir kitap yazar ve bu kadar satarsa, bu parayı kazanacaktır. Bunun çaresi yoktur. Amacım maddi rant falan değildir.*

– Başa dönersek, *Akşam*'ın Genel Yayın Yönetmeni **Serdar Turgut** kitaba, bir genel yayın yönetmeni gözlüğü ile de bakmış. Bir genel yayın yönetmeninin bir yanda patron baskısı, bir yanda altında çalışanların/yazarların istekleri arasında nasıl ezildiğini bildiği için –sanırım ki ezilir–...

78

(Araya girerek)– *Ertuğrul onları söylüyor zaten, 'İkinizin arasında* (**Aydın Doğan** ile senin aranda) *pestil gibi ezilmekten bıktım' diyor. Kitabımda yazdım.*

– **Serdar Bey** de belli ki **Ertuğrul Özkök** adına üzülmüş. Dedim ya, kitabı okurken, içim kıyıldı. Her ne kadar **Ertuğrul Özkök**'ün siyasi yazılarından hiç hoşlanmasam da, hatta zaman zaman 'Nasıl eli vardı da, bunları yazdı' diye kızıp mail atmamak için kendimi zor tutsam da... Başta da dediğim gibi, kitabı okuyunca insan üzülüyor. Hoş, **Ertuğrul Özkök**'ün mail adresi de yok ya... Bu anlamda siz nasıl değerlendirdiniz **Turgut**'un yazısını?

– *Çok hoş, çok güzel, dengeli bir yazıydı. Akşam gazetesi kitabın tanıtımına da epey katkıda bulundu. Akşam, Tercüman, Güneş, Sözcü, Cumhuriyet'te, epey güzel tanıtımı oldu kitabın. Televizyonlarda çıktı. Ama bu tepkiler, tanıtımlar, **Aydın Doğan**'a karşı, benden yana olmak şeklinde değil de, ilginç bir kitabın tanıtımı şeklinde yapıldı..*

– Kitapta, kovulduğunuz tebliğ edildikten sonra bir iç huzuru hissettiğinizi yazıyorsunuz ve de dua ettiğinizi... Ben ise kitabı okurken, yoğun bir öfke hissettim. Bence siz, o öfkeyi yazarak boşaltmaya çalışmışsınız. Duygularınızı tam olarak öğrenebilir miyim? Kovulmayı yaşamış bir gazeteci olarak, bakalım benzer duygularımız var mı?

– *Kovulmuş olmaktan dolayı hiçbir zaman öfkelenmedim. Sonuçta onların gazetesidir. İstediklerini kovarlar, istediklerini alırlar. Bugüne kadar nice arkadaşlarımız kovuldu. Ben ne ilkim, ne de sonum kovulanlar arasında. Bir de şöyle düşünün. Benim bir açığım, bir lekem, geçmişten gelen bir açığım olsaydı, bu kitabı oturur yazabilir miydim? Ya da bunlarla mücadele edebilir miydim? Beni bir anda bitirirler, bitirirler...*

79

*Ben bir **Mehmet Ali Birand** değilim ki. Devleti dolandıra-*
yım, hapis cezası alayım, ondan sonra da milletin yüzüne ba-
kayım! Böyle bir olay yok bizde. Onun için herhangi bir açığı
olan biri olsaydım, zaten bu kitabı yazamazdım. Benim duy-
duğum öfke değil de kırgınlık. Benim kitapta yazdığım doğru-
*dur. **Ertuğrul** tebligattan önce İzmir'e beni çağırdı, yemek ye-*
dirdi. Kovma tebligatını sözlü olarak yaptı. Kordon'da yanın-
dan ayrılıp İncireltı'na, otele doğru giderken 20 dakikalık yol
boyunca düşündüm. Üzerimden bir yük kalkmıştı. Çünkü si-
nir harbi yaşıyorduk, yani rahatlamış hissettim kendimi. San-
ki omuzlarımdan tonlarca yük alınmıştı o anda. Ohh, artık
rahatım diye düşündüm. Tabii bir de ondan sonraki süreçte
bir üzüntü yaşadım. Hatta yazdım da. O da şudur: Bir teşek-
*kür etmediler. O gün beklerdim ki, **Ertuğrul** bana desin ki, 'Ya*
arkadaş, biz sana gerçekten teşekkür ederiz. Sağ ol...' O zaman
ben de onlara diyecektim ki 'Ben de size teşekkür ederim her
şey için.' Teşekkür edeceğim ne varsa.

– Teşekkür etselerdi, bu kitap yazılmayabilir miydi?

– *Onu bilmiyorum. Bilmiyorum. Ama teşekkür etselerdi*
*belki ben **Aydın Bey**'e bir mesaj çekecektim. '**Aydın Bey**, hak-*
kınızı helal edin' diyecektim. Ama hiç... Bir teşekkür gelmedi.
*Gelmedi derken **Aydın Bey**'i, Hürriyet'in başındaki kızı **Vus-***
***lat Hanım**'ı, bir de **Ertuğrul Özkök**'ü kastediyorum. Bir te-*
şekkür yaa! Yazılı da beklemezdim, sözlü. 'Yaa arkadaş, biz
seninle yollarımızı ayırdık. Tamam ama sen bu gazeteye 22
yıl çok büyük katkı sağladın' demediler. Ve sağlamışımdır da.
Onbinlerce okuyucu kazandırmışımdır Hürriyet'e.

– Bu katkınıza ben de çevremden şahidim. Eline hâlâ
Hürriyet gazetesi almayan okurlarınız olduğunu biliyorum.
Zaten *Hürriyet*'in tiraj kaybı da bunu gösterdi.

– *Ben onlara saygınlık kazandırdım. Ben onlara yüz bin-*
*lerce **Atatürkçü**, laik, çağdaş okuyucuyu kazandırdım. Hat-*

ta tam tersine olanları, İslamcı kesimi, AKP'lileri de... Çünkü onlar da **Emin Çölaşan**'ın yazısını okuyordu. Bugün **Çölaşan** ne demiş acaba diye gazeteyi okuyorlardı. Ben onlara çok okuyucu kazandırdım. Bir lekem yoktu. Onun için onlardan bir teşekkür bekledim. O teşekkür gelmedi, incitti beni.

– Bu teşekkür kısmı, içinize işlemiş; kitapta da belirtiyorsunuz. İyi de hem kovup hem teşekkür etselerdi, bu samimi olur muydu sizce?

– *Bir teşekkür samimi olurdu herhalde. Çünkü, ben onu hak ediyordum.*

– Hak ettiğinize kuşkum yok. Samimi olur muydu?

– *Samimi olduklarını düşünürdüm, çok mutlu olurdum gerçekten. Çünkü buraya 22 yıl hizmet verdim ben. Gecem gündüzüm gazeteydi. Evimden daha çok zamanı gazetede geçirdim ben. Gazeteyi saygınlık çizgisine çekebilmek için geçirdim. Benim de karınca kararınca bir katkım olmuştur mutlaka.*

– Sizin olduğu gibi, gazetenin de size katkısı olmuştur. Zaten bunu da söylüyorsunuz. Birçok şeyi *Milliyet*'e, *Hürriyet*'e borçlu olduğunuzu yazıyorsunuz zaten.

– *Elbette. Elbette.*

– Kitabınızda '30.5 yıldır basın hayatındayım' diyorsunuz. İnşallah daha uzun yıllarınız geçer. Bu süre içinde siz hiç yöneticilik yapmadınız, değil mi?

– *Hayır, hiç yapmadım, çünkü hiç merak etmedim yöneticiliği. Heveslenmedim.*

– Siz yöneticilik yapmış olsaydınız, farklı düşünürdünüz diye düşünüyorum. Çünkü bir tarafta iktidar var, bir tarafta patronlar var. Ve patronlar sonuçta kazanmak için varlar. Gazeteler de ticari müesseseler. İktidarla patron arasında kalan bir yönetici olsaydınız, siz nasıl davranırdınız bu durumda?

– *Bu sorunuza cevap veremem.*

– Niye?

– *Çünkü niye? Aklımdan ve hayalimden bile geçirmedim yönetici olmayı da ondan.*

– Niye geçirmediniz, bir nedeni vardır herhalde?

– *Anlatacağım. Yöneticilik nasıl başlar? İşte istihbarat şefliğiyle başlar. Ankara gazetecisi için söylüyorum bunu, Ankara Temsilciliği yaparak olur. İstanbul'daysan, yazı işleri müdürlerinden biri olmak, genel yayın yönetmeni olmak... Hiçbir gün, bunlardan biri aklımdan bile geçmedi. Tek bir gün bile. Ben sırf gazeteciydim. Eğer yöneticilik konumuna gelseydim, gazetecilik yapamazdım. Çünkü yönetici demek bir sürü dengeyi kurmak demektir. Gazeteci olarak bir firma olmuştum. Bu firma lafı da bana ait değildir. Rahmetli* **Çetin Emeç**'in bana *söylediği bir sıfattır. Hatta* **Erol Simavi**'nin de söylediği laftır. *Yönetici olsaydım, o zaman o dengeler, başka hesaplar, vesaire falan, gazetecilik yapamazdım ben. Ben sadece gazetecilik yaptım. Yöneticilik benim işim değil. Haa, ne olurdu yönetici olsaydım? Onu ben bilemem. Düşünmediğim için bilemem.*

– **Ertuğrul Özkök**'ün yerinde olmak, zor yani.

– *Herhalde zordur. Tahmin ediyorum, zordur.*

– Yöneticilik ve gazeteciliği birarada yürüten var mı?

– *Ee, var tabii. Mesela* **Ertuğrul** *yürütüyor. Yazı yazmak gazeteciliktir. Yöneticilik ayrı bir olaydır.*

– Gerçek anlamda olmuyor o zaman. Biraz önce 'Gazetecilikle yöneticilik birarada olmaz' derken, siz onu kastettiniz çünkü.

– *Benim kafamda olmaz. Benim kafamda olmaz ama bunu yapanlar var. Onlara da saygı duyarım. Niye yapıyorlar demem. O ayrı konu. Bu işi iyi bilen arkadaşlarımız var.*

– Bunu saygıyla yapanlar yok mu peki?

– *Ee olmaz mı, var tabii.*

– *Milliyet*'in Genel Yayın Yönetmeni **Sedat Ergin**'den, sevgi ve saygıyla bahsediyorsunuz mesela kitabınızda.

– *Ama **Sedat** şu anda gazetecilik yapmıyor. Şu anlamda söylüyorum, yazı yazmıyor. Binde bir, çok ender yazıyor. Yazı piyasasından kendisini çekti.*

– Düzgün yapılabilir yani?..

– *Yapılır, yapılamaz. Bu bir yapı meselesi ve bana ters düşüyordu. Onun için, işin özü şudur: Benim yaradılışıma aykırı bir olay bu. Ben yapamazdım.*

– Sizin yaradılışınız ne **Emin Bey**?

– *Yaradılışım derken, bir sürü dengeye gireceksin. Bugün Ankara temsilcisi olan kişi, yazı işleri müdürü ya da genel yayın müdürü; bunlar bir sürü dengeyi hesaplamak durumundalar.*

– Ben denge insanı değilim diyorsunuz....

– *Ben denge insanı değilim. Ben belli bir yol çizmişim, o yolda bodoslama giderim.*

– Sizi **Emin Çölaşan** yapan da bu mu?

– *Belki de... Onu bilemem, ona başkaları karar verir.*

– Hep not alır mısınız?

– *Önemli olayları alırım.*

– Peki bu, çevrenizdeki insanları korkutmaz mı?

– *Yoo, niye korkutsun?*

– Yani, 'Bu adam bir gün beni yazar' diye düşündürmez mi?

– *Yoo, benim çevremde benden korkacak insan yoktur.*

– Dostlarınızı korkutmaz belki de...

– *Hayır, hayır, korkutacak hiçbir şey yapmamışımdır. Bu zorunlu olarak, beni arkadan ittirdikleri için yazılmış bir kitaptır. Yoksa kalkıp da başkalarıyla yaşadığım olayları yaza-*

cak değilim. Zaten özel olayları asla not almam. Arkadaşlarımla, dostlarımla yaşadıklarım benimle kalır.

– Ama özel olayları yazanlar da oldu kitaplarında.

– *Gönül, biz gazeteciyiz, belli şeyleri açıklamak durumundayız yani. Bizim yaşadığımız olaylar ilginçtir çünkü. Ama bu, hiçbir zaman özel yaşama girmez. Örneğin benim, gazetede* Ertuğrul *ile aramızda geçen daha başka konuşmalar vardır mesela. Onları yazmak ya da birilerine anlatmak asla aklıma bile gelmez. Onlar ölünceye kadar bende kalır. Onlar daha özel, dostça yaptığımız şeylerdir. Dikkat ederseniz, kitapta sadece ve sadece, benim tasfiyeme yönelik olaylar vardır ve onun dışında başka şey yoktur. Baskı mekanizması, sansür mekanizması ve hükümetten korkma olayı. Benim kitapta işlediğim konu bunlardır.*

– 'Hürriyet'te hiçbir zaman takım oyununa alınmadık' diyorsunuz kitapta. Acaba orada konuşulanlar yazılır diye alınmamış olabilir misiniz?

– *Ne alâkası var, hiç ilgisi yok. Sanmıyorum. Bakın Ankara'dan iki örnek vereyim; ben ve* Bekir (Coşkun), *tümüyle dışlanmıştık yönetimden. Bu da onların bileceği iş. Yani biz sürecin tümüyle dışındaydık. Bize bir tek gün, 'Arkadaşlar, siz bu gazeteye şu kadar yıldır hizmet veriyorsunuz, şöyle bir konu var, ne düşünüyorsunuz, ne dersiniz?' diye, bir tek gün sorulmamıştır. Bir gün bile. Biz* Bekir *ile beraber, yabancı unsurduk.*

– AKP iktidarından sonra herhalde.

– *AKP iktidarından önce de öyleydi. Hiçbir zaman bize bir şey sorulmadı. Sormazlar da. Benim de 'Niye sormadınız' diye gocunacak halim yok. Ama hiçbir zaman sorulmadı. Mesela toplantılar yapılırdı. Abant'ta, Sapanca'da, İstanbul'da. Bize hiçbir çağrı yapılmazdı.*

84

– Hiç çağrılmaz mıydınız?

– *Hiç! Bir tek gün bile çağrılmadık. Tahmin ediyorum, 15-20 yıl önce falandı. Bir kere İstanbul'a çağrılmıştık. Daha* **Bekir** *yoktu Hürriyet'te o zaman.* **Kurthan Fişek** *falan gelmişti. Herkes kürsüye çıkıp bir şeyler söylemişti. Hatırlamıyorum bile ne söylendiğini.*

– Hiç sormadınız mı? 'Niye çağrılmıyoruz, biz bu gazetenin yazarları değil miyiz, toplantılarda niye yokuz?' diye niye sormadınız?

– *Niye soralım ki? Bizim üstümüze vazife değil ki! Ama duyardık, Abant'ta toplantı, Sapanca'da toplantı var diye. Ya da 'Toplantı yaptık' diye söylerlerdi.*

– Ben olsam ölürdüm meraktan. Siz niye hiç merak etmediniz?

– *Neyini merak edeceğim! Bunlar önemli konular değildi ki benim için. Üzerinde düşünülmesi gereken konular da değildi. Ben işimi yapıyordum, benim zamanım yoktu zaten. Bana gün oluyordu 700 tane okuyucu mesajı geliyordu, 700 tane, somut. Hepsi kâğıda çekiliyordu, ben kâğıttan okurdum onları. En az geldiği 150 tanedir günde. Okuyucu mesajlarının hepsini ben tek tek okumak zorundaydım.*

– Cevap yazar mıydınız okurlarınıza?

– *Cevap hiçbirine veremezdim. Asla, mümkün değil o. Malzeme, yazı konusu çıkardı bana. O yüzden benim zamanım yoktu bu işlerle uğraşacak. Bana 'Gel, iki gün toplantı var' deseler, ben gidemeyecektim belki de. Olay budur. Gazetede bunları düşünecek zamana sahip değildim ki ben. Sabah 09.00'da girerdim gazeteye, akşam çıkardım 6.00'da, 7.00'de... Turşu gibi, haşat, beynin durmuş vaziyette. Git eve, yemek ye, erkenden uyu ertesi güne zinde olmak için. Haberleri izle. Bütün yaşantım, neredeyse 24 saat, uyku dışında, sadece gazeteciliğe odaklanmıştı. Mesela bir gün önceden paniklemeye baş-*

lardım. Bu panikleme lafını bilerek söylüyorum. Sanki ertesi gün, ben hiç konu bulamayacağım ve yazı yazamayacağım paniği...

– O gazetecilik heyecanıdır ama...

– *Hep o heyecan: Yarına ben ne yazacağım? Halbuki bin tane konu var. Yarın olur, önümde hazırlop, bin tane konu! Bu sefer de hangisini yazsam diye düşünürüm. İkisini yazarsınız en fazla, 10 tane konuyu saf dışı bırakırsınız. Yarın yazayım derseniz, yarın da başka olaylar gelişir. Bunu bilmeme rağmen, o paniği hep yaşardım. Yani hep gazetecilik vardı hayatımda, başka odaklandığım bir şey yoktu hayatımda.*

– **Fehmi Koru** (**Taha Kıvanç** takma adıyla) sizin AKP iktidarında sansürlendiğinizi yazdığı için ona öfkelendiğini yazdı. Ve yıllar önce yazıları sansüre uğrayan rahmetli **Yavuz Gökmen**'le ilgili olarak, '*Sansüre uğradığı halde yazmaya devam eden şerefsizdir*' dediğinizi belirtti. Nedir bu olay?

– *AKP gelene kadar Türkiye'de, bakın altını çizerek söylüyorum; normal gazetecilik koşulları geçerliydi. Hemen herkes, özgürce yazardı. Sansür, makaslama diye bir şey yoktu, çok istisnai bir hadiseydi. Otosansür yoktu. İnsanlar istediği gibi yazardı. Muhabirler haberlerini yazardı; ha onlardan kullanılanı olurdu, kullanılmayanı olurdu ama 'Aman iktidarı kızdırmayalım' diye o çocukların haberleri çöpe atılmazdı, köşe yazarları da özgürce yazardı. Niye? Genelde koalisyon hükümetleri vardı. Patronlar koalisyon ortaklarından biriyle kapışsa, ortaklardan diğeriyle arayı iyi tutarlardı ve böylece hiçbir sorun yaşamadan medya işlevini sürdürürdü. Gelelim, diğer konuya. 1996 yılında, bizim Allah rahmet eylesin **Yavuz Gökmen** vardı. **Ertuğrul** habire bunun yazılarını koymazdı. Yavuz Ankara'dan yazar, biz ekrandan okuruz geçtiği yazıyı. **Ertuğrul** buna telefon açar, 'Koymuyorum bu yazıyı, başkasını yaz' derdi.*

– Ne yazardı ki sansür ediliyordu? Hükümeti mi eleştiriyordu?

– *Hatırlamıyorum şimdi, muhalif yazılar değildi, daha çok birilerine bindiren yazılardı.*

– Kişisel mi yani?

– *Yavuz, ikinci cumhuriyetçi tavırlı bir arkadaşımızdı, daha çok o tür yazılardı ama ağır yazılar yazardı. Mesela askerlere falan ağır laflar söylerdi. Dava konusu olacak şeyler. Ertuğrul da açardı buna 'Bu yazıyı koymuyorum, başka yazı yaz' derdi. Yavuz bir saat sonra ikinci bir yazı yazar gönderirdi. Ben de Yavuz'u pek sevmezdim doğrusu. Dolayısıyla 1996 yılında isim vermeden 'Yazısında sansürü kabul edenler, onursuzdur' falan gibi bir şey yazdım. İki satırlık bir cümledir. Şimdi bunlar oradan yakaladılar. Şimdi 'Bak, sen onursuzsun'a getirmek istiyorlar. 'Çünkü bu kadar sansüre rağmen Hürriyet'te yazmışsın' demeye getiriyorlar. Bunlar şunu algılayamaz tabii. Ben orada bir mevzi tutuyordum. Hürriyet'te bir mevziyi koruyordum. Yani milyonlarca insan adına bir mevzi koruyordum. Bana bunlar rüşvet bile teklif ettiler. İstifa etmem karşılığında çok büyük para teklif ettiler. Kitapta yazdım onu.*

– Kitapta rakam belirtmemişsiniz. Neydi teklif edilen miktar?

– *Konuşmadık ki rakamı.*

– Çok büyük para dediniz ya; açık çek gibi miydi?

– *Rakamı ben de bilmiyorum, konuşmadık ki. Başa dönersek, dolayısıyla benim oradan istifa edip gitmem, bana güvenen milyonlarca insana bir yerde ihanet olurdu. Ve biz bunu hep tartışırdık, konuşurduk aramızda, çeşitli meclislerde. Bazen 'Ben bırakayım mı' dediğimde, 'Sakın ha, sakın ha. Seni sansür de edecekler, yazılarına makas da atacaklar, seni ezmeye kalkışacaklar. Orada direneceksin, sakın ha. Senin gö-*

revin bu. *Kaç tane* **Emin Çölaşan** *var bu ülkede' dediler. Ve ben o laflarla, artık orada öyle bir duruma gelmiştim ki, yazım sansür edilsin, makaslansın, hiç fark etmez. Orada direneceğim. Bunun başka çaresi yok. Yoksa ben de çok iyi bilirdim, alırdım bunlardan çok iyi bir para, hadi bana eyvallah derdim. Bir şey uydururduk, sağlık bahanesi falan derdik, gitmek çok kolaydı. Zaten gözümün içine bakıyorlardı, para teklif ediyorlardı gideyim diye.*

    – **Yavuz Gökmen** için yazdığınız yazıya gelirsek...

    – *Şimdi bunların yakaladığı, 1996'da çıkmış bir cümlemdir. Doğrudur, benim yazımdır ama ikisi arasında fark var. Dönem değişmişti. Bu dönemde normal gazetecilik yok ki. Bakın ben size şunu söyleyeyim. Bugün hiçbir Başbakanlık muhabiri, Başbakana basın toplantılarında veya ayaküstü açıklamalarında, iktidarın hoşuna gitmeyecek bir soru soramaz. Çocuğu duman ederler. Korkudan soramazlar. Çocukların hepsini, bütün muhabir arkadaşlarımızı sindirdiler. Bunu iddialı söylüyorum. Cumhuriyet'ten bir arkadaş falan sorabilir ancak, o kadar.* **Doğan** *grubundan mesela herhangi biri gidip 'Efendim oğlunuz rapor alıp askere gitmedi. Nedir oğlunuzun hastalığı? Şunu mikrofona açıkça söyleyin de bilelim, geçmiş olsun' diyemez. Bunu soracak bir babayiğit yoktur. 'Efendim, oğlunuzun düğününde size kaç kilo altın geldi' diye de mesela soramazlar. Kilolarla altın geldi oysa. Bunları hiç kimse soramaz, çünkü korku saldılar herkese. Artık gazetecilik onun için yapılmıyor. Köşe yazarlarının pek çoğu patronlarının doğrultusunda yazı yazmakla yükümlüdür. Başka çare yok. Basın dediğimiz olay, maalesef buraya geldi. Ne zaman geldi bu? AKP döneminde geldi büyük ölçüde.*

    – AKP'den öncesinde yalakalık, yağcılık, baş eğmek yok muydu?

– *Tabii ki vardı. Ama o zaman koalisyon hükümetleri vardı. Sen A partisine karşı çıkarsın, iktidarın B partisi ortağı seni korurdu, kollardı, kanatları altına alırdı. Böylece sen tereyağından kıl çeker gibi gazetecilik yapardın. Şimdi yok böyle bir olay.*

Bu kitabı eleştirenler, demeli ki, 'Emin Çölaşan palavra atıyor, yalan yazıyor. Türk basını böyle bir olay, böyle sansür yaşatmaz.' Bunu söyleyecek bir babayiğit varsa, gelsin eleştirsin. Ya da desin ki 'Amma saçma sapan şeyler yazmış!' Bunu söyleyen de yok. Şimdi bu kesim, geçmişten bana olan kızgınlıklarını farklı boyutlarda ortaya koyuyorlar. '1996'da sen şöyle yazmıştın' diyorlar. Bunlar eleştiri değil.

– Sizin **Fehmi Koru**'ya kızgınlığınız yok mu yani?

– *Hayatta hiç uyuşamadığımız insanlardan biridir **Fehmi Koru**.*

– Ama *'Geçmişte aramızda seviyeli bir ilişki vardı'* diyor.

– *Ee canım, ben bugün de **Fehmi**'ye sokakta rastlasam, 'Ne haber, nasılsın **Fehmi**' derim. O da herhalde 'İyiyim, sen nasılsın' falan der. Birbirimizin üzerine yürüyecek, dövüşecek halimiz yok herhalde. Uygarca ilişkimiz sokakta sürer. Ama fikir düzeyinde hiçbir zaman uyuşmadık.*

– Sizin bir yazınızın AKP iktidarından önce de (1999'da) sansürlendiğinden bahsediyor **Koru**. Başınıza ilk gelen sansür değilmiş yani.

– *Öyle defalarca değil, bir ya da iki-üç kez benim yazım makaslandı. Her defasında tavır koydum ben. Mesela ertesi gün, yazı yazmadım. Benden özür dilendi, falan filan. Bu AKP döneminde iş çığrından çıktı. Çünkü o zaman satranç başlamıştı aramızda. Herkes bir hamle yapıyordu. Yani karşı taraf bir hamle yapıyordu, ben bir hamle yapıyordum. Benim amacım da sahada kalıp, satranç oyununu olumlu biçim-*

de bitirebilmekti. Haa, bitti veya bitmedi. Geçici olarak şimdi Hürriyet'te bitti. Yani 2002 yılı, AKP iktidarından önce, bunlar beni üç kere falan makasladılar. Sansürlediler. Hepsinde tavır koymuşumdur. Ama o zamanlar olağanüstü bir olaydı bir yazının sansür edilmesi. Şimdi işin cılkı çıktı tabii.

– **Bekir Coşkun** olayına gelirsek... Herkes sizin işten çıkarılmanızdan sonra **Bekir Bey**'in gazeteden istifa edeceğini konuştu. Ama Başbakan **Erdoğan** ile **Bekir Coşkun** arasındaki o malum diyalog, istifayı gündemden kaldırdı. Türkiye'yi ayağa kaldıran o diyalog yaşanmasaydı, ne olurdu?

– *O konu çok özel bir konudur. Ben burada Bekir adına konuşamam.*

– Peki **Bekir Bey** rahat, sansüre uğramadan yazabiliyor mu?

– *O konuda da bir şey söyleyemem. Bekir'le konuşursunuz onları. Ne söylesem yanlış anlaşılır.*

– *Hürriyet'in tirajındaki düşüş devam ediyor mu peki?*
– *Onları da bilemem. Epey bir düşüş oldu. Ama şimdi bir de promosyon veriyorlar. Rakamları bilemem ama benden sonra çok ciddi bir düşüş olduğunu biliyorum.*

– Sizin işinize son verilmesini **Yılmaz Özdil**'e de sordum. **Ertuğrul Özkök**'ün bu konuyu köşesinde açıkladığını belirtip *'Zaten bu konunun iki muhatabı var, biri Ertuğrul Bey, diğeri de Emin Ağabey'* dedi. Şimdi muhataplarımdan birini buldum. Kitabınızda siz de bu konuya değinmişsiniz zaten. **Yılmaz**'ın *Hürriyet*'e gelişi, gerçekten medya sitelerinde yazıldığı gibi tezgâh mıydı? Sizin boşluğunuzu **Yılmaz Özdil** ile mi doldurmayı amaçlamışlardı? Ve siz *Hürriyet*'te izne ayrılmadan önceki yazınızda dipnotta *'Yılmaz'ın iyi yazan, iyi izlenmesi gereken bir yazar olduğunu'* belirtmiştiniz değil mi?

– Doğrudur. Şimdi şöyle söyleyeyim. Ben **Yılmaz**'la hiç yüz yüze gelmedim. Ama ben onun Sabah'ta yazdığı (*Sabah* kelimesine özellikle vurgu yapıyor burada) *yazıları, zevkle okurdum. Şimdi neden bilmiyorum, Sabah'taki temposunu göremiyorum* **Yılmaz**'ın. Belki uyarı aldı. Tahminimce **Yılmaz**'a *'Fazla ileri gitme'* diye uyarıda bulunuldu. Tahmini söylüyorum, yanılabilirim. Ama **Yılmaz**'ın sizin kullandığınız deyimle benim yerime Hürriyet'e getirilmesi tezgâh mıydı değil miydi, onu bilmem. Yalnız benim tahminimi söylüyorum, bildiğim bazı şeyler de var bu konuda ama onları yazmadım, yazmak için henüz erken. Benim yerime **Yılmaz**'ı aldılar. **Yılmaz**'ı büyük anonslarla 'büyük yazar büyük gazetede' diye duyurdular. Ben burada **Yılmaz**'ı falan suçlamam. Çok doğaldır. **Yılmaz**'ın hiçbir suçu yok. Teklif geliyor, Hürriyet'e giriyor. Gayet doğaldır. Ama benim yerimi doldurmak için **Yılmaz**'ı aldılar diye tahmin ediyorum. Ama doldurdular mı dolduramadılar mı, onu da bilemem tabii. Artık o, onların bileceği iştir, okuyucunun takdiridir. Sonuçta **Yılmaz**'ı benim boşluğumu gidermek amacıyla aldıkları kanısındayım. Fakat dediğim gibi, **Yılmaz** Sabah'ta çok daha güzel yazılar yazıyordu.

– Siz, bazı yazarlarla ilgili olumsuz görüş bildiriyorsunuz kitabınızda. **Çetin Altan** ismini de okumak, beni şaşırttı.

– Hiç şaşırmayın. **Çetin Altan** 1960'lı yılların **Çetin Altan**'ı değildir. O zaman çok farklı bir **Çetin Altan** vardı. O da 180 derece dönüş yapmış olan kişilerden biridir. **Çetin Altan** kalkıp da bir tek gün olsun **Turgut Özal**'ı eleştirememiştir, **Atatürk**'le ilgili kitap yazan **Çetin Altan**, bugün AKP iktidarını da eleştiremez. Bunlar dönmüşlerdir. Devşirme olmuşlardır Türkiye'de. Çünkü dönmek kolay bir iştir. Yani rahatı, parayı buldun mu, dönersin. Olay budur. Karşımızda –medya için söylüyorum– yüzlerce dönek var. Hepsi döndü gitti. Hangi nedenlerle döndüler onu bilemem, hepsi bireysel olay-

*dır. Türkiye'de maalesef dönek çok. **Çetin Altan**'ı da ben bir dönek olarak görürüm. Geçmişin **Çetin Altan**'ı asla değildir. Geçmişte kahramanlık yapıyordu, solculuk yapıyordu. Şimdi nerede solcu **Çetin Altan**? Bir çıksın ortaya görelim bakalım? Bir tek yazısında, bir tek şey anlatsın. Olay budur.*

– Ya oğulları?

– *İkinci cumhuriyetçi çocuklardır. Bir muhabbetim yok kendileriyle.*

– Ne yapacaksınız bundan sonra? Okurlarınız bekliyor.

– *Valla şu anda hiç bilmiyorum. Gerçekten bilmiyorum.*

– Duyuyoruz, okuyoruz, teklifler var.

– *Teklifler var da, sizinle konuşmaya başlamadan önce 'Beyniniz yorgun, belli oluyor' dediniz bana. Gerçekten doğru. Tam 13 aydır bir gün bile ara vermeden çalışıyordum. Dile kolaydır bu, hiç tatilsiz, abartmadan söylüyorum. Sıfır tatil. Artık beyin falan karıncalanıyor yani. Ee, bir de bu badireleri atlattık. İşte en son aşamada oturdum, 1.5 ayda bu kitabı yazdım. Kitabın bin tane işi var. Bilgi Yayınevi'ne gidip geliyorum. Onun için bir şey bilmiyorum, önce bir kafamı toplamam, daha doğrusu beynimi dinlendirmem gerekir.*

– İşinize son verildikten sonra mutlaka iç hesaplaşmaları yaşamışsınızdır. Değdi mi sıfır tatille çalışmaya sizce? Bir gün bile tatil yapmadan, bu yorgunluğa değdi mi diye sormuyor musunuz kendinize?

– *Benim açımdan değdi. Ben iç hesaplaşmamı her zaman yaparım. Fazlasıyla değdi. Ben Türkiye'de –bu rakam da abartısızdır– gerek Hürriyet'teki yazılarımla, gerek kitaplarımla, gerekse televizyonda yaptığım konuşmalarla milyonlarca insanı bilinçlendirdim. Onlara direnç gücü verdim. Sanıyorum, onları bilinçlendirenler arasında en önde gelenlerden biriydim. Onun için fazlasıyla değdi. Ben kendime 'Emin,*

*sen görevini yaptın mı' diye sorduğumda, verdiğim yanıt, vic-
danım 'Evet yaptın' diyor. Net, abartısız veriyorum bu yanıtı.
Şu lafı hep duyarım insanlardan: 'Emin Bey, siz bir tanesiniz,
helal olsun'. Bunu on binlerce kişiden yazılı ya da sözlü ola-
rak duymuşumdur. Normal zamanda olsa, bu sözler, insanla-
rın yolda, sokakta gösterdiği o sevgi, beni mutlu ederdi, gurur
duyardım. Hatta havaya bile girerdim. Ama bunları duydu-
ğum zaman üzülüyordum. Niye ben? Benim gibi 20 tane, 50
tane gazeteci olmalıydı Türkiye'de. Benim gibi işin üzerine gi-
den, didikleyen, yazılarıyla vuran kıran olmalıydı. Üzülüyor-
dum hep niye ben, niye ben?*

– Siz ısrarla bunları yazdığınız için mi size 'takıntılı mu-
halif' diyorlar.

– *Takıntılı, Aydın Doğan'ın lafıdır.*

– Yani diğer yazarlar yeteri kadar yazsa, siz de ara ara
başka konulara değinir miydiniz? Yeteri kadar yazan olmadı-
ğını düşündüğünüz için, sürekli AKP'yle ilgili yazmada ısrar
etmiş olabilir misiniz?

– *Bakın ben size bir şey söyleyeyim, buna belki güleceksi-
niz ama doğrudur. Türkiye'de köşe yazılarını en az okuyan
gazeteci herhalde bendim. Ben çoğu köşe yazarını inanın oku-
mazdım bile, başlıklarına falan bakardım şöylece. Okumaz-
dım.*

– Ama neden?

– *Çünkü benim bütün amacım, ertesi güne iyi bir yazı
yazmak. O yazıların malzemesi bana zaten geliyordu ya da
ben beynimde oluşturuyordum konuyu. Köşe yazısı okumak,
benim için adeta, adeta diyorum, bir zaman kaybıydı. Ya-
ni 500 tane köşe yazarı var ulusalda. Onların bana verece-
ği bir şey de yok fazla. Mesela başlıklarına bakardım, bazıla-
rına şöyle küt diye göz atardım. Bazılarını okurdum. Bir İl-
han Selçuk'u okurdum örneğin, bir Mustafa Balbay'ı, Hik-*

met Çetinkaya'yı okurdum. Mesela bizim gazetede **Tufan Türenç'i, Yalçın Bayer'i, Bekir'i** okurdum. Vatan'da **Mustafa Mutlu,** Milliyet'te **Güngör Uras, Melih Aşık** okurdum. Halen de okuyorum. Benim kafa doğrultumda olan arkadaşlar ne yazmışlar, merak ederim.

– Evet, saydığınız isimler, hep aynı düşünce doğrultusundaki insanlar...

– Bir de mesela İslamcı basından bazılarını okurdum, onlar ne yazmışlar diye? Şimdi onun ötesinde öyle köşe yazarları var ki, gerçekten onları okumak bir zaman kaybıdır benim açımdan. Belki de yanılıyorumdur. Adam magazin yazıyor, futbol yazıyor, siyaset yazıyor kendince. Mesela bildiğim bir isim geçerdi, şimdi açıklamak istemem tabii onları. Arkadaşlara sorardım 'Bu hangi gazetede yazıyor' diye. Halbuki çok büyük bir gazetede yazıyor mesela. Bilmem bile. Bir sürü köşe yazarı türedi. Köşe yazarlarının da ciddiyeti kalmadı Türk basınında. Bir de şunu söyleyeyim, en vahimi odur, bir sürü insan torpille, eş/dost/ahbaplık ilişkisiyle, hatta daha acısı –bu televizyonlar için de geçerlidir– birtakım yatak ilişkileriyle köşe yazarı yapıldı. Bunlar açıktır, bellidir. Böyle medya olur mu? Hiç ilgisi olmayan tipler çeşitli ilişkilerle köşe yazarı yapıldılar. Biz öyle değildik. Ben Milliyet'te ekonomi muhabiri olarak başladım, tırnaklarımla kaza kaza geldim nereye geldiysem. Ne torpilim oldu, ne bir ekibin adamı oldum, ne boyun eğdim, ne kimselere sığındım. Şimdi bakıyorsunuz, biri paraşütle küt diye, hem de en baba gazetelerden birine/birilerine inmiş, köşe yazarı olmuş. Hayırdır inşallah diyorsunuz. Nesini okuyacağım ben o tiplerin? Tamamen zaman kaybıdır benim açımdan.

– Siz hiç eğlenmez misiniz **Emin Bey**? Hep böyle ciddi yazılar, ciddi televizyon programları. Okuduğunuz kitaplar, seçtiğiniz programlar... Tamam, dava adamı portresi çiziyorsunuz ama dava adamları da eğlenir benim bildiğim. Sanki hayatınızda hiç renk yokmuş gibi geldi bana...

– *Doğru, haklısınız. Çok renkli bir hayata sahip değilim. Yani en büyük rengim diyelim, arkadaşlarımla birlikte olmak. Mesela onu gazetede yapardık, birbirimizi hep çok severdik. Zamanımın büyük bölümü de gazetede geçtiği için yani, bütün arkadaşlar, muhabirinden tutun yöneticisine kadar ağabey-kardeş ilişkileri içinde, yakın ilişkiler içinde eğlenceyi, gazetede yapardık. Sohbet gırgır, adam işletme, şamata vesaire.*

– Ya gazetenin dışındaki hayatınız?
– *Arkadaşlarımla buluşurum, içki içemem mesela. Gece hayatını sevmem. Balık varsa bir kadeh falan rakı, ikinciyi vücudum kaldırmaz. Gece hayatını, kokteylleri, resepsiyonları sevmem. Dans etmeyi sevmem.*

– Hiç içinizden oynamak, dans etmek falan geçmez mi?
– *Yooo. Gelmez. Ama oynayanları, dans edenleri, göbek atanları izlemeyi korkunç severim. O, benim kafamı dinlendiren bir olaydır. Bir düğüne gideyim ya da danslı bir yere, birileri kalkıyor oynuyor, saatlerce seyrederim.*

– O anda bile içinizden gelmez mi?
– *Hayır gelmez, içimden gelmez. Dans etmeyi sevmem.*

– Ağır abisiniz...
– *Ağır abilik değil. Gırgır şamata falan hep yaparız, işletiriz, onlar ayrı olaylardır. Ama öyle dans etmek, öyle ortalıkta oynamak vesaire olmaz.*

– Şimdi solun neresindesiniz?
– *Şu gün, şu son yıllar itibarıyla Türkiye'de artık sağ-sol kavramı kalmamıştır. Birincisi, Türkiye'de ülkeyi bölmeye götüren akımlar vardır. İki, şeriat düzenine götüren akımlar vardır, üç benim de temsilcisi olduğum, içinde olduğum ulusalcı akımlar vardır. Şimdi ulusalcı akım derken, hem şeriata karşı,*

hem bölücülüğe karşı, yani İslam devletine karşı. Ben, sosyal demokrat kimliğe sahip biriyim. Örneğin bir MHP'li ile ya da benim gibi düşünen bir AKP'li ile işbirliği kurabilirim, tamam mı? Ülkenin bölünmez bütünlüğü açısından bir. Ülkenin laik düzeni, Cumhuriyet rejimi açısından iki... Dolayısıyla o eski, sağ-sol olayları falan hikâyedir, onlar kitaplarda kalmıştır. Geçmişe ait anılardır. Şimdi Türkiye'nin satılıp satılmaması, Türkiye'nin bölünüp bölünmemesi, Türkiye'de laik cumhuriyet rejiminin korunup korunmaması konuları var. Dolayısıyla insanlar artık, diyelim bir CHP'li ile bir MHP'li, örnek olarak veriyorum bunları, hatta bir AKP'li, ulusalcılık, yurtseverlik konusunda anlaşırlar. Yani sağ-sol falan geçmişte kaldı. O garibanlar, o çocuklar birbirlerini vurdular, öldürdüler. Hepsine yazık oldu. Onun için Türkiye'de artık durum değişmiştir. Ben durağanlaşmadım. Tam tersine, o yeni safların bilincindeyim. Cumhuriyet rejiminin, Türkiye'nin bölünmez bütünlüğünün... O nedir, şeriatçılara karşı çıkmaktır, Kürtçülere. Kürtlere değil. Şeriatçılara derken de Müslüman inançlı insanlara değil, din ticareti yapanlara, din baronlarına karşı çıkmaktır. Olay budur. Biz ulusalcı kamptayız. Biz kendimizi yurtsever olarak tanımlarız; ki, içtenlikle de kendimi öyle tanımlıyorum.

– Milliyetçi misiniz yani?

– ***Atatürk** milliyetçisiyiz biz. Bunlara girmeyelim, uzun konular bunlar. Saflar farklı artık, eski kamplaşmalar yok artık. Türkiye'de yeni kamplaşmalar var. Şimdi onun içindeyiz.*

– Sizin yazdıklarınızda, söylediklerinizde karamsar bir hava var. Basın konusunda ben de çok umutlu değilim doğrusu. Ne yapmak lazım da bu meslek, yeniden sevdalı, idealist insanların mesleği olsun, kimse mesleği kişisel çıkarları adına kullanmasın?

– *Bizim yapacağımız hiçbir şey yok. Bizim yapacağımız sadece o havayı oluşturmaktır. İşte ben kitabımda biraz, ger-*

çeklerle ve belgelerle o havayı oluşturmaya çalıştım. Şu an Türkiye'de yapılması, olması gereken; birincisi basını tekelleşmeden kurtarmak, ikincisi, basını büyük patronların elinden başka kanallara sevk etmeye çalışmak.

– Bunu kim yapacak?

– İşte onu bilemiyorum ben. Ama herkesin bilmesi gereken olay budur. Şimdi bakın, 1994 yılında **Erol Bey** gazeteyi **Aydın Bey**'e sattı. **Erol Bey** sadece gazeteciydi ve sadece Hürriyet'in geliriyle yaşayan, çalışanların maaşını, ikramiyesini veren bir insandı.

– Bir zamanlar **Dinç Bilgin** de öyleydi.

– Evet. Bu insanların gazetecilik dışında başka işleri hemen hemen hiç yoktu. Bankaları yoktu, akaryakıt sektöründe yoktular. Özelleştirme o zamanlar zaten yoktu. Enerji ihaleleri yoktu. Bunlar sadece gazeteciydi. Anadan babadan gelen gazeteciliği sürdürüyorlardı. Ama bir süre sonra para babaları girdi işin içine ve tekelleşme başladı. Bu olay bitirilmeden Türkiye'de özgür basını hiç kimse beklemesin. Mümkün değil. Eşyanın tabiatına aykırı. Özgür basının olması için de para babalarının basından ayrılması gerekir. Ayrılırlar mı? Ayrılmazlar. Çok zor bir olaydır, mucizedir. Bakın **Dinç Bey**'in başına neler geldi? Çünkü büyüdü, bankacılık vs. işlerine dalınca bitti gitti. **Aydın Bey**, nasıl yıpranmış bir patrondur! Tekelleşme vesaire, bakın devlet (**Aydın Doğan** için) karar alıyor, 'Sen Sabah'ın ihalesine giremezsin arkadaş' diyor. Bunlar çok acıtıcı şeylerdir aslında. Çünkü artık tekelleşme son haddine gelmiş. Devletin o son kararı olmasa, belki **Aydın Bey** parayı bastırıp Sabah'ı da alacak. O zaman medyanın yüzde 75'ine falan sahip olacak. Türk basınının şu anda neredeyse yüzde 50'sine sahip. Böyle gazetecilik olur mu?

– Bir taraftan da AKP kendi basınını oluşturuyor.

– Tabii, bir de o boyutu var işin. Adamlara her türlü destek veriliyor. Pıtrak gibi AKP'li kanallar, AKP'li gazeteler kuruluyor. İşte ben şu AKP dönemini anlattım bu kitapta. Ha, neyi anlattım, benim yaşadıklarımı anlattım. Başka arkadaşlar, gazeteciler de çıksınlar, kendi yaşadıklarını anlatsınlar. Ve yüzde yüz eminim, benden çok daha renkli olaylar vardır benim yaşadıklarımın yanında. Ben onları bilmem. Yazmaları lazım günün birinde. Diyeceksiniz ki şimdi, 'Arkadaş yazsın da, şimdi iş başında olan, görevi olan bir gazeteci yazabilir mi?'

– Evet, diyeceğim. Şimdi *Hürriyet*'te olsaydınız, yazabilir miydiniz bu kitabı?

– Şimdi Hürriyet'te olsam ben de yazamazdım bu kitabı. Ama bir gün herkesin yazması lazım. Onun için de diyorum ki gazeteci arkadaşlara, not alın kardeşim. Not alın, belge toplayın. Dün bir üst düzey arkadaşla konuşuyorduk. O da kovulmuş bir arkadaştır. Ne olaylar anlattı bana... 'Bunları yazacak mısın?' dedim; 'Bilmiyorum, etik olur mu olmaz mı?' dedi. Yahu sen, başkalarının yatak odasını yazacak değilsin kardeşim, yaşadığın siyaset-medya ilişkilerini yazacaksın. Niye etik olmasın? Bunlar anılardır. Siyasetçi anı yazar, bürokrat anı yazar, herkes anı yazar, bir gazeteci niye anı yazmasın? Biz gazeteci olarak ne yazacağız anılarımızda? Onun için herkesin yazması lazım. Ama basının nereye geleceğini, varacağını ben de bilemiyorum şu anda. Ama bir şeyler olacak. Olması gerekiyor, çünkü Türkiye'de medya böyle gitmez.

– Diyalektik olarak, iyiye gitmesi gerekir ama...

– Mümkün değil böyle gitmesi. Böyle giderse yara alır, yıpranır. Yıprandı zaten, çok yıprandı medya. Şunu da söyleyeyim, medyanın içinde bugün arkadaşlarımızın yüzde 98'i son derece dürüst, düzgün insanlardır. Kesinlikle eminim. Ama gelin görün ki, yukardan gelen baskı, onları da ezmekte-

dir. Olay budur. Medya üçkâğıtçılar topluluğu falan asla de-
ğil. Son derece dürüst insanlardır, ben Hürriyet'ten biliyorum.
Ve onların çoğu da AKP iktidarına karşıdır. Sonsuz karşıdır-
lar. Ama herkesin eli kolu bağlı.

— Yüzde 2'lik kesim mi bütün yaygarayı koparan yani?

— *İşte o yüzde 2'lik kesim, yani aralarında iş takipçileri*
var, iş bitiriciler var, rüşvet almış olanlar var, dolandırıcılar
var, dolandırıcılıktan hüküm giymiş olanlar var, bir sürü pis
işe bulaşmış olanlar var. Onların pek çoğu da ne yazık ki oku-
yucunun, izleyicinin karşısında. Bunların bir kere tasfiye edil-
mesi gerekir. Ama patronlara bir bakıyorsun, bu adamlar, on-
ların en makbul adamları. En yüksek maaşlarla onlar çalıştı-
rılıyor medyada bugün.

— Kitabınıza imza günü yapacak mısınız?

— *Hayatta yapmam. Ben en son imza gününü 1989'da*
Turgut Nereden Koşuyor *kitabı için İstanbul Kitap Fuarı*
TÜYAP'ta yapmıştım. İstanbul'da yılın kitabı seçmişlerdi. O
zamandan sonra bir daha da yapmadım. Zamansızlıktan bir
de. Şimdiden bu kitap için 20-30 tane teklif geldi. Kusura bak-
mayın dedim.

— İzmir'le ilgili çok güzel şeyler söylediniz daha teyp
açık değilken. Biliyorsunuz, AKP'ye direnen birkaç ilden bi-
ri İzmir.

— *Evet, gâvur İzmir!* (Gülümsüyor!)

— Ve Başbakan, o gâvur İzmir'i Müslüman (!) yapmaya
kararlı! Ne diyorsunuz İzmirlilere?

— *Şunu söyleyeyim. Benim anne tarafım İzmirlidir. Anne*
tarafımın tamamının, baba tarafımın bir veya iki kişi dışında
yine tamamının mezarları İzmir'dedir. Anne tarafım Karşıya-
ka, baba tarafım Karabağlar mezarlığında. Ve benim de ço-
cukluğumun epey zamanı geçti İzmir'de. Anne tarafım, dayım

İzmir'de otururdu çünkü. O yüzden İzmir sevgisi bende gerçekten muhteşemdir. Ve bazen de özlem duyarım. İzmir'de yaşadığımı düşünürüm. Mesela İzmir'de yaşasam, herhalde çok mutlu bir insan olurum. Demin size 'Hiç temsilcilik, yöneticilik vesaire düşünmemiştim' diye söylemiştim. Ama onu bozacak bir tek istisna vardı. Mesela bana hiç olacak şey değildi ama Hürriyet'in Ege temsilciliği teklif edilseydi, onu çok ciddi olarak düşünürdüm, inanın.

– Aaa, çok ilginç, çok şaşırdım...

– İzmir nedeniyle düşünürdüm. 'Evet' derdim demiyorum; ama çok ciddi olarak şapkamı önüme koyar, düşünürdüm. İzmir'i gerçekten düşünüyorum. Çünkü insanları uygardır. Onun için o uygar insanların da kalkıp da günün birinde **Tayyip**'e, AKP'ye falan oy verip de o kaleyi düşüreceklerini hiç sanmam. İzmir çünkü sonuçta, laik cumhuriyetin kalesidir. Atatürkçülüğün kalesidir.

– Düşmez mi o kale diyorsunuz?

– Düşürmemeleri gerekir. İzmirlilere bağlı bir olay. 'Belediye şunu yapmış, CHP bunu yapmış, beğenmedik' falan diye kalkıp da **Tayyip**'e yönelmenin, AKP'ye yönelmenin ayıbı, İzmir için çok büyük olur. Bakın bunu Ankara için söyleyemem, İstanbul için de söyleyemem. Ama İzmir bir kaledir, o kalenin korunması gerekir. Simgedir. O laik cumhuriyet kalesinin, o **Atatürk** kalesinin bence sonuna kadar korunması gerekiyor."

Diva dergisinde **Gönül Soyoğul**'la yaptığımız söyleşi ilginçti. Kitaptan hemen sonra benim neler düşündüğümü, neler hissettiğimi vurgulayan bir sohbetti. O yüzden tamamını verdim.

***

Evet, kitap patladı. Bu kez sokakta herkes yolumu kitapla ilgili kesiyor. Sarılanlar, öpenler, **Aydın Doğan** ve **Ertuğrul Özkök**'le ilgili görüşlerini (!!!) iletenler... *"Seni unutmayız"* diye haykıranlar...

Ümit Zileli'nin *Cumhuriyet*'te 18 Ekim tarihli yazısı:

*"**Emin Çölaşan**'ın kitabını bir gazeteci olarak okurken mesleğim adına, o genel yayın yönetmeninin (**Ertuğrul Özkök**'ün) adına utandım, yerin dibine geçtim.*

Hiçbir zaman, hiçbir koşulda, hiç kimsenin önünde eğilmeyen bir gazetecinin çektiklerini, verdiği onur savaşını okurken hüzünlendim, kırıldım.

Okullarda ders kitabı olarak okutulması gereken bu kitapta gerçek bir gazetecinin, bir köşe yazarının asla satın alınamayacağını, doğrulardan vazgeçmeyeceğini, halka olan saygısını verilen rakam hanesi boş çeklere bile değişmeyeceğini anlatan satırları okurken gözlerimin yaşarmasını engelleyemedim, kıvanç duydum.

Son satırlar bittiğinde şerefli gazetecilerin varlığı ile gurur duydum ve mutlu oldum.

*Sevgili **Emin Çölaşan**, böylesine bir kovuluş, çok sonraları bile iftiharla anlatılacak bir onur nişanıdır. Bugünler de geçecek, bol keseden çek kesip cambazlık yapanların tarihin çöp sepetine uğurlandığı günler de gelecektir. En kısa zamanda günlük yazılarınla sahada yer alman dileği ile."*

Aynı gün **Mehmet Şehirli**'nin *Sözcü*'deki *"Çölaşan'a olan gıcıklığını göstermek için gün doğdu"* başlıklı yazısı. **Şehirli**, yazısında **Mehmet Ali Birand**'ın **Hülya Avşar**'ın programında söylediği sözlere değiniyor.

Biliyorsunuz, bu **Mehmet Ali Birand** devleti dolandırmaktan 11 ay 20 gün hapis cezası almıştır ve bu hüküm Yargıtay tarafından onanıp kesinleşmiştir. İkinci dolandırıcılık dosyası ise zaman aşımı nedeniyle düşmüştür... Ve **Mehmet**

Ali Birand, Aydın Doğan-Ertuğrul Özkök ikilisinin en has adamlarından en başta gelenidir.

Mehmet Şehirli yazıyor:

"Hülya Avşar'ın Türkmax'ta başlayan programının ilk konuğu Mehmet Ali Birand'dı. Konu ilgimi çekti ve baştan sona izledim. Bu arada özellikle Emin Çölaşan'la ilgili bazı söylediklerine şaştım kaldım.

Avşar: Emin Çölaşan'ı neden çıkardılar?

Birand: Ertuğrul Özkök'le arasında anlaşmazlık vardı. Emin Çölaşan önemli bir yazardır ama Ertuğrul'un burnundan getirdiğini çok iyi biliyorum Emin'in... Dünyanın hiçbir yerinde dokunulmazlığı olmayan biri yoktur özel sektörde. Emin Çölaşan konusunda AKP'nin, Başbakanın şeyi değil bu... Bu tamamen Aydın Doğan, Özkök ve Emin Çölaşan arasındaki bir sorun. Ben bunu çok iyi biliyorum." (Benim bilmediklerimi demek bu arkadaş biliyor!)

Mehmet Şehirli yazısını şöyle noktalıyor:

"Birand programda Çölaşan'a yüklenerek bir nevi intikam almak istedi herhalde. Ancak, Emin Çölaşan bugüne kadar kalemini hiç satmadı. Bu yüzden de Doğan grubunun işine gelmedi. Üstelik satması için önüne onca imkân sunulmasına rağmen. Fakat Çölaşan ayağına gelen fırsatların hepsini itti.

Bir genel yayın yönetmeni hiçbir yazarına 'Sen bu konuda yazı yazma' ya da 'Hükümetle ilişkilerimiz iyi, o yüzden onları eleştirme' diyemez. Çölaşan bu kısıtlamalara boyun eğmedi ve hep doğru bildiğini yaptı.

Mehmet Ali Birand tv haberlerinde ve köşe yazılarında bu tür uyarıları dikkate alıyor olmalı ki, hâlâ el üstünde tutuluyor!"

Ali Nejat Ölçen, *Türkiye Sorunları* dergisinin Ekim 2007 sayısında yazıyor:

Aydın Doğan edindiği servet sayesinde görsel ve yazılı basında tekel oluşturmuş ve devletin petrol dağıtım ve satım kuruluşunu (POAŞ) alabilmiştir. Sanayici değil, pek çok sanayi kuruluşunun sahibi. Gazeteci değil, pek çok gazetenin sahibi. Petrolü görse tanımaz fakat devletin petrol kuruluşunu ele geçirmiş durumda. Tekelleşmenin bu denli sınırsız olduğu serbest piyasa ekonomisinin bir benzeri, başka bir ülkede görülemez. Ülkemizde görsel ve yazılı basını denetime alan ve uluslararası tekelci sermaye ile bütünleşen medya patronlarının tüm emekçileri, elbette tehdit altındadır.

Eskiden gazete çıkaran kişilerin tümü o mesleğin içinde yetişmiş kişilerdi. Gazetelerin ve yazarların saygınlığı vardı. Şimdi öyle mi? Çok ünlü bir köşe yazarı iseniz, köşenizde abur cubur konuları işleme özgürlüğünüz sınırsızdır. O yüzden magazine dönüşmüştür gazeteler. Kültür odakları olmaktan uzaklaşmış, patronlarına gelir getiren yayın organlarına dönüşmüştür.

Türkiye'nin en başarısız Dışişleri Bakanı olan ve henüz yargı karşısında aklanmamış bulunan **Abdullah Gül** Cumhurbaşkanı olduğu zaman **Emin Çölaşan**'ın susmayacağı, doğruları ve gerçekleri kendine özgü üslubuyla sürdüreceği açıktı. Onun bu niteliği, Hürriyet gazetesinden uzaklaştırılmasının nedeni olmuştur. **Emin Çölaşan**'ların kalemi kırılmalıdır ki, toplum, soygun düzenini yaratan koşulların özünü görmekten uzakta kalabilsin.

AKP'yi eleştirmek **Aydın Doğan** oligarşisinin çıkarlarını zedeleyeceği için **Çölaşan**'ların kalemi kırılmalıdır.

Medyanın tekelci sermaye ile nasıl bütünleşip yozlaştığı ve varoluş amacına ihanet ettiği bundan daha açık belgelenemezdi.

Emin Çölaşan'ı Hürriyet'ten kovulduğu için kutluyorum."

***

Kitap sonrasında televizyon kanallarında konuşuyorum. Türk medyasının içine düştüğü durumu, benim kovulma olayını, para babalarının medyayı nasıl ele geçirdiklerini, halkı kendi çıkarları doğrultusunda nasıl kandırdıklarını, bir sürü haberi nasıl ve niçin, hangi korkularla kullanamadıklarını açıklıyorum.

Konuşmalardan bazıları iki saatten fazla sürüyor. Bazıları canlı yayın oluyor. Kameralar bazen Bilgi Yayınevi'ne gelip çekim yapıyor, bazen ben stüdyoya gidiyorum. Türk milleti, medyanın içyüzünü ilk kez böylesine ayrıntılı bir biçimde öğrenme fırsatı buluyor.

18 Ekim günü **Serdar Akinan**'la Meclis bahçesinden *SkyTürk*'te canlı yayın yaptık.

Bu gece ayrıca, **Kadir Çelik**'in "Objektif" programında bir canlı yayın daha yapacağız. **Kadir**'in programının *Fox TV*'de günlerdir tanıtımı yapılıyor...

"Emin Çölaşan, Kadir Çelik'le Objektif'te. 18 Ekim Perşembe gecesi Fox TV'de... Çölaşan önemli açıklamalar yapacak..."

Kadir beni bir hafta önce aramış ve onayımı almıştı. Ayrıca son programını bitirirken konuyu duyurmuş ve *"Haftaya konuğumuz Emin Çölaşan olacak"* demişti. Yayını Ankara'dan yapacağız.

Fox TV bu amaçla *TV 8*'in Ankara'daki stüdyolarını kiraladı.

Kadir Çelik beni yayından bir gün önce aradı:

"Emin Abi, senden çok özür diliyorum ama bizim yönetim programı ne yazık ki iptal etti. Yani yarın birlikte olamayacağız. Oysa ben onlara bir hafta öncesinden seninle program yapacağımı yazılı olarak da bildirmiştim ve onay vermişlerdi."

104

Kadir üzgündü, sıkıntılıydı. Bir gazetecinin başına gelebilecek en kötü şey onun da başına gelmişti.

*"Sen hiç üzülme **Kadir**'ciğim. Olur böyle şeyler. Devreye rufailer girmiş ve yayını durdurmuştur. Büyük sermaye, öteki büyük sermayeye rica edince akan sular durur."*

Fox TV, **Robert Murdoch** isimli yabancı bir medya imparatoruna ait. Bu kanalı çok büyük paralar verip *TGRT*'nin sahibi **Enver Ören**'den satın almışlardı. Yani AKP iktidarının en büyük yağcısı *TGRT*'nin yerine *Fox* gelmişti.

Peki ama "Objektif" programına benim çıkışımı kim durdurmuştu? Bunu ben elbette bilemem.

Fox yönetimine ya **Bay Patron**, ya da AKP iktidarından baskı gitmişti:

"Çıkarmayın ekrana bu herifi."

***

Faruk Mangırcı, ismen tanıdığım gazetecilerden biri. Kendisiyle belki bir kez karşılaşmıştım ama yüzünü bile hatırlamıyorum. Beni sık sık arardı, telefonla görüşürdük. Çeşitli gazetelerde çalışmışlığı, kovulmuşluğu, ayrılmışlığı vardı. Eline iyi haberler düşerdi. Özellikle AKP döneminde yapılan pek çok yolsuzluğu yakalardı. Bunları kısa aralıklarla çalışmış olduğu gazetelerde haber yapar, çıkmayınca tepesi atar ve beni *Hürriyet*'ten arardı:

*"**Emin Abi**, elimde böyle bir haber var. Bizimkiler yine korktu, yayımlayamadı. Sana göndersem yazında yer verir misin?"*

Yazdığı haberin konusunu bana anlatırdı... Ve bunlar ilginç haberlerdi. Her seferinde sorardım.

*"Belgeli mi **Faruk**?"*

"Hepsi belgeli abi."

"Peki o halde, sen hem yazdığın (çıkmayan) haber metnini, hem de belgeleri bana faksla."

*"Tamam abi. Yalnız senden tek ricam, yazında benim is-
mim geçmesin ki, bizimkiler uyanmasın."*

Bir süre sonra faks gelirdi. Hemen hepsi, gerçekten yazıl-
maya değer konulardı.

Faruk Mangırcı'nın yaptığı aslında çok normal bir şeydi.
Bunu bütün gazeteciler yapar. Önemli bulduğu bir haber var-
dır ve çalıştığı yayın organı bunu kullanmaz. Haber kaynağı-
na mahcup düşen muhabir arkadaşın da tepesi atar ve haberi
başka gazetelere, başka televizyon kuruluşlarına çaktırmadan
verip orada yayımlanmasını sağlar.

Bu gibi olayların temelinde muhabirin haber kaynağına
mahcup olması yatar. Haber kaynağı kendisine belgeli haber
vermiştir ama gazetesi yayımlamayınca muhabir arkadaş sı-
kıntıya girmiştir.

Bunu bizim gazetedeki muhabir arkadaşlar da yapardı.
Haberlerini geçerler. Gazete korkudan veya başka nedenlerle
habere yer vermez. O zaman arkadaş bana gelir ve rica eder:

"Abi bu haberi sen yazı konusu yapar mısın?"

Ya da ben onlara söylerdim:

"Madem gazete bunu da çöpe attı, ver ben yazayım."

Faruk Mangırcı da aynı şeyi yapıyordu.

Günün birinde **Faruk** aradı:

*"**Emin Abi**, ben şimdi Ses TV'ye girdim. Sen benim sevdi-
ğim saydığım gazeteci abimsin. Ben senin çok büyük iyilikleri-
ni görmüş biriyim. Pazar gecesi Ses TV'de medyayı konuşalım,
senin kitabın tanıtımını yapalım. Katılırsan çok sevinirim. İyi
bir program yaparız, kitabın da reklamı olur."*

Sonra anlatımını sürdürdü:

*"Abi buranın çok büyük olanakları var. Senin katılımın
konusunda günlerce ekrandan tanıtım yapacağız. Ayrıca bü-
tün Türkiye'yi posterlerle donatacağız."*

Ağzımdan *"Peki"* sözcüğü çıktı. 18 Ekim Pazar gecesi *Ses
TV*'de olacağız.

Sonra bunu kime söylediysem, hep aynı sözleri duydum: *"Arkadaş sen ne yapmışsın? Ses TV İ. Melih'in sesi. Sakın çıkma. Hemen sözünü geri al. Mutlaka sana kazık atacaklardır."*

Daha önce hiç izlemediğim bu kanalın **İ. Melih**'in sesi olduğunu da gerçekten bilmiyordum.

İ. Melih kim? Ankara Büyükşehir Belediye Başkanı. Bugüne kadar gazeteciler, siyasetçiler, sokaktaki vatandaşlar hakkında yüzlerce dava açmış ve çok büyük tazminatlar peşinde koşmuş biri. Dava açma yoluyla herkesi sindirmiş, korkutmuş. Kendisinden korkmayan, sindiremediği tek kişi neredeyse bendim!

Benim hakkımda da çok sayıda dava açmıştı. Yazılarımda kendisinden "**İ. Melih**" diye söz ederdim. Mahkemelere başvurup bu konuda bile 25-30 dava açmış ve benden tazminat istemişti. Gerekçesi hep aynıydı:

*"**İ. Melih** yazarak benden **İbne Melih** diye söz etmektedir."*

Mahkemelere adamın adının **İbrahim Melih** olduğunu kanıtladık. Bu konuda açtığı bütün davalar reddedildi.

Adı **İbrahim Melih**'ti, kısaltma yapıp **İ. Melih** diye yazınca *"Bana ibne dedi"* diye dava açabiliyordu!

Neyse, **Faruk Mangırcı**'ya bir kez söz vermiştim. Ağzımdan *"Evet"* sözcüğü çıkmıştı. Ben sözünden geri dönecek biri değildim. Kaldı ki, **İ. Melih** adına yayın yapan bir ekrana çıksam bile, korkacak bir şeyim yoktu.

İki gün sonra Ankara'nın bütün caddelerinin posterlerle donatıldığını gördüm.

"Emin Çölaşan 18 Ekim 2007 Pazar gecesi Ses TV'de..."

Sonra Türkiye'nin dört bir yanından telefonlar gelmeye başladı. Şanlıurfa, Trabzon, İstanbul, Adana, İzmir... Aklınıza neresi gelirse, tanıyanlar arıyordu:

"Abi pazar gecesi Ses TV'de olacakmışsın."

107

"Ha olacağım, sen nereden biliyorsun?"

"Bizim buraları posterlerle donattılar da..."

Pazar gecesi Ses TV'ye gittim. Birileri karşıladı.

"Emin Bey, Kanaltürk'te reyting rekorlarını kırdınız. Bu gece o rekoru Ses TV olarak biz kıracağız."

Fakat ben **Faruk Mangırcı**'yı merak ediyorum. Hep telefonda konuştuğum bu arkadaşı acaba yüz olarak tanıyor muyum, tanımıyor muyum? Bir ara geldi, yüzünü gördüm. Evet, bir yerden tanıyordum ama aşina bir yüz değildi. El sıkıştık, hal hatır sorduk ve hemen gitti. Bir daha da kendisini stüdyoda gördüm.

Yayın başladı. Bana **İ. Melih** ağzıyla sorular soruyordu:

"Sizin **Önce İnsanım Sonra Gazeteci** kitabınızı getirdim. Burada yazdığınıza göre öğrenci iken kopya çekermişsiniz."

"Çekerdim ya. Ne var bunda? Sen çekmez miydin?"

Bu tür sorular... Belli ki **İ. Melih** sorduruyordu. Merak ettikleri bir konu da, Hürriyet'ten kıdem tazminatımı alıp almadığımdı!

"Tazminat aldınız mı?"

"Elbette aldım."

"Kaç para aldınız?"

"Sana ne, senin ne üstüne vazife" diyemedim.

"Yasal hakkım neyse onu aldım."

Daha fazla üstelemesi mümkün olmadı. Hazırlıklı gelmiştim. Arkadaşın üzerime geleceğini daha ilk cümleden anlamıştım. Konuları başka yere çekmek istiyordu. Dört dörtlük yanıtlar verdim.

Sanırım bu programdan sonra kendisini yönetenlerden iyi bir fırça yemiştir!.. Çünkü dersini iyi çalışmadığı ortaya çıkmıştı. Ancak kafamda yine kuşkular vardı. Ertesi gece aynı kanalda programın tekrarını izledim. İnsan canlı yayının nasıl geçtiğini tam algılayamıyor, tekrarını izleyince notunu sağlam veriyor.

Çok iyiydim. Tuzak tutmamıştı. Zaten izleyen çok sayıda kişiden kutlama almıştım.

Burada üzüldüğüm nokta şu olmuştu. Yakın zamana kadar bana AKP'lilerin yolsuzluk belgelerini gönderen, bunları yazmam için ricalarda bulunan genç bir gazeteci arkadaş, şimdi AKP'nin bir kanalına girmiş ve herhalde ekmek parası uğruna yolundan 180 derece dönmüştü!

***

Bugün 23 Ekim 2007. Eski adı Ankara Palas, yeni adı Devlet Konukevi olan Ankara'nın tarihi yapısında Cumhuriyet balosu var. Baloyu İnönü Vakfı ile Anaçev Vakfı birlikte düzenliyor. Elde edilen gelir yüzlerce laik, çağdaş ve **Atatürkçü** öğrenciye burs olarak aktarılıyor.

Ben bu baloya ilk kez katılıyorum. **Tansel**'le birlikte gittik.

Orada öğrendim ki, İstanbul'un dünya çapındaki modacılarından **Yıldırım Mayruk** da bu faaliyete hiçbir parasal çıkarı olmadan, yarattığı giysilerle katılırmış. Bu giysilerin tanesinin fiyatı 20-25 milyar lira imiş. Fiyatları öğrenince şaşırıp kaldım. Bu giysiler için baloda kura çekilirmiş ve gelenek olarak, kime çıkarsa, onlar giysileri bu vakıflara armağan edermiş. Vakıflar da daha sonra bunları başka faaliyetlerinde açık artırma ile satıp burs geliri elde edermiş.

Biz masamıza oturunca yanıma genç bir adam geldi ve kendini tanıttı. Cinsel tercihlerinin farklı olduğu hemen anlaşılıyordu. İlk sözleri beni şaşırtmaya yetti.

*"**Emin Bey** merhaba, benim adım **Barbaros Şansal**. Ben **Yıldırım Mayruk**'un hayat arkadaşıyım. Sizin de hayranınızım. Yazılarınızı yıllarca büyük zevkle okudum ve Hürriyet'ten çıkarılmış olmanızı içime sindiremedim."*

İlk anda alay dolu bir tebessümle karşıladığım bu insanın nasıl bir aydın olduğunu sonra başkalarından öğrenip büyük saygı duyacaktım.

Masamıza oturduk. Fakat hemen karşımızdaki masalarda çok ilginç birilerinin oturduğunu gördüm. İlki, iki masa ötemizde eski patronum **Erol Simavi**'nin karısı **Belma Simavi**.

Yanında **Haldun Simavi**'nin karısı –hiç tanışmadığım– **Çiğdem Simavi**.

Tam karşımızda ise **Aydın Doğan**'ın karısı **Sema Doğan**. İki metre ötemde ve yüz yüze oturuyoruz.

Evet!.. **Sema Doğan**, yanında bazı hanımlarla birlikte bizim hemen önümüzdeki masada oturuyor ve yüzü bana dönük. On dakika sonra yerini değiştirdi ve sırtını bana dönerek oturdu. Belli ki beni karşısında görmekten rahatsız olmuştu.

Belma Hanım'ın yanına gidip hal hatır sordum. **Sema Hanım**'ın yanına da gitmeyi isterdim ama sırtını dönmesinden belliydi ki, yüzümü görmeye bile katlanamıyordu. Ne de olsa yaklaşık 2.5 ay önce kocası tarafından kovulmuş ve sonrasında kitap yazıp onunla tartışmalara girmiş biriydim!

Baloda konuşmalar yapıldı. ODTÜ'den sınıf arkadaşım olan **Durul Gence** ve orkestrası çalıyor, **Ayten Alpman** ve **Ayla Büyükataman** şarkı söylüyor.

Biraz sonra kura çekimi yapılacağı açıklandı. **Yıldırım Mayruk**'un eseri olan ve baloyu düzenleyen vakıflara bağışladığı giysiler için kura çekilecekmiş.

Bu aşamada sahnede *TRT*'nin eski sunucusu, spikeri ve program yapımcısı **Mehpare Çelik** var. **Mehpare** sahne diline çok hâkim ve gerçek bir sunucu. Önce ismini unuttuğum birisine kura çektirdi. İlk giysi bir işadamına çıktı. Şimdi ikinci kura çekilecek. **Mehpare** elinde mikrofon, bana doğru yaklaşıyor.

"Efendim, bu kurayı şimdi kime çektireyim acaba?"

Bana doğru dönüyor:

"Geleyim mi, gelmeyeyim mi? Kovulduk ey halkım unutma bizi, geleyim mi?"

İçimden *"Eyvah"* diyorum!.. **Mehpare Çelik** konuşmasını sürdürüyor:

"Unutmaz bu halk, hiç unutmaz..."

Kura torbasını bana uzatıyor ve ben torbadan bir numara çekiyorum. **Çelik** konuşmasını sürdürüyor:

"Bazıları 'vurulduk ey halkım unutma bizi' dedi, unutmadık. (**Uğur Mumcu**'yu kastediyor.) *'Kovulduk ey halkım unutma bizi' dedi,* **Emin Çölaşan**'*ı da bu halk hiç unutmayacak, asla unutmayacak."*

Salon alkıştan yıkılıyor.

Fakat bu alkışları alan ben, orada **Sema Doğan**'ın düştüğü duruma insan olarak üzüldüm. Kocasının marifeti şimdi bu işte hiç günahı olmayan karısının başında patlıyor, o zor durumda kalıyordu.

Hava gerilmişti. Yumuşatmak gerekiyordu. **Mehpare Çelik**'ten mikrofonu alıp konuşmaya başladım.

"Efendim çok teşekkür ediyorum. Bu alkışlarınız bana yeter. Ben de izin verirseniz iki cümle söylemek istiyorum. Biz gazeteciler her şeye gözümüzdeki gazeteci gözlüğümüzle bakan insanlarız. Burada benim iki sayın patronumun sayın eşleri var. Onlara da bir merhaba demek istiyorum. Sayın **Erol Simavi**'*nin eşi Sayın* **Belma Simavi** *ve Sayın* **Aydın Doğan**'*ın eşi Sayın* **Sema Doğan**."

Konuşmamda"Sayın" sözcüğünü, hiç sevmediğim ve kullanmadığım halde, özellikle sık sık kullanıyorum.

"Onlarla her zaman iyi günler geçirdik. Daha az olmakla birlikte kötü günler de geçirdik. Burada hem eski patronlarımı, hem de saygıdeğer eşlerini saygıyla selamlıyorum. Teşekkür ediyorum."

Salondan yine alkışlar ve *"Bravo"* sesleri yükseldi.

Biraz sonra mikrofonu **Yıldırım Mayruk**'un "hayat arkadaşı" **Barbaros Şansal** aldı:

"Söylenecek en güzel sözleri burada Sayın Çölaşan söyledi. Ama Allah'a şükür biz kovulan olmadık. Biz hâlâ kovanız."

Barbaros Şansal'ın bu sözleri ortalığa bomba gibi düşmüştü.

Sonra yanıma gelip ekledi:

"Bugün kovanları sonra biz kovacağız."

Tam önümüzdeki masada oturan **Sema Doğan** ve yanındaki üç hanım **Barbaros'**a doğru bağırmaya başladılar:

"Terbiyesiz, terbiyesiz herif..."

Ve dört hanım birden, yerlerinden kalkarak balo salonunu terk ettiler.

Herkes şok olmuştu.

Sema Doğan'la kalkıp salondan ayrılan öteki hanımları tanımıyordum. Sonra öğrendim. Biri **Feyyaz Tokar'**ın karısı, öteki de **Sema Doğan'**ın kız kardeşi, **Namık Kemal Zeybek'**in karısı imiş. Dördüncüyü bilemiyorum.

***

Kitap piyasaya çıkalı sadece 20 gün olmuştu... Ve bir gün Bilgi Yayınevi'ne haber geldi:

Kitabın korsanı çoktan basılmış ve satışa sunulmuştu!

Korsan kitap, yazarların ve yayınevlerinin en büyük belası. İyi satılan her kitabın korsan baskısı yapılıyor. Varsayalım kitabın satış fiyatı 10 YTL. Korsancılar kitabı sadece kâğıt masrafına basıyor ve aynı kitap sokaklarda, caddelerde, tezgâhlarda, işportada üç veya dört liraya satılıyor.

Aradaki fark doğal olarak yazardan, yayınevinden çalınmış oluyor.

Bu korsancılarla ciddi olarak ilgilenen, uğraşan, izleyip yakalayan hiçbir kurum yok. Bazen birileri binde bir rastlantı sonucu yakalanıyor. İşin ilginç yanı, bu işin ciddi bir cezası da yok.

Örneğin **Turgut Özakman**'ın *Şu Çılgın Türkler* kitabının korsanı, en az gerçeği kadar satmıştı.

Aynı rezalet müzik piyasası için geçerli.

Korsancılık Türkiye'de adeta dev bir sanayi olmuş. Çok satılan ne varsa hemen korsanı piyasaya sürülüyor.

Kitabın korsanının basıldığı "müjdesi" gelince, Yayınevi doğal olarak çok bozuldu. Ancak yapacak bir şey yok. Bugüne kadar hiçbir yayınevi ve hiçbir yazar bir şey yapamamış ki, onlar yapabilsin.

Başta **Ahmet Küflü**, Bilgi Yayınevi haklı olarak bozuldu ama ben içimden sevindim. Niçin sevindim?

1) Korsancılar kitap piyasasının nabzını çoğu zaman yayınevlerinden bile iyi tutmayı başarıyordu. Demek ki benim kitap onların gözünde de bu mertebeye yükselmişti!.. Çünkü korsan işlemi, sadece en çok satılan kitaplar için yapılırdı.

2) Benim amacım, kitabımı mümkün olduğu kadar fazla insanın okumasıydı. Varsın yeterli parası olmayanlar da okusun. Varsın kitaptan benim elde edeceğim gelir daha az olsun. Ben maddi değil, işin manevi rantını elde etmek istiyordum.

Ancak parası olanların bir bölümü de, her nedense hep korsanı tercih ediyordu. Bunlar gerek yayınevine ve gerekse yazarın emeğine saygısızlık ettiklerini acaba biliyor muydu?

Birkaç gün sonra gece vakti Kızılay tarafına inmiştim. Bizim kitabı sokaktaki tezgâhta gördüm ve bir adet aldım. Korsancıya sordum:

"Nasıl, bu kitap iyi satılıyor mu?"

"Valla beyim peynir ekmek gibi gidiyor."

Korsancının da satışlardan memnun olmasına içimden sevindim!

***

Kitapla ilgili yazılar sürüyor. **Tuna Serim** *Tercüman'*da yazıyor:

*"**Emin Çölaşan** gündemi belirliyor. Onunla söyleşi yapan kanallar, gelen yoğun istek üzerine tekrar yayına giriyorlar. Bazı kanallar bu savaşçı gazetecinin ekrana çıkmasını yasaklıyor ama susturamıyorlar... Fox TV, Objektif programında konuşacak olan **Emin Çölaşan**'ı yayından çıkardı, sesini kesmek istedi. Ne demeli! Düşüncenin ve haklılığın önü kesilemez. Biri yayımlamazsa diğeri yayımlar..."*

Bu sırada **Ertuğrul**, hiç değilse kendi köşesinde AKP iktidarına muhalefet yapmaya başlıyor! Benim boşluğumu dolduracak, *Hürriyet* okurlarından gelen büyük tepkiyi biraz olsun dizginleyecek! Fakat alay konusu oluyor.

Ahmet Kekeç'in *Star* gazetesindeki yazısının başlığı *"Yeter artık **Ertuğrul**, tadını kaçırdın."*

*"(**Ertuğrul**) Kendi ifadesiyle hayatı çok geç keşfetmiş, para kazanmaya geç yaşta başlamış, iyi şarapların tadına çok geç varmış bir sonradan görme. Bunun verdiği gazla sürekli **Aydın Bey**'in sağladığı iyi yaşam şartlarına minnet duygularını dile getiriyor. **Emin Çölaşan** gibi minnet etmeyenleri de nankörlükle suçluyor. (**Kovulduk Ey Halkım Unutma Bizi.**)*

Ertuğrul şimdi savaş çığlıkları (Kuzey Irak'a girelim çığlıkları) atıyor...

*Ulusalcı arkadaşlardan rica edelim. Daha fazla üzerine gitmeyin adamın! **Emin Çölaşan**'dan dolayı daha fazla hırpalamayın. Siz üzerine gittikçe hırçınlaşıp zıvanadan çıkıyor ve ne kadar büyük 'vatansever (!)' olduğunu kanıtlamak zorunda kalıyor. **Emin Çölaşan**'ı Hürriyet'e iade fikrinden de vazgeçin. **Emin**'i kazanalım derken ülkenizden olacaksınız!"*

Hıncal Uluç'un *Sabah*'taki yazısı:

*"**Emin Çölaşan**'ın kovulması ve ardından yaptığı açıklamalar Hürriyet'i de, **Ertuğrul Özkök**'ü de sarstı. Bu sarsıntıyı atlatabilmesi için **Emin**'in ötesinde yazılar yazmaya başladı*

Ertuğrul. Ama olmuyor. Emin'in yazılarını başka kimse yaza-
maz. Hele de Ertuğrul yazmaya kalkarsa inandırıcı olmaz."

Erol Manisalı *Cumhuriyet'*te yazıyor:

"Çölaşan'ın işine ne Aydın Doğan, ne de Özkök son ver-
di. Onu tasfiye eden, Türkiye'deki oligarşi ve onun faşist uygu-
lamalarıdır. Çölaşan sadece bir kişi. Bir simge. Onların ta-
hammül edemedikleri, iktidarların ve emperyalizmin eleşti-
rilmesidir.

Ama ne oluyor, bu baskılar ve faşist yapılanma kendi di-
yalektiğini üretiyor. Emin'in yazdığı kitap halkın ve medyanın
aynaya bakıp gerçekleri görmesine yol açıyor."

Bedri Baykam *Cumhuriyet'*te yazıyor:

"Türkiye, Çölaşan kadar cesur, gözüpek, çalışkan, dürüst
ve tüm yaşamını mesleğe adamış bir gazeteciyi zor bulur. Bu
toplumun başka Çölaşan'lar çıkarmasının ne kadar zor oldu-
ğunu çok iyi bildiğim için olayın vehametini anlatan bu kitabı
kesinlikle okumanızı öneriyorum. Çölaşan'ın eskisinden daha
verimli bir dürtüyle o muhteşem yazarlık serüvenine dönme-
sini diliyorum. Onun mevzi dışı kalması, Cumhuriyet karşıtı
güçlerin alacağı önemli bir galibiyet olur. Bizlerin buna izin
verme lüksümüz olamaz. Bir de şu gerçek var. Medya patron-
ları etik dışı (ahlak dışı) ödünler vereceklerine, o büyük güçle-
rini bir hatırlasalar.."

*Yeniçağ'*da **Altemur Kılıç'**ın *"Yücelenler ve Alçalanlar"*
başlıklı yazısı:

"Emin Çölaşan'ın kitabı, bugünkü 'Holdingler' medyası-
nın ve yalakalarının traji-komik öyküsü. Ertuğrul Özkök gibi
emir kullarının patronlara ve dolayısıyla iktidara hizmetleri
açıklanıyor. Muhakkak okuyun. Çölaşan kovulduk diyor ama
aslında yüceldi. Emin haksızlıklara, yolsuzluklara, hainlere,
ihanetlere karşı mücadele veren bir cesur yürek. İktidarın kor-

kulu rüyası olarak halkın gönlünde taht kurdu. Umarım, daha doğrusu biliyorum ki, mücadeleye devam edecektir."

Zaman'da **Şahin Alpay**'ın yazısı:

"Emin Çölaşan, Hürriyet gazetesinde köşe yazarlığına son verilmesi üzerine Kovulduk Ey Halkım Unutma Bizi kitabını yazdı. Kitap Türkiye'de medyanın birçok yüzünden bazılarını çok iyi bir şekilde yansıttığı için ders kitabı olarak okutulabilecek nitelikte. Alt başlığının çok iyi ifade ettiği gibi, bir medya belgeseli..."

Kitap ortalığı parçalamış durumda. Sadece ulusal değil, yerel medya da işin peşinde. Ekim ayı sonuna kadar isimlerini ilk kez duyduğum, Türkiye'nin dört bir yanından en az 10 yerel televizyon kanalı Ankara'ya gelip benimle söyleşi yaptı.

Yerel gazetelerde yazılar çıktı. *Sorgun Postası, İleri* gibi Yozgat gazeteleri, Bodrum'da yayımlanan bir gazete... Çoğunu arşivimde bulamadım. *Gaziantep Ekspres* gazetesinden **Yaşar Özen** kitabı üç günlük dizi yaptı. İlk yazısından kısa bir alıntı:

"Bu kitap yayımlandıktan sonra ipliği pazara çıkan Ertuğrul Özkök –Cambaz Ertuğrul– genel yayın yönetmenliğine hâlâ nasıl devam edebiliyor, hâlâ her gün nasıl yazı yazabiliyor?.. Dehşet içindeyim."

Ekim 2007'de kitap manşetlere çıkmış, yazı dizilerine ve köşe yazılarına konu olmuş durumda. Satış listelerinde hep birinci sırada. Böyle giderse satış rekorlarını kıracak.

Ben sürekli ekranlardayım. Yazılı basında, internet sitelerinde de söyleşiler yapıyorum, bildiklerimi, yaşadıklarımı milyonlarca insana duyuruyorum. Türk insanı **Bay Patron** ve ekibinin kişiliğinde Türk medyasının kimlerin elinde olduğunu, nerelere sürüklendiğini, hangi koşullarda ve hangi çıkarlar doğrultusunda yayın yaptığını birinci ağızdan öğrenmiş oluyor.

Aydın Doğan ve **Ertuğrul Özkök** korkunç rahatsız durumda.

Fakat Ekim ayında iki PKK baskını oldu. İlkinde 12 askerimiz şehit düştü. İkincisi Dağlıca karakoluna yapılan baskındı. Şehitler dışında, bazı askerlerimiz de Kuzey Irak'a kaçırılmıştı.

Doğal olarak gündeme ard arda iki kez PKK girdi ve Türkiye'nin gündemi kitaptan başka konulara, terör ve PKK'ya kaydı.

***

İlhan Selçuk ayda bir kez Ankara'ya geliyor ve Kent Otel'de kalabalık bir katılımcı grupla toplantı yapılıyor. Bu toplantılarda ülke sorunları tartışılıyor. Tarım, ekonomi, özelleştirme politikaları, medyanın durumu... Sonraki ay yapılacak toplantının konusu önceden belirleniyor ve ilgili uzman hazırlık yapıyor.

Bu Kent Otel toplantıları daha sonra **Ergenekon** davasında Savcılık iddianamesinde de yer aldı. Niçin?..

Çünkü oraya her zaman olmasa bile **Hurşit Tolon** ve **Şener Eruygur** gibi emekli komutanlar da katılıyordu.

Yemekli toplantı akşam saat 19.00'da başlardı. Önce kısa bir kokteyl ve ayaküstü sohbetler. Ardından yemek masasına oturulur. 50-60 dolaylarında katılımcıya restoranın garsonları servis yapar. Yemek ücreti 35 liradır ve herkes kendi parasını öder.

Katılımcılar arasında az sayıda gazeteci, üniversite hocaları, emekli subaylar, belediye başkanları, siyasetçiler ve hemen her kesimden aydın ve yurtsever insanlar olurdu.

Her yemekte konu aynıdır. Ülkemiz nasıl kurtulur? AKP iktidarından nasıl kurtuluruz?

Bu yemeklerde bir kez olsun ne "darbe", ne de "örgüt" sözcükleri geçti, ne de ima yoluyla bile olsa bu kavramlar gündeme getirildi.

117

O günün konusu tartışıldıktan sonra isteyen söz alır, belli konularda görüşlerini dile getirir ve çoğu zaman da tartışma ve fikir ayrılığı çıkardı.

Örneğin katılımcıların bazısı CHP'ye destek vermeyi savunurken, bazısı da sivil toplum kuruluşlarına ağırlık verilmesi gerektiğini vurgulardı... Herkes bir konuda birleşiyordu: AKP iktidarına karşı olmak. Ancak fikirler farklıydı. Katılımcılar arasında *"Bu iş Deniz Baykal'la olmaz. CHP muhalefeti benimsemiş, iktidar olmaya hiç niyeti yok"* görüşü ağırlık kazanırdı...

Ve ağırlık kazanan en önemli görüş, **Deniz Baykal**'a karşı güvensizlik ve sevgisizlikti.

Salonda bir seyyar mikrofon vardı. Kim konuşacaksa, garsonlar tarafından mikrofon oraya götürülürdü.

Böyle kalabalık ve özellikle de ilk kez gelen yabancı kişilerin bulunduğu ortamda mikrofonla darbe konuşulacak, **Ergenekon** konuşulacak!.. Olacak şey midir? Kaldı ki, o sırada **Ergenekon** falan henüz ortada yoktu. Aylar sonra **İlhan Selçuk**, **Hurşit Tolon**, **Şener Eruygur** ve **Mustafa Balbay**'ın gözaltına alındığını, bizim bu toplantıların iddianamede yer aldığını görünce vallahi şaşırdım.

25 Ekim akşamı yine Kent Otel toplantısı vardı. Önce ben konuştum. Medyanın durumunu ve yaşanan pislikleri katılımcılara anlattım. Onlar bu konuyu en az benim kadar iyi bilen insanlardı ama ben yine de anlattım. AKP'nin medyayı nasıl ele geçirdiğini, korkak patronları nasıl sindirdiğini bir kez de orada vurguladım. Başkaları da aynı doğrultuda konuştu, herkes medya rezaletini kendi açısından vurguladı... Ve mikrofonu **İlhan Abi** aldı:

"Emin Çölaşan bir basın kahramanıdır. Biz onu Bekir Coşkun'la birlikte Cumhuriyet'te görmek istiyoruz. Cumhuriyet onların emrindedir. Onlarla beraber çalışmak istiyoruz..."

Cumhuriyet gazetesinde çalışma önerisini bana daha önce **Hikmet Çetinkaya, Emre Kongar, Alev Coşkun** ve **Mustafa Balbay** da yapmıştı. Şimdi bu kervana **İlhan Abi** de katılıyordu.

Pazar sabahları **Balbay**'la *ART*'de yaptığımız her programa izleyicilerden mesaj yağıyordu:

"Emin Bey sizi Cumhuriyet'te görmek isteriz."

Sokakta yolumu kesenlerin bir bölümünden de aynı şeyleri duyuyordum.

Ancak, ben ne yapacağıma bir türlü karar veremiyordum.

Yıllar boyu çok yorgun düşmüştüm.

Hürriyet'te ROBOT olmuştum. Haftanın yedi günü gazetede idim. Bir gün olsun hafta tatili yapamıyordum. Pazar günü güya benim tatil günümdü. *ART*'deki canlı yayından çıkınca hasta anama bir uğruyor, onun gönlünü ve duasını alıyor ve sonra yeniden gazeteye gidiyordum... Çünkü hafta içindeki altı gün işlerimi bitirmeye yetmiyordu. Pek çok şey önümde birikmiş oluyordu. Onları da mümkün olduğunca pazar günü bitiriyordum.

Kovulma sonrasında biraz dinlenmeyi, tatil yapmayı planlıyordum. Ne yazık ki hiçbiri olmadı.

Kitabı yazmaya başladım. Kitap çığ gibi büyüdü ve 2007'nin en çok satan kitabı olma başarısını gösterdi.

Kitaba mesajlar yağıyordu. Bilgi Yayınevi'ne gazeteciler geliyor, teypler açılıyor, kameralar kuruluyor, söyleşiler veriyordum.

İşin ilginç yanı, yabancı gazetecilerin de akınına uğramıştım. Onlar da gelip sorular soruyor, söyleşiler yapıyordu. En büyük gazeteleri için İngiliz, Alman ve Fransız gazeteciler geldi. Onların isimlerini unuttum. Sadece İtalyan gazeteci **Marta Ottaviani**'nin ismini, daha sonra **Ekrem Güzeldere**'den gelen bir mesaj sonrasında anımsadım:

"Sayın **Emin Çölaşan, Marta Ottaviani** bana adresinizi verdi. **Marta Hanım**'la yaptığınız röportaj İtalyan basınında büyük ilgi gördü. Şu anda Avusturya ORF TV kanalı ve Alman-Avusturya 3 SAT-TV kanalı ile birlikte bir projemiz var... Laiklik tartışmasını daha iyi anlamak için sizinle röportaj yapmak istiyoruz..."

Rahmetli **Cüneyt Koryürek** abimiz, yabancı basında benim kovulma olayından sonra çıkan analizleri ve yazıları fakslıyordu.

Tam biraz ara veririm, dinlenirim, kafamı toparlarım, robotluktan kurtulurum derken, neredeyse *Hürriyet*'teki günlerim kadar yoğun bir yaşamın göbeğine düşmüştüm. İnanılır gibi değildi.

Allah'a şükürler olsun ki para sorunumuz yoktu. Aç değildik, açıkta değildik. Gelecek için bu yüzden acele etmiyordum.

Peki ben şimdi ne yapmalıydım?

Cumhuriyet'le konuştum. Ben *Cumhuriyet*'te yazmaya başlarsam nerede, hangi sayfada yazacaktım?

Bütün sayfaları dolu imiş.

Bana 9. veya 11. sayfayı önerdiler. Doğrusu bundan pek hoşlanmamıştım. Benim için biraz arkada oluyordu.

Bu olayla birlikte *Cumhuriyet* işi ortada kaldı.

***

Bu arada *Sözcü* gazetesi ısrarla beni istiyor. *Sözcü*'nün satışı *Hürriyet*'te çıkmış olan yazılarımla bile giderek artıyor. Sözcü her geçen gün daha iyi bir gazete oluyor. Gazetenin manşetinde, en azından birinci sayfasında, her gün benim yazımın anonsu var. Ne ilginçtir, 22 yıl emek verdiğim *Hürriyet*'te, hele AKP döneminde yazımın birinci sayfadan verildiği, ikiyi üçü geçmemişti.

Bazen öyle olurdu ki, benim yazdığım yazılar ertesi gün başka gazetelerde *"Emin Çölaşan açıkladı"*, *"Emin Çölaşan'ın dünkü yazısına göre..."* diye manşet olurdu.

2007 sonunda medya öyle bir çökertilmiş ve teslim alınmıştı ki, AKP ve **Tayyip** iktidarına muhalefet yapabilen sadece birkaç gazete vardı.

Cumhuriyet, Sözcü, Yeniçağ...

Ve birkaç televizyon kanalı:

Kanaltürk, bizim de program yaptığımız *ART* (Avrasya), *Başkent TV,* İşçi Partisi'nin kanalı *Ulusal Kanal* ve belli zamanlarda *Habertürk, Skytürk.*

Kanaltürk ve **Tuncay Özkan**'ın başına gelenleri, nasıl baskı altına alındıklarını hepiniz biliyorsunuz. Çökerttiler ve **Fethullah**'a yakın bir gruba satılmasını sağladılar. *Ulusal Kanal* polis tarafından (**Ergenekon** kapsamında) basıldı, **Doğu Perinçek** dahil İşçi Partisi'nin üst düzey yöneticileri tutuklandı.

Sabah ve *ATV,* **Tayyip**'in en yakınlarından biri olan **Çalık** grubuna devlet bankalarının parasıyla armağan edildi.

AKP'ye destek veren çok sayıda televizyon kanalı kuruldu.

***

7 Kasım 2007 günü Ankara'da Swiss Otel'de ANGİAD'ın (Ankara Genç İş Adamları Derneği) ödül töreni var. Beni **"yılın gazetecisi"** seçmişler. İşsiz bir gazeteciye ödül! Bu tür yerlere gitmeyi pek sevmem ama boy göstermek için gittim.

Öteki ödül alanlar arasında ODTÜ Rektörü **Ural Akbulut**, Gençlerbirliği Kulübü Başkanı **İlhan Cavcav**, ATO Başkanı **Sinan Aygün** ve *Hürriyet Gazetesi Ankara İlavesi* var. Yani Ankara'da yaşayan kişi ve kurumlar.

Kokteyl düzenlenmiş.

Ödüller verildi, her ödül alan kürsüde kısa bir konuşma yaptı ve resimler çekildi.

Şimdi bu haber midir?

Ana gazete için değil ama *Ankara İlavesi* için mutlaka haberdir. Kaldı ki, ödül alanlardan biri de *Hürriyet Ankara İlavesi* ve ödülü bunun başında olan gazeteci arkadaşım **Yaşar Sökmensüer** aldı.

Hürriyet'in *Ankara İlavesi* İstanbul'da hazırlanıyor. Haberler Ankara'dan geçiliyor ama sayfaları **Ertuğrul**'un denetiminde İstanbul yapıyor. Bu haberin normalde iki veya üç gün sonra *İlave*'de yer alması gerekiyor.

Ben merakla bekliyorum. *Hürriyet*, ödül alanların isim ve fotoğraflarına sayfasında yer verecek mi!

Gazetedeki bazı arkadaşlarla sık sık haberleşiyoruz, biraraya gelip yemek yiyoruz. Dostluğumuz, arkadaşlığımız aynen devam ediyor ama farklı ortamlarda. Onlara bu olayı anlattım ve ekledim:

"İstediğiniz iddiaya girerim, bu haberi Ankara İlavesi'nde kullanmayacaklar. Benim yüzümden Angiad'ın ödül töreni güme gitti sayılır."

Bazısı itiraz etti ve kullanılacağını söyledi, bazıları da benimle aynı görüşü paylaştı...

Ve ben haklı çıktım, haber kullanılmadı.

Benim ismim, benim resmim *Hürriyet*'te çıkamazdı!

Aradan yaklaşık sekiz ay geçtikten sonra (Temmuz 2008'de) bunun çok daha çirkinini yapacaklardı.

Onu daha sonra anlatacağım.

***

Kasım ayında *Gazeteport*'ta **Emin Özgönül** ve *Türk Time*'da **Talat Atilla** ve **Ersin Tokgöz** ile iki ayrı söyleşi yaptık. Bunlar ciddi ve habercilik yapan internet siteleri. *Gazeteport*'ta **Emin Özgönül**'ün yaptığı söyleşiyi aktarıyorum:

– Yaklaşık 3.5 aydır fiilen basın dünyasının dışındasınız. Bu süre içerisinde hayatınızda neler oldu?

– *Pek bir şey olmadı. Daha rahat yaşıyorum, yapamadıklarımı yapıyorum. Biraz nefes alıyorum. Arkadaşlarımı görüyorum, zamanım daha bol.*

– 30 yıldır yazılarıyla hayat bulan bir gazeteci olarak şimdi yazamamak nasıl bir duygu?

– *Elbette insan yazmayı özlüyor. Zaten, sanki o gün yazacakmışım gibi olayları ve gelişmeleri yakından izlemeyi sürdürüyorum. Bazen de kendi kendime "Keşke şimdi yazsaydım, şu olayın üzerine ne güzel giderdim" diye düşünüyorum.*

– Son 3.5 ayda "Şu anda yazma olanağım olsa şu konuyu yazardım" dediğiniz hangi konular oldu?

– *Aslında yazma olanağım var ama bir süre sessiz kalmam daha iyi oluyor. Elbette yazma isteği içimden epeyce fışkırdı. Yani çok oldu. Hemen her şey... Çünkü Türkiye gündemi hep bana göredir! Terörden ekonomiye, beceriksizlikten medyanın korkaklığına ve umursamazlığına kadar her şey. Ancak pazar sabahları ART ekranında **Mustafa Balbay**'la güzel bir program yapıyoruz ve içimi orada biraz olsun döküyorum. Yani şimdilik bir anlamda yazılı basından sözel basına transfer olmuş durumdayım!*

– *Hürriyet*'te yazarken çeşitli çevrelerden çok sayıda yolsuzluk ve usulsüzlük dosyası size geliyordu. Şimdi de bu tip olaylar size ulaşıyor mu? Elinizde biriken olaylar var mı?

– *Fazla değil... Çünkü insanların bana ulaşma olanağı epeyce kısıtlı. Gerçi son kitabımın sonuna Bilgi Yayınevi'ndeki e-posta adresi ile faks numarasını ekledik ama Hürriyet'teki gibi yoğunluk doğal olarak yok. Gelenlerin çoğu kitapla ilgili övgüler. Bazı gelenleri de birkaç yürekli gazeteciye iletiyorum ve onlar gereğini yapıyor.*

– İşsiz kaldığınızdan bu yana size resmen "Gel bizde başla" diyen bir medya kuruluşu oldu mu?

– *Oldu.*

– Hangileri?

– *AKP'den, Recep Tayyip'ten korkmayanlar, çıkar ilişkisi, çıkar beklentisi ve iktidarla göbek bağı olmayanlar. Bazı gazeteler, internet siteleri ve televizyon kanalları. Ancak unutmayın, ben Türk basınının sakıncalı piyadesiyim. Yıllardır öyleydim, şimdi de öyleyim. Medya patronları ve onların birinci dereceden adamları, sakıncalı piyadelere pek sıcak bakmazlar!*

– Türk medyasının içinde bulunduğu durum... İktidar kendi medyasını yarattı mı?

– *Elbette yarattı. Medyanın büyük bölümü bugün Recep Tayyip'in rüzgârından korkmaktadır. Yelkenleri suya indirmiştir. Medyanın para babası patronlarının gözünü korku ve çıkar ilişkileri bürümüştür.*

– *Sabah'ın* satışı gündemde. Üç talipten ikisi iktidarla açıkça bağlantılı. *Sabah* da AKP yanlısı bir grubun mu olacak?

– *Sabah ve ATV bugün zaten iktidarın yayın organları. Bundan daha çok bağlantılı olacaklarını sanmıyorum. Dünya medya tarihinde yaşanan en büyük komedilerden, hatta rezaletlerden birine tanık olmaktayız.* (Sonra göstermelik ihaleye sadece AKP'nin adamı **Ahmet Çalık** girdi, *Sabah* ve *ATV*'yi bir kuruş artırmadan, devlet bankalarından verilen krediyle almayı başardı! Bu yayın organları tümüyle AKP ve **Tayyip**'in sesi oldu.)

– TMSF'nin *Sabah*'a el koymasının ardından yaşananları nasıl değerlendiriyorsunuz?

– *Normaldir! Hükümet medya yönetmeye soyunursa, başka hangi sonucu bekleyebiliriz ki?*

– *Sabah*'ta bir süre önce Genel Yayın Yönetmeninden habersiz Temsilci Yardımcısı atandı. Temsilci bu atamayı tanımadı, sonra görevden alındı. Ancak Genel Yayın Yönetmeninin bundan da haberi olmadı. Buna rağmen halen koltuğunda oturmasını nasıl değerlendiriyorsunuz? Bu koltuklar vazgeçilmez mi?

– *Demin de söylediğim gibi her şey normaldir! Bu süreçte her şeyi bekleyeceksiniz. Ben orada olanların bir bölümünü Gazeteport'ta **Yavuz Semerci**'nin yazılarından –dehşet ve ibretle– öğrendim. Olacak şey değildir. Türk medyasının, Türk medyasını yöneten hükümetin ve iktidarın ayıbıdır.*

– *Hürriyet*'te sizden sonra değişen bir şey var mı?

– *Ne olacak ki, hiçbir şey yok. Zaten olamaz da. Kurallar belli, çıkar ilişkileri belli, kişilikler belli. Bu ortamda ne değişebilir!*

– **Bekir Coşkun**'un da gazetede rahatsızlığı olduğu söyleniyor. Kendisi size bu durumları anlatıyor mu?

– *Biz **Bekir**'le her şeyi konuşur ve paylaşırız. Ama bu soruyu Bekir adına benim yanıtlamam uygun olmaz. **Bekir**'e sormalısınız bunu.*

– İnternet medyası için ne düşünüyorsunuz?

– *Bağımsız olduğu, düzgün ve tarafsız haber verdiği sürece çok beğeniyorum. Ancak yazılı ve görsel medyamız gibi internet medyasını da biraz magazin ağırlıklı olarak görüyorum ve eleştiriyorum. Gazeteport gibi gerçekten ciddi biçimde izlediğim bazı siteler var. İnternet medyasının geleceğini çok iyi görüyorum.*

– **Abdullah Gül**'ün Cumurbaşkanı olmasına şiddetle karşı çıktınız. Şimdi o makamdaki icraatını nasıl değerlendiriyorsunuz?

– *Ben kendisine de karşı çıktım ama asıl karşı çıktığım, **Atatürk**'ün makamına sonunda türbanlı, başı bağlı birini, ka-*

rısı kimliği ile özellikle oraya çıkarmış olmalarınadır. *21. yüzyıl Türkiyesine yakışan bir manzara değildir. Müslümanlığın, kutsal bir dinin, bir bez parçasına indirgenmiş olmasının en son göstergesidir. Şu devlet protokoluna bir bakınız. İlk dört arasında Cumhurbaşkanı, Başbakan ve Anayasa Mahkemesi Başkanının karıları bağlı, bir tek Meclis Başkanının karısı normal. Bunların elinde ve yönetiminde nerelere sürüklendiğimizin en güzel kanıtıdır. Abdullah Bey'in icraatına gelince, iktidarın noteri olacak, ancak kamuoyuna biraz şirin ve aktif görünmeye kalkışacaktır. Yaptığı da zaten budur. Hepsi o kadar!*

– **Tayyip Erdoğan**'la **Abdullah Gül**, **Emine Erdoğan**'la **Hayrünisa Gül** arasında bir soğukluk ve sürtüşme olduğu iddiaları için ne dersiniz?

– *Bu son derece normaldir. Eğer aksi olsaydı eşyanın tabiatına aykırı olurdu. Recep Tayyip kendi üzerinde otorite kabul etmeyen biridir. Bay Abdullah Gül şimdi onun üstü olmuştur. Üstelik yabancı dil bilmektedir. Özellikle yabancı konukların olduğu ortamları düşünün... Abdullah Bey İngilizce konuşuyor ve aynı yerde Recep Tayyip konuşulanları anlamıyor ve tercüman kullanıyor. Bu basit ortamda bile komplekse kapılmaması mümkün değildir. Karılarının birbirlerinden hiç hoşlanmadığı, hatta konuşmadıkları, kendilerine en yakın kişiler tarafından bizzat bana bile anlatıldı. Bunu duymayan da zaten kalmadı.*

– Başbakan partisinin son Kızılcahamam toplantısında medyaya yüklendi. Medyayı suçladı, eleştirdi. Bu konuda ne diyeceksiniz?

– *Tamamen göstermeliktir. Medyayı eleştirirken tövbe desin. Bunları söylerken Allah'tan korkmak ve kuldan utanmak gerekir. Medyanın tamamına yakını kendi partisinin, iktidarının emir ve hizmetindedir. Medya "başarıyla" korkutulmuş ve sindirilmiştir. Medyanın hangi para babası patronu ve*

126

*onların emrindeki medya kuruluşları iktidarı adam gibi eleş-
tirebiliyor? Medya boşuna kaymıyor vıcık vıcık magazine...
İnanmayanlar açsın gazeteleri de görsün şu manşetleri. Bay*
Erdoğan *yapmasın etmesin, eylemesin! Yatsın kalksın, emrin-
deki medya için her gün Allah'a dua etsin, daha nice başarı-
lar dilesin!*

– Son günlerin en tartışmalı konularından biri de Suudi
Kralına devlet şeref madalyası verilmesi, **Erdoğan** ve **Gül**'ün
kendisine gösterdikleri yakın ilgi!..

– *O adama devletin şeref madalyasının verilmesi tam bir
utanç olayıdır. Üstelik bu işin hem yasasına, hem de yönetme-
liğine tamamen aykırıdır. Avukat* **Tezcan Çakır** *bu kararın
iptali için Danıştay'da dava açtı. Bakalım ne sonuç çıkacak.
Şimdi az önce söylediğim olaya tekrar döneyim. Bu madalya
rezaletinin üzerine medyamız gitti mi? Elbette gitmedi. Gide-
mezdi. Onları karşısına alamazdı. Korkmak işte budur.*

– CHP ve MHP'yi nasıl değerlendiriyorsunuz?

– *Muhalefet yapmaktan aciz, muhalefet yapamayan ve
AKP'nin ekmeğine sürekli yağ süren, adeta AKP için çalışan
iki muhalefet partisi olarak değerlendiriyorum. Bunlara kar-
şı muhalefet, salı günleri Meclis'te yapılan Grup toplantıla-
rında haftada bir nutuk atmakla yapılmaz. İnanın, şu anda
bir muhalefet partisinin yetkilisi olsaydım, hele Meclis'te tem-
sil edilen bir partinin yetkilisi olsaydım, iktidarı en az 50 ko-
nuda silkeler ve bütün Türkiye'den ses getirirdim. Ne yazık ki
aciz, verimsiz bir muhalefetle yüz yüzeyiz. CHP zaten bitik
durumda. MHP de aynen onun yolunda. Biz de olanları deh-
şet ve hayretle izliyoruz!*

– Siyasete girmeyi düşündünüz mü? Ya da bundan sonra
düşünüyor musunuz?

– *Hayır, hiçbir zaman düşünmedim ve bundan sonrası
için de düşünmem. Ben gazeteci olarak gelmiş geçmiş tüm mu-*

*halefet partilerinden çok daha anlamlı, tutarlı, kitleleri etki-
leyen muhalefet yaptım ama soluğumu şimdilik kestiler.*

– **Kemal Unakıtan**, Maliye Bakanı kimliği ile basın açı-
sından hâlâ dokunulmazlık sahibi mi?

– *Bir numaralı dokunulmaz Recep Tayyip. İki numara
Kemal Unakıtan. Üç numara TMSF... Çünkü medya patron-
larının bu üçlüden doğrudan veya dolaylı korkunç beklenti-
leri, çıkarları var. Patronların çıkar piyasasında milyarlarca
dolar, katrilyonlar dönüyor. Kendi tekerine hangi medya pat-
ronu çomak sokabilir? Eşyanın tabiatına aykırıdır!*

– Son kitabınız **Kovulduk Ey Halkım Unutma Bizi** de,
ötekiler gibi çok sattı. Nedir şimdi satış rakamı?

– *Şu anda kitabın 73. baskısı yapılıyor. Her baskı 2.300
adet. Yani şu anda kitabın net satış rakamı yaklaşık 155 bin.
Buna sayısını ve kaç adet sattığını bilemediğimiz korsanla-
rı da ekleyin. Korsanı da epeyce satıyor. Belki de gerçeği ka-
dar satmıştır. Yani benim tahminime göre, bir kitabı üç kişi-
nin okuduğunu varsayalım, bunu en az 700 bin kişi okudu.
Türkiye için çok büyük rakamdır.*

– Yani amaca ulaştığınızı söyleyebilir miyiz?

– *Fazlasıyla söyleyebiliriz.*

– En çok satan kitabınız bu mu oldu?

– *Hayır, **Turgut Nereden Koşuyor** korsanı hariç, resmi
rakam olarak tam 270 bin adet satmıştı. Yani yayınevi bana
270 bin kitabın telif ücretini ödemiştir. Rekor ondadır. Ve yi-
ne tahmin ediyorum, **Turgut Özakman** abimizin şu anda 800
bin satmış olan **Şu Çılgın Türkler** kitabından sonra Türkiye'de
ikinci büyük satış rakamı **Turgut Nereden Koşuyor**'a aittir.*

– Toplam kaç kitabınız oldu ve toplam ne kadar sattı?

– *Bu, benim 17. kitabım. Bu kitapla birlikte kitaplarımın toplam satış rakamı bir milyonu geçti. Bir milyon yüz bin dolayına ulaştı.*

– Kitap yazmak, yazarına iyi para kazandırıyor mu?

– *Çok satarsa evet. Ancak benim anlayışıma göre, kitaptan para kazanmak ikinci plandadır. Önemli olan kitabın hedefi vurması, amaca ulaşmasıdır. Yazarın emeği, alın teri, göz nuru, beyin gücü, daha çok böyle manevi ortamda değerlenir.*

– Çok teşekkür ediyoruz.

***

Mustafa Balbay aradı. **İlhan Abi** Ankara'ya geliyormuş. 30 Kasım akşamı uygunsak, **Bekir Coşkun**, ben, **Balbay** ve **İlhan Abi** yemek yiyecekmişiz. Bekir'le konuştum, uygunmuş.

Akşam 19.00'da yine **İlhan Abi**'nin sürekli kaldığı Kent Otel'de buluştuk ve otelin restoranına çıktık. Dört kişi bir masaya oturduk.

Türkiye'nin ve dünyanın durumunu konuşuyoruz. Her konu ister istemez medyanın durumuna geliyor.

Yarım saat sonra adamın biri tek başına gelip bizim masanın tam yanındaki masaya oturdu. Oysa restoranın büyük bölümü boş. Bu kadar yakınımıza oturmasına hiç gerek yok. Ayrıca elinde büyükçe bir paket var, onu da bize yakın olan bir sandalyenin üzerine koydu.

İlhan Abi bize önce *"Yavaş konuşun"* anlamında bir işaret yaptı...

Ve hemen ardından gözüyle adamı göstererek yine yavaşça *"Telekulak geldi, bizi dinleyecek"* dedi.

Gizli saklı bir şey konuşmuyoruz. Medyanın içinde bulunduğu rezilliği tartışıyoruz, **Tayyip**'in kulaklarını çınlatıyoruz!

2007 Kasım ayı sonlarında **Ergenekon** falan yok. Henüz patlamamış! Birkaç ay sonra tam patlayacak ve **İlhan Selçuk**'un, daha sonra bizim **Balbay**'ın evleri polis tarafın-

129

dan basılacak, gözaltına alınacaklar. Meğer o sırada bütün telefonlar ve özel konuşmalar dinleniyormuş. Hiçbirimizin haberi yok.

İki metre ötemize gelip oturan adamdan tedirgin olmuştuk. Neredeyse fısıltıyla konuşmak zorunda kalıyorduk. Restoran dolu olsa ve adam bizim yanımıza otursa, eyvallah. Fakat boş bir restoranda bula bula bizim bitişiğimizi bulmuştu.

Eğer görevliyse, işini acemice ve çok belli ederek yapıyordu.

Adam birazdan gitti ve rahatladık!

Ergenekon'un ilk habercilerinden biri, belki de yanıbaşımıza çöken o adamdı. Nereden bilecektik!

Sonra, Anayasa Mahkemesi Başkanvekili **Osman Paksüt**'ün izlenmesi ve dinlenmesi olayına bir rastlantı sonucunda bire bir tanık olacaktım. Onu da ilerideki bölümlerde anlatacağım.

***

Kasım ayında bir gün, ülkemizin en tanınmış ressamlarından **Yaşar Çallı** aradı.

"Emin Bey, siz bu dönemin simgesi olmuş bir gazetecisiniz. Siz Cumhuriyet rejiminin kalesisiniz. Ben sizin bir portrenizi yapmak istiyorum. Bana gün verin, benim atölyede çalışmaya başlayalım. Bu resim benim size armağanım olacak. Benim için gurur kaynağı olacak."

Daha önce bir kez de rahmetli **Rahmi Pehlivanlı** uzun yıllar önce portremi yapmıştı.

Yaşar Çallı, Türkiye'ye gelmiş geçmiş en büyük ressamlardan **İbrahim Çallı**'nın torunu. Ben *Hürriyet*'te iken de bu isteğini birkaç kez bana iletmişti. Ancak o sıralarda bu işe ayıracak zamanım yoktu. Şimdi ise daha rahattım. Kendisine bu işin kaç gün alacağını sordum. *"Hele bir çalışmaya başlayalım"* dedi...

Ve adresi alıp **Çallı**'nın Ankara Bahçelievler'deki atölyesine gittim. Eşi ressam **Çiğdem Çallı** da oradaydı. Çaylar kahveler içildi ve ben poz vereceğim masanın başına oturdum. Daha doğrusu **Çallı** benim çevremde bir saat kadar gezindi. Işık durumuna bakıyor, benim hiç anlamadığım ayrıntıları söylüyor...

Ve beni masaya oturttu. Ama bu pozisyon sonraki günlerde defalarca değişecekti.

O gün çalışmaya başladı. Ben zannediyorum ki, en geç ertesi gün resim biter ve ben alıp eve giderim.

Çallı'nın atölyesine en az 10 kez gittim. Resim gelişiyordu ama bir türlü bitmiyordu. Ben bazen beş saat o masanın başında kıpırdamadan oturuyordum. Ellerimi düzeltiyordu, bakışlarımı başka yöne kaydırıyordu. Bir sürü ayrıntı...

Oturduğum zaman pencereden karşıdaki apartmanın üst katları ve çatısı görünüyordu. Çatıdaki balkon, damdaki kiremitler, televizyon antenleri. Aynı yere baka baka sıvalardaki dökülmeyi, duvarlardaki çatlakları, antenleri bile markasına kadar ezberlemiştim.

Fakat bu poz verme işlemi sırasında bir şey dikkatimi çekti. Sürekli aynı yere bakarak hem düşünüyordum, hem de inanılmaz bir biçimde kafam boşalıyordu.

Saat tutmadım ama tahmin ediyorum ki **Yaşar Çallı**'nın karşısında toplam en az 20 saat böyle kımıldamadan, bakışlarım belli bir yerde oturdum...

Oraya bazen **Çallı**'nın her yaştan ve meslekten öğrencileri geliyor. Onlar kendi resimlerini yapıyor ve **Çallı** onlara yol gösteriyor, öğretiyor. Bazen ara verip çay içiyoruz, pasta yiyoruz.

Ve günün birinde resim bitti. Muhteşem olmuştu.

Bir insan ancak bu kadar iyi çizilebilirdi.

Çallı ailesine teşekkürler ettim. Benim için günlerini harcamışlardı. Bu teşekkürümü burada bir kez daha yinelemeyi bir gönül borcu biliyorum.

Ressam **Yaşar Çallı**, Çölaşan portresinin son aşamasında.

***

Kasım ayında **Sertel Gazetecilik Vakfı**'ndan bir faks geldi. Bu vakıf rahmetli gazeteciler **Zekeriya Sertel** ve eşi **Sabiha Sertel** anısına kurulmuştu. Bu yurtsever insanlar geçmişte "komünist" diye damgalanmış, hapis yatmış ve büyük ıstıraplar çekmişti. **Sertel**'ler ömürlerinin geri kalan bölümünü yurtdışında geçirmek zorunda kalmıştı.

*"4 Kasım 2007. Sayın **Emin Çölaşan**. 30 yıllık gazetecilik yaşamınızda Türk kamuoyunu doğru bilgilendirmek, haksızlıkların, yolsuzlukların üzerine gitmek ve **Atatürk** ilkelerini savunmak yoluyla yaptığınız büyük hizmetten ötürü sizi kutlarız.*

*Bu nedenlerle, **Sertel** Vakfı Yönetim Kurulunun 2007 Sertel Ödülü'nü size layık gördüğünü sevinerek bildiririz.*

Ödül töreni 4 Aralık 2007 tarihinde Türkiye Gazeteciler Cemiyeti'nde yapılacak. Bu tarihte büyük bir engeliniz bulunmadığını ve bize bir de konuşma yapacağınızı umarız.

*Her yıl iki ödül veriyoruz. Bu yıl ikinci ödülü, kurum olarak Kanaltürk'e verdiğimizi de size bildirmiş olalım. **Doç. Dr. Yıldız Sertel**. Başkan."* (**Sertel**'lerin kızı)

O gün ne yazık ki ödül törenine katılamadım. Vakıf Başkanı **Yıldız Sertel**'i önceden arayıp özür diledim ve bana verdikleri onur için teşekkür ettim.

Tören günü için orada okunmak üzere bir metin hazırlayıp gönderdim. **Tuncay Özkan**'la konuştum. O katılacak, benim ödülümü de alıp bana gönderecek. O gün ödül töreninde okunan konuşma metnim aynen şöyleydi:

*"**Sertel Gazetecilik Vakfı**'nın değerli konukları, böylesine güzel, önemli ve anlamlı bir günde aranızda olamadığım için sizlerden ve Vakıf yönetiminden özür diliyorum.*

Basına yapılan baskılar konusunda verilen ödülü onurla ve kıvançla alıyorum.

Aynı onuru, basın özgürlüğü açısından nice sıkıntılar ya-şatılan **Tuncay Özkan** *arkadaşımın duyduğuna da inanı-yorum. Türk medyasında AKP iktidarı boyunca ne yazık ki utanç verici olaylara tanık olmaktayız. Bu baskıları Hürriyet gazetesinde bire bir yaşamış olanlardan biriyim. Sonucu he-piniz biliyorsunuz.*

Kovulmak!

Basın çok büyük patronların, işadamlarının insafına ve çıkarlarına terk edildi. Bunların siyasi iktidarla, hükümetle çok büyük işleri var. Her birinin çok büyük parasal çıkarları iktidarın iki dudağının arasında.

Patronların bankaları, holdingleri, çok büyük şirketleri, imar beklentileri, rant kapıları var. Özelleştirme ihalelerin-den pay alıyorlar, pay bekliyorlar.

Manzaraya kısaca göz atalım. **Doğan** *grubu yazılı ve gör-sel medyanın neredeyse yarısına sahip.* **Sabah** *grubu doğrudan iktidarın kuruluşu olan TMSF'nin elinde. Birkaç gün sonra sa-tış yapılacak ve yine iktidara yakın bir gruba devredilecek.*

Bunun ötesinde, geriye kalıyor **Akşam** *grubu ile iktidar yandaşı İslamcı olan ve olmayan gazete ve televizyon kuru-luşları.*

Türk medyası ne yazık ki bu durumda.

Peki bu aşamada bağımsız, korkmadan, çekinmeden, öz-gürce, laik Cumhuriyet rejiminden yana, ülkemizin sömürül-mesine karşı, yolsuzlukla mücadele çizgisinde yayın yapabilen kaç gazete ve televizyon var?

Tuncay Özkan *aranızda. İktidar baskısından neler çekti-ğini, neler yaşadığını size herhalde anlatmalıdır. Kaldı ki, ba-zılarının tanığı da benim.*

AB bizi her konuda esir almış. Peki Türkiye'yi emir ve direktifleriyle yöneten AB, medyadaki bu rezaleti görmüyor ve bilmiyor mu? Elbette biliyor ve görüyor. O halde ne yapı-yor? Hiçbir şey!.. Çünkü medyanın bu perişanlığı sergilemesi, *bu baskıları içine sindirmesi, **Tayyip** iktidarının dikensiz gül bahçesinde oynaması, AB'nin de işine geliyor.*

Bir düşünelim, araştıralım... Hangi AB ülkesinde medyanın neredeyse tamamı siyasal iktidara böylesine göbekten bağımlı? Hiçbirinde!

Neredeyse 31 yıl hiç ara vermeden gazetecilik yaptım. AKP döneminde olan yüz kızartıcı olaylara hiçbir zaman tanık olmadım. Sizlerin de olduğunuzu sanmıyorum.

Bugün Türk medyasında korku dağları bürümüştür. En başta patronlar korkar çünkü çıkarları çok büyüktür. Sonra patronların bu tavrını, yüreksizliğini bilen ikinci adamlar aynı çizgiyi sürdürür. Hem de çoğu zaman kraldan fazla kralcı bir anlayışla.

Muhabir arkadaşlarımız sindirilmiştir. Patronların ve yöneticilerin ne türde haber istediklerini iyi bilirler. Yazacakları gerçek, dört dörtlük ve belgeli bazı haberlerin asla kullanılmayacağını da önceden bilirler. Köşe yazarlarının çoğu sindirilmiştir. Eleştiri yapacaklarsa ileri gidemezler. Duracakları yeri iyi bilmek zorundadırlar.

Türk medyasında bugün iki kuruluş dışında basın sendikası yoktur. Patronlar sendikayı tasfiye etmeyi başarmıştır! Gazetecinin kaderi patronların iki dudağı arasındadır. Genç, mesleğe yeni adım atan muhabir arkadaşlarımız sigortasız, yani kaçak çalıştırılır. Onlara kadro verilmez, para ödenmez. Bu kepazelik yıllardır sürer ve hiç kimse ağzını açamaz. Ama sağolsunlar, o arkadaşlarımıza bir öğle yemeği verirler!

Şu tabloya bir bakınız!

Bir yanda patronların ve onların çıkarlarını savunan yöneticilerin çok büyük parasal çıkarları...

Öte yanda ise gerçek bir korku düzeni, baskı rejimi ve sömürü çarkı...

Bu, üzerinde kitaplar yazılması gereken bir rezalet tablosudur. Ancak herkes suskundur. Her gazeteci bu durumu bil-

mektedir ama onların konuşması mümkün değildir. Onlara hak veriyorum çünkü bu ortamda konuşmak, işten atılmak demektir. Çoğu ayın sonunu getiremeyen hangi gazeteci bu riski göze alabilir?

Bu ödül töreni için siz değerli konuklara gönderdiğim bu mesajı daha fazla uzatmak istemem.

Sertel Gazetecilik Vakfı tarafından bana verilen ödülü onurla kabul ediyorum. Siz değerli konuklara saygılarımı ve en iyi dileklerimi sunuyorum efendim."

Sonra törene katılanlar anlattı... Okunan bu mesaj törende bulunan ve çoğunu gazetecilerin oluşturduğu kalabalıktan çok büyük alkış almış. Alması gerekirdi... Çünkü bu kirli medya düzenine bütün olanakları kullanarak neredeyse tek başıma karşı çıkıyordum.

***

Bu günlerde İstanbul *Hürriyet*'teki dostlarım tarafından bir haber geldi:

*"**Aydın Doğan** senin kitaba dava açıyormuş."*

"Ne davası?"

"Tazminat... 50 milyar isteyecekmiş."

"Valla açmazsa hatırım kalır. Ne varmış o kitapta davalık? Yazdıklarım yalan mıymış?"

"Hatta davayı bizim gazetenin Hukuk Bürosuna da vermemiş. Dışarıdan bir avukata vermiş."

"Kime isterse versin."

Dava açacağına doğrusu inanmamıştım... Çünkü kitapta davalık bir şey yoktu. Yalan yoktu, hakaret yoktu, kişilik haklarına saldırı yoktu.

Yaşadıklarımı ve kovulma sürecini dürüstçe anlatmıştım. Senaryo kurmamıştım. Eksiği vardı fazlası yoktu.

Gelen haberin yanlış olduğunu düşündüm.

***

Yeni Harman dergisinin Aralık 2007 sayısında **Prof. Dr. Yalçın Küçük**'le yapılan bir söyleşi var. Başlığı şöyle: *"İlhan Selçuk'un yıldızı söneceği için Çölaşan'ı Cumhuriyet'e almadılar."*

Yalçın Abi daha sonra şöyle diyor:

"Bakın Cumhuriyet'e, Emin'i bile alamadı. Çünkü Emin, İlhan'ın yıldızını azaltabilir. Hesap budur."

Yalçın Abi burada yanılıyordu. Eğer ben *Cumhuriyet'e* *"Geliyorum"* deseydim, herhalde bir aksilik çıkmayacağını tahmin ediyorum... Ve hem **İlhan Abi**, hem de **Emre Kongar, Hikmet Çetinkaya, Alev Coşkun** ve **Mustafa Balbay** beni içtenlikle çağırmışlardı.

Yalçın Küçük bu uzun söyleşide kendisine sorulan *"Emin Çölaşan sizce Hürriyet'ten niçin kovuldu?"* sorusuna şu yanıtı veriyor:

*"İki suçu var. **Ergün Poyraz**'ın kitaplarını çok övdü.* (Bu sırada **Poyraz, Ergenekon**'dan tutuklanmış durumda.) *Ergün Poyraz, Musa'nın Çocukları isimli kitabında Emine Hanım'ın nüfus kütüğüne inmiş. Bazı ad ve soyadları buluyor. Ciddi bir İbraniyet* (Yahudilik) *bağına işaret ediyor. Ayrıca Emin aynı ölçüde olmasa bile benim Caligua kitabımı tanıttı. Emin bu mahallenin afacan çocuğudur. Tayyip Erdoğan Emin'i affetmedi, Aydın Doğan acımadı ve kurban ettiler. Mesele işte budur ve İsrail'e kadar gitmektedir."*

Yalçın Abi'nin bu sözlerinde ise yanıldığını söyleyemem.

***

137

Aralık ayında *Ankara Magazin*'de **Gonca Canan**'la yaptığımız söyleşi vardı. Özetliyorum:

– Sizce ideal yayıncılık politikası ne olmalıdır? Kurumun, gazetenin zaten taraf olması, bir tavrı olması gerekir ama yazarları ona mı uymak durumundadır, yoksa çokseslilik daha mı önemlidir?

– *Bir gazetenin belli bir çizgisi olur, bu mutlaka siyasi bir çizgi demek değildir. Çok geniş bir tanımlama olsa da örneğin bir gazete, laik, Cumhuriyet rejiminden yana olur, onu savunur. Ya da şeriatçı olur, onu savunur. Ama bizim gazetemizde, Hürriyet'te, hâlâ alışkanlıkla bizim gazetemiz diyorum, her çeşitten, her kesimden yazan vardı. Bir kargaşa yuvasıydı. Cumhuriyet'e sövenler, **Atatürk**'le alay edenler, sağ gösterip sol vuranlar, tetikçiler yani her kesimden, her fikirden insan vardı. Yönetim bunu uygun görmüştü. Ben de kendi çizgimde bir gazeteciydim orada.*

– Amiral Gemisi'nin kaptanları buna *"Demokratik birarada yaşama kültürü"* ya da *"Çok renkli mozaik"* diyorlar...

– *Evet, öyle bir şeyler herhalde. Önemli olan onlar da değil. Önemli olan, medyanın iktidardan korkması. AKP döneminde biz somut olarak bunu yaşıyoruz. Bütün gazete patronları hatta tekstilciden tutun da mobilyacıya kadar Türkiye'deki bütün patronlar korkuyor iktidardan. Hepsi biliyor ki kaderleri, Türkiye'yi yönetenlerin iki dudağının arasında. İktidar, bir mobilya ya da otomobil fabrikatörünü korkutabilir. Ama medyanın korkmaması gerekir. Senin elinde korkunç bir güç var. Kitapta anlattım, ben **Ertuğrul**'a hep şunu söylerdim. "Yaa kardeşim, şu gücü biraz kullanın, o zaman **Tayyip** sizi arasın her sabah, benden bir emriniz var mı diye sorsun..." Bu gücün farkına varmamakta ısrar ettiler, dolayısıyla hep sindiler, korktular. Benim başıma gelen olayın da temel nedeni budur.*

– **Ertuğrul Özkök** size hep *"Mutlaka biz de bir gün papaz olacağız bu iktidarla"* diyormuş... İnanıyor musunuz bunun olacağına?

– *İnanmıyorum. Olamazlar. Ha, ne zaman papaz olurlar; bu iktidar çöküşe girer, zayıflamaya başlar, bütün kamuoyu anketleri bu sonucu vermeye başlar, belli olur ki bunlar bir sonraki seçimde gidicidir artık... Ama o zaman papaz olmak kolaydır! Yani zayıf rakiple dövüşmek kolaydır, o da mertliğe sığmaz! Sen onun en güçlü olduğu zamanda karşısına dikilebiliyorsan, basın olarak gerekeni, üzerine düşeni yapabiliyorsan, ben ona mertlik derim. Yoksa, düşmüş adama vurmak kolaydır. Biz er geç papaz olacağız! E hadi ol da görelim bakalım!*

– Sizi uyarıyorlar, yazılarınıza müdahale ediyorlar, diğer yandan da gazetenin demokratik anlayışını ispat için adınızı kullanıyorlar... Çok ironik değil mi?

– *Tabii, bu onların çok büyük bir çelişkisiydi. Kokteyllerde, resepsiyonlarda sürekli eleştiri alırlardı "Ne biçim gazete oldunuz, muhalefet yapamıyorsunuz" diye.* **Aydın Doğan** *da,* **Ertuğrul** *da, en başta benim ismimi,* **Bekir Coşkun**'*un ve bir-iki arkadaşın daha ismini vererek, "Ya kardeşim,* **Emin Çölaşan** *bizde yazmıyor mu,* **Bekir Coşkun** *bizde yazmıyor mu! Daha ne istiyorsunuz! En sert yazıları* **Emin Çölaşan** *yazmıyor mu, bizden daha ne bekliyorsunuz!" derlerdi! Benden sonuna kadar faydalandılar. Suyumu da emdiler, daha suyumuz bitmeden, sokağa attılar. Bunu mecazi anlamda söylüyorum. Taşıyamazlardı beni daha fazla. Ben oturup kitabını yazmışım bu işin. Hani bir tek satır yanıt verebildiler mi? Ellerinde bir sürü gazete, bilmem kaç tane televizyon kanalı var. Birisi çıkıp da diyebildi mi "Emin Çölaşan yalan yazmıştır kitabında" diye? Diyemedi. Böyle bir şey söz konusu değil-*

139

dir. Kitapta yazdıklarımın tamamı doğrudur. Onu da bu arada belirtmek isterim.

– Sizin yönetimle çekişmenizin başlangıcı AKP iktidarına dayanan bir süreç. Bugün bir koalisyon hükümeti olsaydı koşullar farklı olur muydu?

– *Ben AKP gelene kadar son derece mutlu bir gazeteciydim orada. Bizimkiler de çok mutluydu. Niye, çünkü o zamana kadar hep koalisyon iktidarları vardı. Koalisyon ortağının birini karşına alırsan, öbürü sana sahip çıkardı. O güvenceyi taşıyorlardı. Ne zaman ki tek parti iktidar oldu, mertlik o zaman bozuldu. "Sus, yazma, eleştirme, Başbakanı eleştirme, Maliye Bakanını asla yazma, TMSF'yi yazma..." Çünkü onlarla hep işleri var. Özellikle POAŞ yumruğunu yedikten sonra, iyice korktular. Son seçimden* (Temmuz 2007) *ikili ya da üçlü bir koalisyon çıkmış olsaydı, elbette ki koşullar benim açımdan farklı olurdu. O zaman bana dokunmak akıllarının ucundan bile geçmezdi. Tam tersine, yine makbul adam olurdum. "Aferin bak,* **Emin** *oradan vuracak, biz birini karşımıza alırsak, öbürü bizi savunacak" anlayışı çıkardı ortaya. Şimdi bakmayın siz, eleştiri haberi çıkmaz da, yine eleştiri türünde yazılar çıkıyor. Onlar da göstermeliktir. Zevahiri kurtarmaktır amacı.*

– Her dönemin ortak sorunuydu değil mi? Yani bütün iktidarlar basını bir anlamda ele geçirmeye çalıştılar.

– *Tabii ki.* **Özal** *döneminde de biz bunları yaşadık. Bütün iktidarları eleştirmiş bir gazeteciyim ben. Bana hep "Niye eleştirdin" diye sorulur. Eleştiririm çünkü eleştiren adam çok azdır Türkiye'de. Zor iştir, riskli iştir. Bir açığını bulurlarsa seni paçavraya çevirirler. Her şeyden önce, hiçbir açığım olmadığı için öyle bir güvenceye sahiptim.*

– Size defalarca *"Yazılarını yumuşat"* diyorlar. Siz ise sürekli değirmenlere karşı savaştınız. Genlerinizin de etkisiyle olsa gerek, bu süreçte de çok dirençli ve mücadeleci olmuşsunuz. Sonuçta güç onların elinde. Çok daha önceden kestirip atabilirlerdi ama buna rağmen taviz vermenizi, sizinle uzlaşmayı beklediler. Yokluğunuzda oluşması muhtemel tiraj kaybını mı göze alamıyorlardı, yoksa bu kitapta olduğu gibi açıklamalarınızdan mı çekinip size sonsuz bir *dolçe vita* (tatlı hayat) vaat ediyorlardı?

– *Onu bilemem tabii. Çok da gizli tutmuşlar. Anlaşıldığı kadarıyla, kovulacağımı bir* **Aydın Doğan** *biliyordu, bir de* **Ertuğrul**. *Onlar da bu işin kitabını yazacağımı bilmezlerdi. Ama belki de bilirlerdi çünkü ben Ankara bürosunda çok sayıda arkadaşıma günün birinde bu işi kitap yapacağımı söylemiştim. Ama o gün ne zaman gelir, ben de bilmiyordum. Yine de o doğrultuda hep notlarımı alıyor, belge topluyordum. Ya bir gün bıçak kemiğe dayanacak ve ben ayrılacaktım, ya onlar beni kovacaktı, ya da sağlık nedeni falan olacaktı. Onlar kovdu sonuçta ve bu kitap çıktı ortaya. Yani pek çok kişi benim bu konuda hazırlıklı olduğumu biliyordu. Dolayısıyla onların da kulağına bu konuda kar suyu kaçmış olabilir, onu bilmem. Ama zannetmiyorum çünkü anlattıklarımın hepsi güvendiğim arkadaşlarımdı.*

– Dostunuz **Bekir Coşkun** da *Hürriyet*'in yakın dönemde yaşadığı diğer bir hadisenin odağındaydı. Siz belki de onun "Onuncu Köy"üne ondan önce gitmiş oldunuz...

– *Bir yerde öyle oldu tabii. Bekir'in "Onuncu Köy"üne gittik kovula kovula!* **Bekir** *onuncu köyde, ben de belki on birinci köye geldim şimdi... Benim Hürriyet okurlarıyla kurduğum muhteşem gönül bağını da böylece kırdılar, yok ettiler. İddia ediyorum, bir daha da hiç kimseyle o gönül bağını yakalayamazlar.* **Bekir Coşkun** *hariç, hiç kimseye o mesajlar yağmaz. Şimdi bir tek Bekir kalmıştır orada. Bir de* **Tufan Türenç** *ve* **Yalçın Bayer**.

– Olay sonrasında müthiş bir sevgi seli ile karşılaştınız.

– *Sevgi seli muhteşem! İnanılmaz... Sağ olsunlar, o sevgiyi hâlâ, nereye gitsem yaşatıyorlar. Çok güzel bir duygu. Herkes beni seviyor mu? Hayır, tabii ki sevmeyenler de var; Kürtçüsü, PKK'lısı, şeriatçısı, yobazı, hırsızı, benim o yazdığım binlerce yazıda tekerine çomak soktuğum üçkağıtçılar, dümenciler, siyasetçiler ve bürokratlar tabii ki sevmeyecek beni. Zaten onlar seni seviyorsa, sempati duyuyorsa, o zaman bil ki gazeteciliğinde bir yanlışlık var.*

– **Aydın Doğan** Star gazetesiyle anlaştığınız iddiasını neye dayandırıyordu?

– *Tamamen yalandır. Tahmin ediyorum, kendisini dolduruşa getirenler oluyordu. Bana Star gazetesi için geçmişte üç kere transfer teklifi getiren* **Fatih Çekirge**'*dir. Kendisi şimdi Hürriyet gazetesindedir. Gidip sorsunlar. Ben Fatih'e de söyledim, çıksın ortaya günün birinde, mertçe, yüreklice, korkmadan şu olayı bir anlatsın. Ben onunla ne para konuştum, ne başka koşulları... Üç defasında da hiçbir şey konuşmadım. Kaldı ki konuşsam ne olur? Ben profesyonel gazeteciyim.* **Uzan'a** *da giderim, kafama uyan her yere de giderim.* **Aydın Bey** *bugüne kadar kaç kişiye transfer parası verdiğini unutmuş mu? 22 Temmuz 2007 seçimlerinden önce, hatırla, Hürriyet'in birinci sayfasında sürekli olarak, haftalarca, Genç Parti'nin paralı ilanları çıktı. Peki, kendi (* **Aydın Doğan'ın** *) deyimiyle "Hortumcunun" (* **Cem Uzan'ın** *) paralı reklamlarını sen nasıl kullandın Hürriyet'in birinci sayfasında? O zaman derler ki adama, bu ne perhiz bu ne lahana turşusu! Beni Star gazetesine geçmeye çalışmakla gerçek dışı olarak suçlayan kişiler, aynı "hortumcudan" para alıp, ilanlarını gazetelerinde kullandılar. Nasıl iştir bu! Çıksınlar, bunu açıklasınlar.*

– Siz zaten **Uzan**'lar hakkında yazmıştınız ama ısrarcı yazamayışınızın nedeni, eşinizin görevi dolayısıyla karşılaştığınız açmazmış. Biraz, kaldığınız bu pozisyondan söz eder misiniz?

– *Gayet tabii yazdım **Uzan**'lar hakkında. Ancak karım, Danıştay'ın Başkan Vekili, İdari Dava Daireleri Kurulu Başkanı. Onun önüne geliyor bütün **Uzan** davaları. Ben bilmeden bir şey yazıyorum, İslamcı basın ertesi gün, haklılar belki, kasıtlı yaptığımızı zannederek "Kocası yazıyor, karısı karar veriyor" diye manşet atıyor. Mesela Tüpraş'da başıma geldi bu benim. Ben Tüpraş özelleştirmesini yazdım en son, meğer üç gün sonra, karımın başında olduğu kurul, yani Danıştay'da en yüksek karar mercii, Tüpraş davasına bakacakmış. Ben ne bileyim! Danıştay'daki arşivleri tutmuyorum ki. Böyle açmazlar yaşıyordum. Yargı yani... Ben kendi açımdan düşünmem ama karım açısından düşünürüm. O zor durumda kalıyordu sonuçta...*

– "Birisi de çıkıp bana şunu sormadı, ben de söyleyemedim" dediğiniz bir şey var mı?

– ***Cem Uzan**'ın (Genç Parti'nin) Hürriyet'te yayımlanan paralı ilanları meselesini ilk defa sana söyledim. Hep aklımdaydı, yahu birisi bir şey sorsa da şunu bir söylesem diye. Söyledim sana, rahatladım.*

***

2007 yılı bitiyor. 27 Aralık tarihli *Vakit*'te **Hasan Karakaya**'nın *"Ertuğrul'un Cambazlıkları"* başlıklı yazısı:

*"Cambazlık" dedim de aklıma geldi... **Bekir**'in en yakın arkadaşlarından **Emin Çölaşan** son kitabında şöyle yazıyor:*
*"**Ertuğrul Özkök** hep arkadan vuruyordu. Bana dokunduran köşe yazıları yazıyordu. Hükümet aleyhinde yazmamamı istiyor. Beni kimin şikâyet ettiğini sorup **'Tayyip** mi?' dedim... 'Yorum yok' cevabını verdi. Peki **Bekir Coşkun**'u da*

143

şikâyet ediyor muydu hükümet?.. **Özkök** 'O mizah üslubu ile yazdığı için kimse iplemiyor' dedi...

TRT'yi dolandırdığı Yargıtay kararı ile sabit olan **Mehmet Ali Birand** aleyhinde de yazmamam isteniyordu.

Ertuğrul bir gün bana 'Ben gazeteci değilim, cambazım ve jonglörüm' dedi. Hürriyet'i yönetmek için cambazlık yaptığını, beş topu havaya atıp tutarak jonglörlük yaptığını anlatıp şunları söyledi:

'Ben rüzgârın karşısında kavak ağacı gibiyim. Rüzgâr nereden eserse o yöne eğilirim. Patronla uğraşıyorum, kızları ve damadıyla uğraşıyorum. Yediğim fırçaların haddi hesabı yok. Hangisine dert anlatacağımı şaşırıyorum. Hükümeti az yaz. Hiç merak etme, biz bu iktidarla er veya geç papaz olacağız. Zamanı gelecek. Biz onlara dünyayı dar edeceğiz. Kimse merak etmesin.'"

Ertuğrul Özkök, bu "cambazlık"ları, bu "kavak ağacı gibi eğilmeleri" kimin için ve neden yapıyordu?..

POAŞ için!..

Dün, **Ali İhsan Karahasanoğlu** kardeşim yazmıştı:

"**Doğan** Grubu, İş Bankası ile birlikte POAŞ'ı alıyor... Sonra, İş-Doğan birleşmesi gerçekleşiyor: 'Niye yapıyorlar, ne elde edecekler' uzun hikâye."

Geçtiğimiz yıl 275 trilyonluk uzlaşma ile kapatılan 1.2 katrilyonluk vergi kaçakçılığı dosyasının bir başka yönü de bu!

Olay, 2002'de yaşanıyor. Ortaya çıkması ise 2003 yılını buluyor. **Aydın Doğan**'ın bir numaralı mali işler sorumlusu **İmre Barmanbek** ve yine aynı grubun 5 yöneticisi hakkında SPK'nın suç duyurusu üzerine iddianame düzenleniyor.

İddianamedeki suçlama şu: "İş-Doğan birleşmesini SPK'ya bildirmeyip spekülasyon yapmak ve kamuoyunu yanıltıcı açıklamalarda bulunmak.."

Ertuğrul Özkök, "kavak ağacı" gibi eğiliyor... Ertuğrul Özkök "cambazlık" yapıyor!.. Ertuğrul Özkök "jonglörlük" yapıyor!.. Ertuğrul Özkök eğiliyor, bükülüyor!..

Kim için yapıyor bunları?.. Elbette patronu Aydın Doğan için... Ne için?.. Elbette "İş-Doğan birleşmesi"nden dolayı verilen "katrilyonluk ceza"yı kurtarmak için...

Sonuçta "ustalık, hüner, bilgi ve maharet" gerektiren bu "cambazlıklar"lar sonucu; patronu Aydın Doğan'a rahat bir nefes aldırıyor Ertuğrul!.. Bana göre Ertuğrul, bu haliyle "gerçek bir sanatçı"dır!..

Dile kolay;

"1 katrilyon 200 trilyonluk bir ceza"yı, binbir "emek" ve "ustalık" sergileyerek "sadece 275 trilyon lira"ya indirmeyi başarmıştır!..

Evet, bir "sanatçıdır" Ertuğrul!..

Ertuğrul'un "sanatçı" olduğu bir ülkede, Aydın Doğan, "büyük bir şef"tir!..

Evet; "orkestra şefi!"

Gelelim Bekir Coşkun'un değerlendirmesine:

Adnan Şenses Başbakanın önünde "göbek" atarak "bir tek benzin istasyonu"na sahip olduğu için, gerçekten de "sanatçı" değildir!..

Aydın Doğan'ın POAŞ'ının ise, "tam 3 bin 300 benzin istasyonu" vardır!.. O halde, gerçek sanatçı Aydın Doğan'dır!..

Çelik-çomak oynamaya devam!.."

***

Sevgili okurum, 2007 yılında günlerim hızla akıp gidiyor. Bu aşamada birkaç kez *Akşam* gazetesinin başındaki **Serdar Turgut**'la telefonda konuştum. *Hürriyet*'te rahatsız ve huzursuz olan bir "dostum" için!

"Serdar, Bekir'i arayacağını kendisine söylemişsin. Aradın mı?"

145

"Yok abi, arayamadım. Ama en kısa zamanda arayacağım."

Aradan bir süre geçti, Serdar'ı yine aradım:

*"Aradın mı **Serdar**, bir konuş onunla."*

"Abicim bak sana açık söyleyeyim. Bizim üzerimizde ne biçim baskılar var biliyor musun?"

"Bilmiyorum ama tahmin edebiliyorum."

"Tahmin ettiğinin de ötesinde her şey. Fırsat bulursam arayacağım."

Belli ki **Serdar** zor durumdaydı. Daha doğrusu *Akşam* grubu, Türkiye'nin en zengin adamı patron **Mehmet Emin Karamehmet** de baskı altındaydı.

Karamehmet gerçi Türkiye'nin birinci sıradaki zenginiydi ama, o da AKP iktidarının baskısı altındaydı. O da korkuyor ve adımlarını dikkatli atıyordu. Nitekim TMSF, bir süre sonra **Karamehmet**'e de 500 milyon dolar dolaylarında bir ceza kesti.

Çok ilginçtir, *Akşam* grubu bütün gazeteleriyle (*Akşam, Tercüman, Güneş*) ve aynı gruba ait *Skytürk* televizyonu bana ve kitabıma korkunç sahip çıkmıştı. Kitabımın tanıtımını günlerce manşetten yapmışlar, benden övgüyle söz etmişlerdi. *Skytürk* kanalında benimle söyleşiler yapılmıştı.

Karamehmet grubu bana geçmişte iki kez (biri Ankara temsilcisi **Nuray Başaran**, biri de medya grubunun önde gelenlerinden **Ersin Pamuksüzer** tarafından yine **Nuray Başaran**'ın yanında) transfer teklifi yapmıştı. İkisinde de AKP henüz iktidar olmamıştı. Yani basına AKP baskısı henüz yoktu.

Ben o sırada *Hürriyet*'te idim ve bu iki teklifi de kabul etmemiştim. Dahası, onlarla para bile konuşmamıştım.

Şimdi kovulmuştum, boşta kalmıştım ve aynı grup bana çağrıda bulunmuyordu:

"Gel arkadaş, bizde yazmaya başla."

146

Hayır, böyle bir çağrı gelmiyordu.

Demek ki iktidarla önemli işleri vardı. Onların da üzerindeki baskı çok ağırdı.

Serdar Turgut'un *Akşam*'daki 11 Aralık 2007 tarihli yazısı ilginçti. *Hürriyet* gazetesini eleştiriyor ve şöyle diyordu:

*"Hürriyet, **Emin Çölaşan** olayı ve **Bekir Coşkun** üzerine kurduğu baskıyla, okuyucularının zaten bildiği gerçek yüzünü onlara tekrar gösterdi.*

Başta Hürriyet olmak üzere rakiplerimize yönelik güven erozyonu ve bazı gazetelerin de fiilen hükümetin yayın organı haline gelmesi nedeniyle, Akşam gazetesinin önemi birden çok arttı. Biz de bu güvene layık olabilmek için elimizden gelen gayreti gösteriyoruz. Bağımsız duruşumuzun bugünlerde Türkiye'nin tam da ihtiyacı olan duruş olduğunu düşünüyoruz. Yoksa ortalıkta bağımsız gazete falan kalmadı. Biz onların yarattığı boşluğu da doldurmak zorundayız."

Serdar böyle yazıyordu ama üzerlerindeki baskılar onları da ezip geçiyordu.

Akşam grubundan bana herhangi bir öneri gelmedi.

Bunun nedenini birkaç ay sonra öğrenecektim. İlerleyen bölümlerde anlatacağım.

2008 YILI

Ve geldik 2008 yılına. İnsanlar tarafından unutulmadığımı görmek bir yana, nereye gitsem kendimi bir sevgi selinin içinde buluyorum. Ancak kovulduktan bu yana bir tek yazı yazmamışım. Olayları izledikçe bazen içimden yazı yazma duygusu patlıyor da, frene basıyorum.

Daha çok olan biten olayları izliyorum. 7 Ocak 2008 tarihli *Sözcü*'de **Müşerref Seçkin**'in **Bekir Coşkun**'la yaptığı söyleşiden:

– **Emin Çölaşan**'dan sonra nasıl geçiyor günler? Ne durumdasınız şimdi?

– *Emin'le 14 yıl aynı katta çalıştık. Tabii ondan önce de dosttuk. O gittikten sonra, odasının kapısını gördüğüm zaman bile içim kötü oldu. Ama en çok üzüldüğüm **Emin**'in gitmesi değil. Beni gören herkesin "**Emin** gitti, sen niye duruyorsun" demesi yordu. Bir kesim "Sen de bırak git" dedi. Çoğunluk "Kal" dedi. Kalmaya karar verdim. Çekebildiğim kadar, okuyucularım beni desteklediği kadar. Ama bir müdahale olduğu gün bırakır giderim. Bu günlerde Türk medyasının ne halde olduğunu ortaya koyan kahramanlardan biri olmam canımı sıkıyor doğrusu.*

– **Emin Çölaşan**'ın *Hürriyet*'ten ayrılması *Hürriyet*'i nasıl etkiledi?"

– *Emin'in olsun, benim olsun, bizi okuyan kitlelerin büyük bölümü Hürriyet almaktan vazgeçti. Sonra kimi tekrar almaya başladı. Sonra ne oldu bilmiyorum.*

– *Sözcü* gazetesini nasıl buluyorsunuz?

– *Ben Sözcü'nün tepeden tırnağa bütün çalışanlarını tebrik ediyorum. Nasıl da bir anda insanların hayatına girdi. Emin Çölaşan'ın ilk günden beri yazılarını değerlendiren, benim bile cevap bulamadığım sorulara cevap bulan bir gazete.*

***

Yavuz Donat benim çok eski arkadaşım. Ankara'da sık sık buluşuyoruz. Bir süre önce bana bir öneri getirmişti:

*"**Turgay Ciner** yeni bir gazete çıkaracak. Başında **Fatih Altaylı** olacak. Sen **Turgay Bey**'i tanır mısın?"*

"Tanımam. Sadece ismini bilirim. Bir de Sabah'ın eski sahibi olduğunu, yediği büyük kazık sonrasında gazetelerine ve televizyonlarına TMSF tarafından el konulduğunu bilirim."

*"Bu gazete çok iyi olacak. Benimle de temas halindeler ama ben henüz karar vermiş değilim. Sen **Turgay Ciner**'le konuşmak ister misin?"*

"İsterim elbette, neden olmasın."

Sonra **Yavuz**'dan haber geldi. **Turgay Ciner** beni İstanbul'da bekliyormuş. Ankara'dan son model bir Mercedes arabayla beni aldılar ve aynı gün öğleden sonra **Turgay Ciner**'in bürosunda buluştuk.

Ciner son derece mütevazı ve şirin bir adam. Beni *"Hoşgeldiniz Emin Abi"* diye karşıladı...

O gün belki dört saat baş başa konuştuk. Yeni çıkacak gazeteyi bana anlattı. Bizim gazetelere göre enden ve boydan birkaç santim daha küçük olacak, içinde çok sayıda ekler bulunacak. Bu iş için yurtdışından özel matbaa makineleri sipariş edilmiş. Ayrıca İstanbul, Ankara, İzmir ve Adana'da matbaa binalarının inşaatına başlanmış. *"2008 sonunda veya 2009 başında çıkarmayı umuyoruz, ülkemizin en iddialı gazetesi olacak"* dedi.

Türkiye'nin en iyi kadrosunu kuracaklarını, gazetenin başında **Fatih Altaylı**'nın olacağını, bu amaçla hiçbir harcamadan kaçınmayacağını söyledi.

Kendisine bir isim daha verdim: **Bekir Coşkun**. *"Onun vekâleti bendedir. Para dışında her konuda tam yetkiliyim... Çünkü Hürriyet'te rahatsızlığı büyük"* dedim. Yanıtı çok olumluydu:

*"**Bekir Abi**'yi zaten düşünüyoruz. Başımızın üzerinde yeri vardır. Harika olur."*

İstanbul'da bir gece kalacağım. Aynı Mercedes beni alıp Taksim'de **Ciner**'in Larespark oteline götürdü. Orada emrime iki katlı kral dairesi açılmıştı. Acayip güzel bir yerdi.

Akşam otelin müdürü yanıma geldi...

*"**Emin Bey**, gece burada **Ferdi Özbeğen**'in konseri var. Sizi de mutlaka bekliyoruz. (**Turgay Ciner**'e ait olan) Habertürk ekibi de burada olacak. Salonun çoğunu zaten onlar oluşturacak."*

Gece 23.00'te konserin verileceği salona indiğimde, kapının önünde **Fatih Altaylı** ile **Ferdi Özbeğen** var. **Özbeğen**'le orada tanıştım. **Fatih**'le görüşmeyeli uzun bir zaman olmuştu. Geçmişte *Hürriyet*'te iken bazı tatsızlıklar yaşamıştık ama anlaşılan ikimiz de bunları unutup gitmiştik. **Fatih** benim kovulma olayımdan sonra medyada bana büyük destek vermişti. O gün **Turgay Ciner**'le görüştüğümü doğal olarak biliyordu. *"Hayırlı olsun abi, birlikte büyük işler başaracağız"* dedi. Kendisine teşekkür ettim ve içeri girdik.

İçeriye girdiğim anda salondan bir alkış koptu. Yine çok duygulandım. Büyük bir masada **Fatih Altaylı**, **Melih Meriç**, **Tolga Atak**, **Taki Doğan** ve *Habertürk* ekibinin öteki bireyleri oturuyor. **Ciner**'le konuşmamızı herkes duymuş. Arkadaşlara dedim ki *"Yarın **Ciner**'le görüştüğüm internet sitelerinde patlar."*

150

Tahminim aynen doğru çıktı. Ertesi gün siteler bu haberle doluydu. Hatta bazıları, haberi geceden geçmiş ve şöyle ifadelere yer vermişti:

*"Habertürk ve Kanal 1'in sahibi **Turgay Ciner**'le el sıkışan **Emin Çölaşan** şu anda Habertürk ekibiyle birlikte **Ferdi Özbeğen** konserini dinliyor."*

Ertesi sabah aynı Mercedes'le Ankara'ya döndüm. Acelem var çünkü bir gün sonra **Tansel**'e Hacettepe'de beyin anjiyosu yapılacak.

***

Anjiyo yapıldı, doktorlar "ameliyat" dedi.

Prof. Dr. Saruhan Çekirge 22 Ocak günü ameliyatı yapacak. Bu ameliyat Türkiye'de sadece üç hastanede yapılabiliyormuş ve bu işin çok az sayıda uzmanlarından biri de **Saruhan Çekirge** imiş. Bu ameliyatta ölüm riski yüzde 4'müş. Korkutucu bir durum.

Sabah erkenden hastaneye gittik ve **Tansel** ameliyathaneye alındı.

Önce 24 saat yoğun bakımda kalması gerekiyormuş. Rica minnet nöroloji yoğun bakım doktorlarından ve hemşirelerinden, orada **Tansel**'in yanında oturmak için izin kopardım. Her giriş çıkışta üzerime steril bir yeşil elbise giydiriyorlar, başıma takke geçiriyorlar ve ben orada oturuyorum. Ne yapıyorum? Hiçbir şey. Sadece, bağlı olduğu aletlerin ötmesini izliyorum, arada sırada bir isteği olup olmadığını soruyorum. Aletler bazen durup dururken ötmeye başlıyor. Ne olduğunu anlamıyorum, bilemiyorum ve telaşa kapılıyorum.

Bu arada, **Tansel** henüz ameliyatta iken ilginç bir olayla karşılaştım. **Ülkü Bey** isimli bir Emniyet mensubu, Ankara Emniyet Müdürü **Ercüment Yılmaz** adına bir paket getirdi. Ne olduğunu sorduğumda *"Sayın Danıştay Başsavcımız için*

Müdürümüz ve Ankara Emniyeti adına geçmiş olsun dilekle-rimizle" dedi. Pakette havlu ve kolonya vardı.

"Peki siz nereden duydunuz bizim hanımın ameliyat ola-cağını?"

*"Biz polisiz **Emin Bey**. Bütün hastanelerden bize her gün yatanların, ameliyat olanların isim listesi gelir. Hem kendi mensuplarımıza, hem de ismi bilinen kimselere böyle küçük bir geçmiş olsun paketi iletiriz Ankara Emniyeti olarak."*

Güzel bir jestti.

Gece sabaha kadar bir dakika uyumadan yoğun bakımda kaldım. Orada bir taburede, **Tansel**'in başucunda özel izinle oturuyorum. Aletler öttükçe telaşlanıyorum.

Yoğun bakımda hepsi ameliyattan çıkmış 20 kadar has-ta var. Bazen onlarla, bazen de görevli doktor ve hemşirelerle muhabbet ediyorum. Başka türlü zaman geçmiyor.

Sabah 08.00'de bir duş alıp yeniden hastaneye dönmek için eve geldim.

Kapıdaki güvenlik elime tomar gibi bir zarf tutuşturdu. Bir baktım, mahkeme celbi. Kendi kendime *"Ulan herhangi bir yerde yazı yazmayalı kaç ay olmuş ve hâlâ mahkemeden tebligat geliyor, nedir bu"* diye tomarı merakla açtım.

Davacı: **Aydın Doğan**.

Davalı: **Emin Çölaşan!**

Benden kitabım nedeniyle 50 milyar tazminat istiyor!

24 saatten beri uyumamışım, perişan bir durumdayım. Bu dava dilekçesine şöyle bir göz atınca tepem attı. Fakat ta-mamını okumaya hem zaman yok, hem de o kafayla okusam bir şey anlamam.

Tansel'in cep telefonu da bende. Benimkini ve **Tansel**'in telefonunu eve girerken açmayı akıl ettim...

Ve içeriye girdiğim andan başlayarak ev telefonu dahil üç telefon birden çalmaya başladı. Hepsinden geçmiş olsun mesajları yağıyor. Biriyle konuşurken öteki çalıyor, sonra ötekiler... Evin içi zil sesinden geçilmiyor.

İlk önce yanıt verdiklerime haberi nereden duyduklarını sordum. O gün ameliyat olacağı haberi bütün gazetelerde varmış. Sabah gazete falan görmediğim için haberim yok.

Bu arada **Volkan Vural** aradı. **Volkan** benim Ankara Koleji'nden arkadaşım ve emekli büyükelçi. Şimdi **Aydın Doğan**'ın danışmanlığını yapıyor.

"Emin'ciğim geçmiş olsun... Biraz önce patron benim yanımdaydı, o da sana geçmiş olsun dileklerini iletmemi benden istedi."

Sabah sabah o halimle eve gelip beyefendinin dava dilekçesi kapıda elime tutuşturulduğunda zaten tepem atmıştı. Çok ağır konuştum, belki **Volkan**'ı da üzmüş oldum.

"Söyle ona, onun geçmiş olsun dileğini falan kabul etmiyorum. O kendi işine baksın. Sen bu sözlerimi lütfen üzerine alınma çünkü sen aracısın. Elçiye zeval olmaz."

Sözlerim böyle yazdığım gibi değil, epeyce ağırdı.

Sonra düşündüm. Belli ki **Aydın Doğan** haberi gazetede okuyunca üzülmüş ve **Volkan**'ı aracı kılıp geçmiş olsun dileğini o yolla duyurmuştu. **Volkan** benim ağır sözlerimi herhalde kendisine söylememiştir.

O telefon konuşmasında arkasından ettiğim ağır sözlerden muhtemelen **Aydın Doğan**'ın haberi olmadı. Ama ben üzüldüm.

***

Birkaç gün sonra gazetelerde haberler:

"Aydın Doğan, Çölaşan'a 50 bin YTL'lik dava açtı..."
"Doğan ve Çölaşan birbirine girdi..."
"Aydın Doğan'dan Çölaşan'a dava..."

İki gün sonra **Tansel** taburcu oldu ve telaş bitince dava dilekçesini okuma fırsatı buldum. Anlamını özetliyorum:

153

"Emin Çölaşan gazeteden ayrıldıktan sonra bir kitap yazmış ve bu kitap bugüne kadar 70 baskı yapmıştır. Kitaptaki beyanları gerçeğe aykırıdır. Gazetenin kendisine sansür uyguladığını iddia etmiştir. Ayrıca gazetenin işleyişi ve mahremiyeti ile ilgili sırları gün ışığına çıkarmıştır. Gazetenin ticari sırlarını açıklamış, maddi zarara uğramasına neden olmuştur."

Sonra benim 1996 yılında yazdığım iki satırı gündeme getiriyor, bu konuyu İ. Melih'le yaptığımız televizyon tartışmasında doğruladığımı belirterek şöyle diyor:

"Çölaşan, yazısında, sansürü kabul edenlerin onursuz olduğunu söylemiştir. O halde bu durumda onurlu mudur?"

Avukat, benim onurumu nerelerden nerelere getiriyor ve bunu yaparken de İ. Melih'e sığınıyor! Hani *"Bana ibne dedi"* diye kendi ismine 30 dava açan İ. Melih'e!

Dilekçe devam ediyor:

"Yazıları asla sansür edilmemiştir. Kendisine hükümete karşı yazı yazma denilmemiştir. Takıntılı yazma denilmiştir.

Kitabında müvekkilimi iktidarlarla iyi geçinmek için her türlü tavizi veren biri olarak göstermiştir."

Daha sonra konu dönüp dolaşıp **Bay Patron**'un bana yazdığı bir mektubu kitabımda açıklamış olmama geliyordu. Kitabımın 18. sayfasında, kendisinin bana yazdığı bir mektubu açıklamıştım. Mektup tamamen beni eleştiriyordu. Dava dilekçesine dönelim:

*"Davalı, müvekkilin (**Aydın Doğan**'ın) gönderdiği mektubu ve müvekkil ile yapılan görüşmeleri müvekkilden izin almaksızın açıklamış, gazetenin mahremiyeti ve iş sırlarına tecavüzde bulunmuştur."*

(Bir patron düşünün ki, bir sürü yayın kuruluşunun sahibidir ve o kuruluşlarında her gün en az 10 gizli veya açık görüşme açıklanır. Bunlar için sahiplerinden izin mi alınır?)

Devam edelim:

"Fikir ve Sanat Eserleri Kanunu'nun 85. maddesi uyarınca eser mahiyetinde olmasa bile mektup, hatıra ve buna benzer yazılar, yazanın onayı olmadan yayınlanamaz. Davalı, **Aydın Doğan** tarafından kendisine yazılan bir mektubu aynen yayımlamış ve kişilik haklarına tecavüz etmiştir. Bu durum tazminatı gerektirir."

Ben, dava dilekçesinde beklerdim ki, şöyle belgeler olsun:

"**Emin Çölaşan** şu şu nedenlerle Hürriyet'ten kovulmuştur. Üçkâğıt yapmış, yalan yazmış, şöyle bir ahlaksızlıkta bulunmuş, kalemini satmış, çıkar karşılığı yazı yazmıştır... İşte belgelerini de ilişikte sunuyoruz."

Yoktu böyle şeyler! Olamazdı da.

***

Avukatım **Serhan Özdemir**'le birlikte savunmamızı, cevap dilekçemizi hazırladık. Kitapta bazı yazılarımın **Ertuğrul** tarafından sansür edildiğini anlatıyordum. Bunların tamamını mahkemeye bilgisayar çıktılarıyla kanıtladık.

Ve ikinci dilekçelerinde buna tek cümleyle olsun yanıt veremediler. İnkâr edemediler.

Bay Patron'un mektubunu izinsiz yayımladığıma gelince, bu sadece beni eleştiren bir mektuptu. İçinde ticari sır falan yoktu. Benim gazetede AKP döneminde suyumun nasıl ısınmaya başladığının belgesiydi.

Peki ama ortada ciddi bir sorun daha vardı! *Hürriyet* gazetesi her gün bazı okurların mektubunu yayımlardı. Bunu ben de köşemde yüzlerce kez yapmıştım. Acaba önceden bunların yayımlanması için her okurdan izin mi alınıyordu! Elbette ki hayır. Peki yarın o okurlar *Hürriyet*'e *"Ben size mektubumu yayımlamanız için değil, bilgi edinmeniz için göndermiştim"* deyip dava açarsa ne olacaktı!

Dahası var. Örneğin Meclis'te pusuya yatan muhabirler, milletvekillerinin torpil mektuplarının resmini çekerler ve gazete bunları birinci sayfadan yayımlar. Elbette yayımlayacaktır ve bunu yapmak bir gazetecilik görevidir.

Bir tek örnek vereyim. 5 Eylül 2007 tarihli *Hürriyet*'in manşeti:

"Hamili kart tam gaz."

Burada, Bakanlardan torpil isteyen iki milletvekilinin Meclis toplantısında yazdıkları torpil mektuplarının fotoğrafları gizlice çekilmiş. **İdris Naim Şahin** ve **Mehmet Ceylan**.

Ben patronun mektubu açıklayınca suç oluyor da, *Hürriyet* yapınca olmuyor mu?

Dahasının dahası da var!

Nazlı Ilıcak bir zamanlar **Aydın Doğan**'ın *Meydan* gazetesinde yazardı. İkisi arasında çok güzel ilişkiler vardı. Gün geldi, **Nazlı Ilıcak** başka gazetelerde bizim patrona bindirmeye başladı. Patron hop oturup hop kalkıyordu. Bir gün beni aradı:

"Bu Nazlı, geçmişte bana övgüler düzerdi. Şimdi ise benim hakkımda yazdıklarına bak. Bu kadına bir ders verelim istiyorum. Sana bunun bana geçmişte yazdığı mektupları göndersem yazar mısın?"

Benim canıma minnetti. Elbette yazardım.

Mektupları Ankara'ya faksladı. Bunları birkaç kez yazılarımda kullandım ve **Nazlı Ilıcak**'a bindirdim.

Bana o özel mektupları yayımlamam için gönderen **Aydın Doğan**, şimdi kendisinin bana yazdığı mektubu açıkladım diye kitabı dava ediyor ve benden para istiyordu!

***

İşte geçmişte **Aydın Doğan**'ın onayı ile yazılarımda kullandığım, **Nazlı Ilıcak**'ın kendisine yazdığı o üç mektup:

"28 Mart 1996.

Sayın Aydın Doğan, size veda etmek amacıyla bu satırları kaleme alıyorum.

Aslında, randevu isteyip yüz yüze, durumumu arz etmek suretiyle, müsadelerinizi talep edebilirdim. Ama değerli zamanınızı harcamayı uygun bulmadım. İtiraf edeyim, birkaç kere başıma geldiği gibi, randevu ricamın sürüncemede kalmasından ve kırgınlık hissiyle müessesenizden ayrılmaktan da endişe duydum.

Bâbıâli'nin şartları bizi bu noktaya getirdi. Fakat, ben daima dost kalacağımıza eminim.

Yazılarıma Akşam gazetesinde devam edeceğim. Daha sonra da Tercüman gazetesinin yayınından sorumlu olacağım.

*Tercüman gazetesinin yeniden yayın hayatına başlamasını, bir vasiyet telakki ediyorum. Bu gazete bana emanetti. Kemal (merhum eşi **Kemal Ilıcak**) daima, 'Nazlı sen yetiştin, gözüm arkada kalmayacak' derdi. Kader beni, (oğlu) **Mehmet Ali** ile birlikte, yeniden Tercüman'ı yayımlama çizgisine getirdi.*

Sizin bir sözünüz var kulaklarımda. Kemal'in vefatını takiben büronuza gelmiştim. O tarihte daha Tercüman kapanmamıştı. 'Acaba bizlere sahip çıkar mısınız?' diye sormuştum. Hiç unutmuyorum, dediniz ki: 'Almanya'da veya Fransa'da bir ana-oğul, baba vefat ettikten sonra işe sahip çıktılar ve durumlarını düzeltmeyi başardılar. Belki siz de öyle başarılı olursunuz.'

O gün hayal gibi duran bu cümleler, bugün gerçek olma çizgisine yaklaştı.

Siz inançlı bir insansınız. Aynı zamanda duygulu birisiniz. Hem benim hislerimi bildiğiniz için, hem de **Kemal'**in *belki de bir başka diyardan bizi seyrettiğine inanarak, yardımlarınızı esirgemeyeceğinizi umuyorum.*

*Aslında (***Aydın Doğan'***ın sahibi olduğu gazete) Meydan'daki görevimin sona ermesini bir ayrılık gibi telakki etmiyorum. Bir dostluk elçisi olarak gidiyorum.*

Benim ayrılığımın, bir beraberliğin ilk adımı olmasını diler, saygılarımı sunarım."

Bir başka mektup:
"5 Nisan 1995.

Sayın **Aydın Doğan,** *daha önceki haftalarda konuştuğumuz gibi, zannediyorum Mayıs başında sizinle biraraya gelip, 'Kaderimi' tayin edeceğiz. Müsaade ederseniz, 2 Mayıs-6 Mayıs arasında birkaç günlüğüne (kızı)* **Aslı'**nın *yanına Paris'e gidiyorum. Maalesef, gazetelerin yıldönümünde bulunamayacağım. Şimdiden en samimi duygularımı size iletir, müesseselerinizin başında başarılı ve verimli bir iş hayatı dilerim.*

Ben 6 Mayıs Cumartesi dönüyorum. Dolayısıyla, 8 Mayıs Pazartesi sizin için de uygunsa görüşmeğe hazırım. Ama belki bayram yüzünden siz İstanbul'da olmayabilirsiniz. O zaman bayram ertesi görüşmemizi şimdiden belirleyebilirsek, araya bir kopukluk girmez. Ben de önümü görebilirim.

Saygılarımla."

Bir mektup daha:
"Haziran 1995.

Sayın **Aydın Doğan,** *Konya halkı,* **Mevlana** *ile* **Tebrizli Şems** *hakkında çok söz söylemekte, bu rencide edici laflar* **Mevlana'**nın *kulağına gelmektedir. İşte dün size aktardığım cümleleri* **Mevlana** *o dedikodular üzerine söyler:*

'Köpekler beni ısırır, canım acır. Ben köpek değilim, ısıramam, dudağımı ısırırım.'

*Bâbıâli'ye çirkinlik getiren bu insanların sizin muhatabı-
nız olmadığını düşünüyorum.*
Saygılarımı sunarım."

Evet, kendi mektubunu yayımladım diye benden tazmi-
nat isteyen **Bay Patron**, zamanında bana başkasının bu mek-
tuplarını gönderip yayımlamamı istemişti...
Ve ben, bunları yazılarımda kullanmıştım!

***

Dava açıldıktan sonra çeşitli yerlere demeçler verdim.
Şöyle diyordum:
*"Bu davada en büyük tanığım **Ertuğrul Özkök** olacak.
Ancak mahkemede namusu üzerine edeceği yemin beni kes-
mez. Yazdığım konularda yalan olup olmadığını kendisine so-
racağım. Tek şartım, namusu ve şerefiyle birlikte, doğruyu söy-
leyeceğine dair torunlarının üzerine de yemin etmesidir."*

***

4 Şubat 2008'de **Fatih Altaylı**'nın *Habertürk* internet si-
tesindeki yazısının başlığı:
"Hilton'a İzin Çıkarsa 'Ertuğrul Çölaşan' Susar."
Yazıyı aynen veriyorum:

*"Geçen gün bir işadamıyla konuşuyorduk. 'Anlamadım
Hürriyet niye **Emin Çölaşan**'ı kovdu. O günden beri **Ertuğrul
Özkök**, **Emin Çölaşan** gibi yazıyor' dedi. Güldüm. 'Belki iki
Emin Çölaşan fazla olur diye düşünmüşlerdir, tasarruf ted-
biridir' dedim.*

*Gerçekten de **Emin Çölaşan** ayrıldığından bu yana **Er-
tuğrul Özkök**'ün yazı tarzı çok değişti. **Çölaşan** olması beklen-
en, aslında **Yılmaz Özdil**'di. Ama **Özdil Çölaşan** gibi belge
ve bilgi yazamıyor. Laf ebeliği yapıyor. Yerini alamazdı.*

*Sonra görev **Mehmet Yılmaz**'a verildi. Onun yazarlığın-
da iş yoktu. Etkili olamadı. Bunun üzerine görevi **Ertuğrul***

Özkök üstlendi... Allahı var, iyi de becerdi! Atak, öfkeli bir biçimde yazıyor.

Aslında **Özkök**'*ün bu görevi bu kadar uzun süre yapması beklenmiyordu. Okurun gazı alınıncaya kadar Ertuğrul,* **Çölaşan** *olacak, sonra yine aslına dönecekti. Ama dönmedi, kaldı. Nereye kadar yürür diye sorduğunuzu duyar gibi oluyorum.*

Hilton'a imar izni çıkıncaya kadar yürür gibime geliyor! Nedir Hilton? **Aydın Doğan** *İstanbul Hilton Oteli'ni ve kentin en değerli yerindeki yüzlerce dönümlük arazisini de aldı. O araziye gökdelenler, zenginler için rezidanslar, iş merkezleri yapmayı planlıyor. İmar iznini bir alsa, iş bitecek.*

Acaba **Emin Çölaşan**'*ın kovulmasında bu konu da gündeme gelmiş miydi! AKP'li belediye 'Önce şunun işini bitirin, sonra imar iznine bakarız. Bizim Ankara'dan aldığımız direktif böyle' demiş miydi! Kimbilir!"*

Ertuğrul'la basında alay edenlerin sayısı giderek artıyor. **Taha Kıvanç (Fehmi Koru)** 6 Şubatta *Yeni Şafak*'ta yazıyor:

"Amacı sırıtan bir yazı. Kendisini tarihe 'Kötü bir **Emin Çölaşan** *kopyası' olarak geçirecek tarzda yazılmış..."*

Mücadeleyi bırakmıyorum. Medyanın içyüzünü, Türk medyasını ele geçiren para babalarını, özellikle yakından tanıdığım **Aydın Doğan** ve **Ertuğrul Özkök** üzerinden gündemde tutmayı sürdürüyorum.

Hayır, bu şarkı burada bitmeyecek!

***

8 Şubat Cuma günü kebapçıda öğle yemeği yiyeceğim. Garson daha içeri girerken elimi sıktı:

*"**Emin Bey**, gerçekten kutlarım. Siz daha büyüklerine layıksınız. Ödülünüz hayırlı olsun."*

"Ne ödülü yaa, benim haberim yok."

"Bugünkü Posta gazetesini okumadınız mı?"

160

Okumamıştım. Garson getirince şaşırdım. **Aydın Doğan**'ın *Posta* gazetesinin manşetinde bir haber:

"Posta, yazarlarıyla da bir numara. Nielsen Şirketi, Media Cat dergisi için yaptığı kamuoyu araştırmasında Türkiye'nin en çok okunan ve en beğenilen köşe yazarlarını belirledi. Posta beş yazarıyla listeye girdi."

Manşette ayrıca iki ayrı sütun açılmış. İlki, en çok okunan köşe yazarları.

İlk sırada **Emin Çölaşan**!

İkincisi, en beğenilen köşe yazarları.

İlk sırada yine **Emin Çölaşan**!

Kovulalı altı ay olmuş, hiçbir yerde yazım çıkmamış ama kamuoyu araştırmasında iki dalda da birinciyim. Muhteşem bir şey.

İşin ilginç yanı, bu araştırmayı Nielsen isimli bir yabancı kuruluş yapmış.

Sonra bu olayın ayrıntılarını yazan *MediaCat* dergisini aldım. Araştırma 13 ilde yapılmış. Dergi şöyle diyor:

"Çölaşan'ın çalıştığı Hürriyet'te işine son verilmesine rağmen her iki tabloda da ilk sırada yer alması dikkat çekiyor...

*Her iki listenin de en başında yer alan **Emin Çölaşan**, Hürriyet'te geçen Ağustos ayına kadar sürdürdüğü yazılarında özellikle iktidarı hedef alan muhalif diliyle dikkat çekiyordu. Gazetedeki işine son verilmesinden sonra yaptığı açıklamalar ve yayınladığı kitapla gündeme gelen **Çölaşan**, henüz bir gazetede köşe yazısı yazmamasına rağmen, araştırma sonuçlarında ilk sırada yer alıyor."*

***

Bugün 14 Şubat 2008. Altı ay sonra ilk yazım *Gazeteport*'ta yayımlandı. İnternet sitesinin sahibi **Yavuz Semerci** ile Ankara temsilcisi **Emin Özgönül** sürekli bastırıp bir yazı istiyorlardı. Onları kıramadım ve içimden geldi, yazdım.

161

Bugünlerde *Hürriyet* muhalefet yapıyor, bazen **Tayyip**'i bile kızdırıyor. Yaptıkları muhalefet genelde türban ve laiklik üzerinden. Fakat özellikle ekonomi konusunda **Tayyip**'e tam destek veriyorlar çünkü çıkarları o doğrultuda.

İşte aylar sonra yazdığım ilk yazı:

*"AKP iktidarı ile **Doğan** grubu arasındaki kayıkçı kavgasını gülerek, neşemizi bularak izliyoruz! Evet, bunun adı dostlar alışverişte görsün misali, kayıkçı kavgasıdır. Yarın öbürgün biter, unutulur gider, **Doğan** Medya Grubu AKP iktidarına destek vermeyi yıllardır olduğu gibi aynen sürdürür.*

Bu olaya şimdi kapışmış görünen iki taraf açısından bakmakta yarar görürüm.

*1) AKP iktidarı ve **Recep Tayyip** açısından. Bunlar 2002 yılında iktidar olduktan sonra, **Doğan** grubunun inanılmaz desteğini gördüler. Ucuz döviz gerçeği, AB masalları, özelleştirme beklentileri vesaire!.. AKP iktidarı en büyük desteği onlardan gördü. (Yüreklice eleştiri yazabilen az sayıdaki köşe yazarı arkadaşımı tenzih ederim.)*

***Recep Bey** mantığını ve belleğini herhalde yitirmedi. **Doğan** grubu gazete ve televizyonlarının günümüz dahil geçmişte yaptığı yayınlara bir kez daha baksın. Kendisine ve iktidarına nasıl övgüler düzüldüğünü, nasıl göklere çıkarıldığını, hoşuna gitmeyecek haberlerin nasıl hasıraltı edilip çöpe atıldığını, 'Aman üzerimize gelmesinler' anlayışıyla özellikle kendisi, Maliye Bakanı ve TMSF için nasıl dokunulmazlık sağladıklarını anımsasın.*

*Burada kendisine düşen görev, yatıp kalkıp **Aydın Doğan** ve **Ertuğrul Özkök** başta olmak üzere hepsine, son 5.5 yıl için dua ve teşekkür etmektir. Böyle bir ballı börek Türkiye'de hiçbir iktidara nasip olmamıştır.*

*Şimdi kalkmış **Doğan** grubu ile horoz döğüşü yapıyor, ağız dalaşına giriyor. Çok ayıp, çok!..O grup sıkmabaş tan-*

tanası bitince yine övgüler düzmeye başlayacak, devran yine eski devran olacak. Niçin?..Çünkü değil **Doğan** grubu, hiçbir güç şu andaki tek parti iktidarını sürekli karşısına alamaz. O medya gruplarının bütün ipleri iktidarın elinde. İki yasa çıkarır, POAŞ olayında olduğu gibi üzerlerine birkaç müfettiş gönderir ve karşı tarafı yere serer.

O nedenle, **Recep Tayyip** fazla heyecanlanmasın. Beş yılı aşkın süredir ilk kez **Doğan** grubu ve Hürriyet kendisine karşı bir çıkış yaptı, onları hoşgörsün! Hiç kuşkusu olmasın, bu çıkış en kısa sürede sona erecek ve göstermelik muhalefet bitecektir.

2) **Doğan** grubu ve Hürriyet açısından: Hürriyet'te iken **Ertuğrul Özkök** isimli arkadaş bana sürekli bastırırdı: 'Aman hükümetin üzerine fazla gitme, zor durumda kalırız.' Yazılarım bu doğrultuda makaslanırdı. **Kovulduk Ey Halkım Unutma Bizi** kitabımda bunları ayrıntılı olarak anlattım. Ben hırsızlıktan, yolsuzluktan, ahlaksızlıktan kovulmadım.

Ama bütün Hürriyet çalışanları –köşe yazarları dahil– bunların tutumunu eleştirdikçe, Ertuğrul şu eklemeyi de yapıp ağızlara bir tutam bal çalardı: 'Merak etmeyin beyler, biz günün birinde bunlarla mutlaka papaz olacağız!'

Eğer şimdi papaz oluyorlarsa, çok geç kaldılar. Atı alan Üsküdar'ı geçti.

Bu iktidara 5.5 yıldan beri amansız destek verdiler. İktidarın hoşuna gitmeyecek haberleri kullanmadılar. Hürriyet'in ekonomi sayfalarına bakınız. Sürekli pembe tablolar çizilir, övgüler düzülür. Birinci sayfa –eğer magazin değilse– yine öyledir. Korku dağları bürümüştür.

Adam gibi bir manşeti ben Hürriyet'te –AKP döneminde– sadece bir kez gördüm. Ulaştırma Bakanı bir gezide. Bakan dahil bütün erkekler topluca bir masada oturmuşlar... Ve yandaki masada Bakan Bey'in sıkmabaşlı karısı tek başına, gariban bir biçimde oturuyor. Bu fotoğraf bir mucize eseri olarak manşetten yayımlandığı gün **Ertuğrul**'u arayıp kutladım. 'İşte gazetecilik budur, ellerine sağlık' dedim. Ne yazık ki ikinci kez kutlama durumum olmadı!

Üniversitede sıkmabaş konusunda olacakları bundan tam üç yıl önce, 8 Şubat 2005 tarihinde aynen görmüş ve yazmıştım. İsteyen arşive girip okuyabilir. Ben onları yazarken, şimdi birdenbire sıkmabaş karşıtı (!) kesiliveren **Ertuğrul Özkök** yazılarında 'Türban üniversitelerde serbest olmalıdır' diye ve ısrarla yazıyordu. Aynı fikrini Meclis Komisyonu önünde de söylüyordu. İnanmayan açsın Komisyon tutanaklarını okusun.

Peki şimdi ne oldu da bunlar kapıştı? Bu kayıkçı kavgasının nedenleri nedir? Üniversitede türbanın serbest bırakılmasını yıllardır savunan **Ertuğrul** niçin bir anda döndü?

Bunun birkaç nedeni olabilir.

Doğan grubu hidayete erdi!.. Çünkü okurlarından gazetelerine, izleyicilerinden televizyon kanallarına korkunç baskı ve tepki geliyor. CNN-Türk, **Taha Akyol**'un yönetiminde adeta bir iktidar televizyonu oldu. Hürriyet AKP'nin yayın organına dönüştü.

Bunlar, özellikle Hürriyet'in okuyucu yapısının farkında değillerdi. Ya da farkındalardı ama başka hesaplar yüzünden AKP iktidarına bu inanılmaz desteği veriyorlardı. **Doğan** grubu Türk milletinden inanılmaz tepki alıyordu.

'Siz bu olanları görmüyor musunuz, siz neredesiniz, bu gidişe niçin karşı çıkmıyorsunuz' doğrultusunda binlerce mesaj yağıyordu. **Doğan** grubunun patronu ve üst yönetimi protesto ediliyordu. **Ertuğrul** gazeteyi protesto eden **Atatürkçü**, laik, çağdaş kitleleri yazılarında 'azgın azınlık' olarak tanımlamaktan çekinmiyordu. Tepkilere verecek yanıtları yoktu.

164

Üstelik Hürriyet'in satışı giderek azalıyordu. Son rakamlara göre 499 bin'e düştü. İşte bu ortamda oturup karar verdiler:

'Artık dönelim, biraz dişimizi gösterelim! Ama sadece sıkmabaşta! Böylece yeniden saygınlık (!) kazanalım, hem de satışımız artsın.'

Ve döndüler.

Ben **Recep Tayyip**'in yerinde olsam, şimdi onlarla kapışmak yerine **Ertuğrul**'a sorarım:

'Arkadaş, yıllarca üniversitede türbanın serbest bırakılmasını savunan, bunu üç gün önce bile yazan sen değil miydin? Yoksa senin yazılarını sen uyurken başkaları mı yazıyor? İstedin, biz de senin isteğini yerine getirdik, serbest bıraktık.'

AKP iktidarı kamuoyunda güç yitiriyor. **Doğan** grubu bunu gördü ve sıkmabaştan üzerlerine gitmeye başladı. Ama geç kaldılar. Çok geç.

Mertliğe yakışan, gücünün zirvesinde olanla kapışmaktır. Güçlü iken destek vermek, inişe geçince efelenmek kolaydır ve bunların yaptığı da budur.

'Efendim biz iktidarı her konuda destekleriz ama türbanda karşı çıkarız!'

Günaydın! Bu nasıl gazetecilik anlayışıdır? Nasıl yurtseverliktir? Bunların kim olduğunu, amaçlarının ne olduğunu koskoca **Doğan** grubu olarak siz bilmiyor muydunuz? Yeni mi öğreniyorsunuz?

Fakat tekrar rica ediyorum, **Recep Tayyip** hiç endişe etmesin! Biz balık hafızalı toplumuz. Bu konu da yakında unutulur. Taaa ki sıkmabaşın bütün kamu kurumları, liseler ve ilköğretim okullarında da serbest kılınması gündeme gelene kadar **Doğan** grubu ile yeniden el ele, kol kola verir ve onların her konuda desteğini almaya devam eder. Biz bu medyada ne atraksiyonlar, ne kıvırtmalar, ne cambazlar gördük.

Bay Başbakan **Doğan** grubunun hakkını sakın inkâr etmesin, günaha girip çarpılır. Makam koltuğunda rahatça otu-

ruyorsa, bugüne kadar dikensiz gül bahçesinde yaratılan yapay pembe cennetlerde yaşatıldıysa, iktidarının üzerine gelinmediyse, bunu ilk sırada **Aydın Doğan-Ertuğrul Özkök** *ikilisine borçludur. Şimdi kürsülerden bindireceğine, yatıp kalkıp onlara dua ve teşekkür etsin."*

Bu yazı için *Gazeteport*'a yüzlerce kutlama mesajı geldi. Yazıyı ayrıca çok sayıda internet sitesi *"Emin Çölaşan yazdı"* diye aynen verdi. Ayrıca gazetelere girdi.

Ertesi gün sitelerde açıklama yapıldı:

"Emin Çölaşan'ın dünkü yazısı çeşitli internet sitelerinde 500 bin kişi tarafından okundu."

Sitelere gelen okur mesajları da bunu gösteriyordu. Yüzlerce insan beni kutluyor, sesimi duydukları için mutlu olduklarını söylüyor ve yazmaya devam etmemi istiyordu.

Ancak kafamda bir soruyu çözemiyordum. Benim ilkelerime göre ben ya her gün yazmalı, ya da hiç yazmamalıydım! Yani ya hep, ya hiç. Ya tam olsun, ya hiç olsun.

Yaptığım işi en iyi yapmalıydım. Dört dörtlük olmayacaksa o işe hiç girişmezdim.

Arandığımı, sevildiğimi, özlendiğimi görüyordum ama önümü tam görebilmek için biraz daha beklemek istiyordum.

***

17 Şubat 2008 tarihli *Güneş* gazetesinde **Talat Atilla** ile yaptığımız söyleşi tam sayfa yayınlandı. Aynı söyleşi daha önce **Talat**'ın sahibi olduğu *Türk Time* sitesinde yayımlanmıştı. **Talat**'a **Turgay Ciner**'le ilk görüşmeyi yaptığımızı, ancak ortada henüz başka bir gelişme olmadığını söyledim.

Abdullah Gül isimli kişi Cumhurbaşkanı olmuştu... Ve onun geçmişinden bazı sözleri elimdeydi. Bunları bir kez daha *Gazeteport*'ta (ikinci yazım olarak) yazdım.

CUMHURBAŞKANINIZ!!!

Şu anda Çankaya'da oturan zat, oraya MHP'nin AKP'ye stepne olmasıyla, yol vermesiyle ve 'Dindar Cumhurbaşkanı' kimliği ile çıkmıştı. Rüyasında görse hayra yormayacağı devlet kuşunu da onun başına MHP kondurmuştu. Ancak konumuz bu değil.

Devletin başında bulunan, Cumhuriyet rejiminin ilkelerini korumakla yükümlü olan **Abdullah Gül** isimli bu zat, yakın geçmişte acaba neler söylüyordu? Cumhuriyet rejiminin ilkeleri, özellikle laiklik, kendisine hangi ölçüde emanet edilebilir? Bu soruların yanıtlarını onun ağzından dinleyelim.

Elimde **Türkiye'nin Milli Bütünlüğü ve Güvenliği** isimli bir kitap var. Yakın geçmişte düzenlenen bir seminerdeki konuşmalar banttan çözülmüş ve kitap olarak basılmış. Konuşmacılardan biri de **Abdullah Gül**. Yani bugünkü Cumhurbaşkanı. O günlerde Refah Partisi milletvekili. **Necmettin Erbakan** hocasının emrinde ve hizmetinde.

Şimdi bu kitaptan, yani kendisinin sözlerinden alıntılar yapalım. Bakalım beyefendi ne inciler döktürmekle meşgulmüş:

"Bugün Türkiye'de bir sistem bunalımı var. Kendi bünyesine uygun düşmeyen, kendi değerlerine zıt ve zoraki uygulanmaya çalışılan ve halka zorla diretilen bir sistem." (Yani laik Cumhuriyet rejimi.)

"Halkına zıt, halkı ile barışık olmayan, ona düşman bir sistem bu sistemdir ki... 70 senedir böyle bir sistem içerisindeyiz doğrusu..."

"Türkiye'nin bu resmi ideolojisinin tabii karakterleri, bu sistemi kuran tek partinin altı sloganı ile ortaya çıktı. Cumhuriyetçilik, milliyetçilik, halkçılık, devrimcilik, devletçilik ve laiklik adı altında. Ama bu milletin halkı bir araya gelip de biz devletçi olalım, laik olalım, milliyetçi olalım diye böyle bir karar vermemişler. Bu ilkeler hep bu halka bir zorlatma şeklinde dayatılmış..."

Konuşmasının bir yerinde çok ilginç bir keşfini (!) daha anlatıyor:

"Türkiye'nin bir Irak'a, Libya'ya benzeyen çok yanları var. Neden? Aynı TEK ADAM pozisyonu. Bugün gidin Irak'ta, Libya'da, Suriye'de de tek insanın resimleri vardır her yerde. Tek insanların heykelleri vardır." (**Atatürk'**ten söz ediyor ve **Atatürk'**ü **Saddam, Kaddafi, Esad** gibi hırsız soytarılarla, katillerle kıyaslamaya kalkışıyor.)

"Milliyetçilik öyle olmuş ki, Türkçülük şeklinde alınmış ve bu ister istemez aksini de bazı insanların aklına getirmiştir. Mesela 'NE MUTLU TÜRKÜM DİYENE' lafını tutup her ye-re yaza yaza, Türkiye aslında İLKEL bir hale dönmüştür... Bu laflar aslında Türkiye'nin bütün insanları İSLAM KARDEŞ-LİĞİ altında toplayan bütünlüğünü tehdit eder anlama gel-miştir."

Atatürk'ün sözünü aşağılamaya yeltenen, bunu ilkellik olarak gören, tarih bilgisinden yoksun şahıs şimdi Cumhur-başkanı! Beyefendi devam ediyor:

"Şimdi ne gariptir ki, seyahat ederseniz Doğu ve Orta Anadolu'ya geldikçe 'ÖNCE VATAN' yazdığını görürsünüz, batıya gittiğinizde ise hiç rastlamazsınız bunlara. Yani bun-lar tek parti devrinden kalan ve zorla, halkın kendi inanç de-ğerleriyle bütünleşmeyen bir dünya sistemini halka zorla ka-bul ettirmektir." (İnsaf yahu!)

Sonra laiklik ilkesinden dem vurmaya başlıyor!

"Şu da bir gerçek ki, en kalıcı ve birleştirici unsur DİN ol-muştur. Ama Türkiye'deki resmi ideoloji tarafından devam-lı tehdit altına alınmış, Türkiye'nin bütünlüğünü tehdit eden, en ziyade tahribatı vermiş olan sistemin ilkelerinden birisi de LAİKLİK ilkesidir. LAİKLİK olayıdır." (Cumhurbaşkanı olur-ken laikliği koruyacağına namusu üzerine yemin eden zat, geçmişte böyle buyuruyordu! Hangisine inanacağız, geçmişte-ki sözlerine mi, namus yeminine mi?) Devam ediyor:

"Din düşmanlığını esas alan ve hukuk tanımayan uygulama, İslam inancı ve ahlakıyla yoğurulmuş olan halkımızı da tabii dışlamıştır."

Sözlerinin bu bölümünü özellikle askerlerin okuması gerekiyor:

"Dindar olan bir subaya siz eğer kendi ordunuzda hayat hakkı vermiyorsanız, onu çeşitli dolaylı yollarla bunu açıkça söylemeden onu eğer saf dışı ediyorsanız, sanki safra atar gibi, sanki ajan yakalamış gibi onları eğer ayıklıyorsanız, siz o zaman bu ülkenin bütünlüğünü, devamını nasıl temin edersiniz?"

Bay **Abdullah Gül**, konuşmasında üniversitedeki sıkmabaşlara da değinmeyi ihmal etmiyor:

"Üniversitelerde bugünkü durum. Şimdi siz bunu hangi demokrasiyle, hangi hukuk nizamıyla, hangi insan haklarıyla bağdaştırabilirsiniz? Sadece kılık kıyafetinden dolayı, sadece dini inançlarından dolayı üniversite kapılarından geri çevrilen, diplomaları verilmeyen bir sürü Türkiye'nin genç kızları..."

Bu arkadaş, birkaç yıl önce karısı üniversiteye sıkmabaşla alınmayınca   Türk devletini Avrupa İnsan Hakları Mahkemesi'nde dava edip tazminat istemiş, ancak Mahkeme bu davaları reddetmeye başlayınca karısı adına açılan davayı geri çektirmek zorunda kalmıştı!

Bakalım, şimdi sıkmabaş konusunda yapılan Anayasa değişikliğine onay verecek mi, vermeyecek mi! (Verdi ama bu hüküm Anayasa Mahkemesi tarafından iptal edildi.)

Türkiye Cumhuriyeti'nin en tepesindeki kişi, Cumhuriyet rejimine bağlı olmak ve ilkelerini korumakla yükümlüdür. Ancak yukarıda sözün ettiğim konuşmasında İkinci Cumhuriyet'ten ve daha da ötesi, tarihin karanlığına gömülmüş olan Osmanlılıktan söz etmektedir.

"Bu açıdan İkinci Cumhuriyet, yeni Osmanlıcılık kavramlarının ve bu tartışmaların ortaya gelmesini ben çok sağlıklı olarak görüyorum ve geleceğe çok ümitle bakıyorum."

Osmanlıcılıktan söz edebilen, bu kavramların gündeme gelmesinden mutlu olduğunu söyleyen bir Cumhurbaşkanı! Bu şahıs geçmişte söylediklerinin bugün de arkasında ise o makamda oturamaz.

Yok eğer o makama oturmadan önce namus ve şerefi üzerine ettiği yemin geçerli ise mutlaka bir açıklama yapmalı ve "Hiç kimse endişe etmesin, ben artık değiştim. O sözlerim değil, yeminim geçerlidir" demelidir.

Der mi? Demez, diyemez.

Derse inanır mıyız? İnanmayız. Hiç kimse inanmaz!

Gazeteciler kendisine bu soruları sorabilir mi? Soramaz... Çünkü **Abdullah Bey** bocalar, sonra medya patronu bozulur, bunu soran gazeteci fırça yer!

İşin şakası yok. Çankaya'daki tablo çok vahim. Beyninde laiklik karşıtlığı, İkinci Cumhuriyet, Osmanlılık gibi kavramları taşıyan, siyasetini ve yaşamını bunlar üzerine oturtan, **Atatürk**'ün "Ne Mutlu Türküm Diyene" sözünü ilkellik olarak gören biri o makamda –değiştiğini kanıtlayana kadar– oturamaz.

Başta CHP olmak üzere tüm ilgili kurum ve kuruluşlar bu konuyu ve Çankaya'da kimin oturmakta olduğunu dibine kadar irdelemeli, sürekli gündemde tutmalıdır.

***

İTÜ Öğrencisi **Ceren Dönmez**'den gelen mesaj:

"İTÜ Endüstri Mühendisliği Kulübü olarak bu yıl da geleneksel EN İYİLER anketimizi yaptık. Bu yıl İTÜ'den 350, öteki üniversitelerden 300 öğrenci ve ayrıca web sitemizde yaklaşık 700 kişinin katılımıyla yapılan anketimiz sonucunda, yılın en *beğenilen kitabı olarak **Kovulduk Ey Halkım Unutma Bizi** seçilmiştir. Ödül törenine sizi mutlaka bekliyoruz."*

Birkaç gün sonra sanatçı **Levent Kırca** aradı:

*"**Emin Bey**, eğer izin verirseniz biz sizin kitabı tiyatromuzda oyun yapmak istiyoruz. Her şey sizin izninize bağlı. Eğer olumlu bakarsanız ben derhal ilgili arkadaşlarla görüşmeye başlayacağım ve ona göre hazırlık yapacağız..."*

*"**Levent Bey**, bu benim için şeref olur. Ancak bunu size yaptırmazlar gibime geliyor. Bu gibi işlere duyulduktan sonra rufailer karışır ve üzerinizde her taraftan baskı oluşur. Ama siz araştırın, sonuçtan bana bilgi verirseniz sevinirim. Ayrıca böyle bir şey yapılacak olursa ben sizden veya başkalarından herhangi bir para falan da istemem. Bunu da bilin."*

Yaklaşık 20 gün sonra **Kırca**'dan bir mektup aldım:

"Değerli üstadım, Merhaba. Kitabını birkaç koldan okuduk. Bir hayli zorlanacağımızı düşündüğüm için eserine bir zarar vermemek ve onun kısmetini bağlamamak amacıyla, düşündüğümüz şeyin bizi aşacağını hissettik.

Bu nedenle şimdilik vazgeçtiğimizi üzülerek bildirmek istiyorum. Özür dilerim.

Yazdıklarını büyük bir zevkle okuyorum. Fikrine ve ellerine sağlık. Saygılarımla."

Galiba bu konuda da haklı çıkmıştım!

***

Bugün 13 Mart 2008. Opera binasında Şehitler Oratoryosu ilk kez sergilenecek. Biz de davetliyiz. Bendeniz de "protokol ve eş durumundan" en ön sırada oturuyorum!. Görkemli bir sahne düzeni kurulmuş. Salona girdik, yerimizi aldık.

Tansel'in yanında Yargıtay Başsavcısı **Abdurrahman Yalçınkaya** oturuyor. Selamlaştık, hal hatır sorduk, birkaç cümle de lafladık. Benim sağımda oturan bir bey var. Bana kendini tanıttı:

"Emin Bey, merhaba, ben Yargıtay Başsavcı Vekiliyim."

"Merhaba efendim, nasılsınız, iyi misiniz?"

Onunla da birkaç cümle konuştuk.

Gösteriye ara verildiğinde dışarıda sigara içiyorum. Bir gazeteci arkadaş yanıma geldi.

"Abi ne konuştunuz Başsavcıyla, Başsavcı Vekili ile?"

"Bir şey konuşmadık, hal hatır sorduk."

"Abi sende mutlaka bir şeyler vardır. Var mı önemli bir şey?"

"Valla yok yaa, ne olacak ki."

Orada sigara içiyorum, arkadaş habire haber soruyor. En sonunda dayanamadım:

"Bomba gibi bir haber var ama 'Kimseye söyleme' dediler. Yani bana verilmiş bir sır!.. Birkaç gün bekle."

Adam işletme damarımı bu kez o arkadaş kaşımıştı. Ara bitmişti. Zil çalıyordu.

"Abi nedir haber yaa?"

"Valla söyleyemem. Sen birkaç gün bekle. Hadi eyvallah."

"Abicim bir küçük ipucu ver yaaa."

"Veremem abi, mümkün değil."

Gülerek yanından ayrıldım.

Ertesi gün 14 Mart... Ve benim doğum günüm. Sabah bir dava için Küçükesat karakolundayım. İ. Melih'in **Erdal İpekeşen**, **Yalçın Bayer** ve benim aleyhime açtığı bir tazminat davası için karakolda ekonomik ve sosyal durum araştırma formu dolduruyorum.

O dakikalarda büyük haber patladı:

Yargıtay Cumhuriyet Başsavcısı **Abdurrahman Yalçınkaya**, AKP'nin kapatılması için Anayasa Mahkemesi'nde dava açmıştı.

Dün gece operada rastladığım gazeteci arkadaş bir saat sonra aradı:

"*Abi yaktın beni. Öyle bir haber olur da insan bana bir fı-sıldamaz mı! Hayatımın gazetecilik fırsatını kaçırttın bana. Yazıklar olsun senin abiliğine. İnsan yaşça küçük bir meslek-daşına bu kazığı atar mı? Beni mahvettin* **Emin Abi.** *Hem de ben sana sordum, önce 'Yok bir şey' dedin, sonra da 'Birkaç gün sonra bomba patlayacak' dedin.*"

Al başına belayı! Bu arkadaşa telefonda yarım saatten faz-la dil döktüm. Anam, babam, Kuran, bütün kutsal varlıkla-rım, namusun, şerefim üzerine yemin üzerine yeminler ettim. İnanmıyor da inanmıyor.

"*Arkadaş, bu adamlar ertesi gün dava açılacaksa, orada yan koltuktayım diye bana hiç söyler mi? Gazetecisin. Senin aklın mantığın bunu alıyor mu? Eğer boşboğazlık edip orada bana söyleseler, bu demektir ki daha önce başkalarına da söy-lemiş olmaları gerekir. O takdirde bu haber dava açılmadan önce sızmaz mıydı?*"

Telefonda belki bir saate yakın ikna seansı yaptım.

Sonunda gazeteci arkadaşımız inandı. Ya da öyle görün-mek zorunda kaldı.

Sonra benden bir konuda söz istedi:

"*Abi şu olay aramızda kalsın. Aslında anlatmamanı iste-rim ama sağda solda anlatırsan lütfen benim adımı hiç kim-seye söyleme. Mahcup olmak istemem.*"

"*Sana namus sözü. Senin ismini hiç kimseye söylemeyece-ğim. Bu olay bende tatlı bir anı olarak kalacak.*"

Gerçekten de, sonra bu olayı anlatırken, soranlardan hiç kimseye o arkadaşın ismini vermedim, kimliğini anımsatacak en ufak bir şey bile söylemedim. Sözümde duruyorum. Ancak bu anıyı anlatmadan da geçemiyorum.

***

18 Mart gecesi işadamı **Sefer Ulusoy** abimizin konuğu olarak Kebabistan'da yemek yiyoruz. Konuklar arasında iki emekli Hava Kuvvetleri Komutanı, bazı gazeteciler ve birkaç konuk daha var. Laf dönüp dolaşıp medyaya geliyor. Herkes medyayı ele geçiren para babalarına karşı.

Tayyip iktidarına karşı duyulan korku, medyanın sinikliği, sessizliği ve ses verememesi, toplumun bütün katmanlarında büyük tepki yaratmış durumda.

Orada ben de konuşuyorum ve *Hürriyet*'te yaşadığım bazı olayları anlatıyorum.

Daha önce başka gazetelerde üst düzeyde görev almış bir gazeteci arkadaş, şimdi **Doğan** grubunda ve yine üst düzey bir görevde. Arkadaş sözümü kesti:

*"**Emin Abi**, lütfen, benim bulunduğum yerde patronuma laf edilmesini içime sindiremem. Lütfen burada hiç kimse **Aydın Doğan** için olumsuz bir şey söylemesin. Ben birazdan gideceğim. Yarın sabah erkenden İstanbul'da olmam gerekiyor. Ben gittikten sonra istediğiniz gibi konuşursunuz."*

Herkes şaşırmıştı. Ortalıkta buz gibi bir hava esti. Aslında bunları söyleyen sadece ben değildim. Orada herkes aynı şeyi söylüyordu.

Bu arkadaşımız biraz sonra izin istedi. Vedalaşırken bana döndü:

*"**Emin Abi**, sizinle dışarıda biraz konuşabilir miyiz? Bir şey söylemek istiyorum."*

İkimiz birlikte dışarı çıktık.

"Abi, Akşam'da yazar mısınız? Akşam'ı hiç düşünmediniz mi?"

"Valla böyle bir istek benden gelemez. Ama bugüne kadar onlar beni herhalde hiç düşünmedi ki, bu doğrultuda bir istekleri olmadı."

"Abi sen yazar mısın orada, yazmaz mısın? Senin artık bir yerde olman gerekiyor."

Bu gazeteci arkadaşımız *Akşam* grubunun patronu **Mehmet Emin Karamehmet**'e çok yakındı. Aralarında çok iyi ilişkiler olduğunu hepimiz bilirdik.

*"Ben yarın İstanbul'da olacağım. **Karamehmet**'le senin için konuşayım mı?"*

*"İstersen konuş ama bir şey çıkacağını hiç sanmam. Tahmin ediyorum bu ortamda onlar da korkuyor. Ben daha önce bir başka arkadaş için **Serdar Turgut**'la konuşmuştum. Bana büyük baskı altında olduklarını söylemişti. Yani hükümetin baskısı... Bunu da saygıyla karşılıyorum çünkü ortam belli. Herkes korkuyor."*

"Peki abi, ben yarın konuşup sana haber vereceğim. Sanırım ben bu işi çözerim."

"Dene bakalım."

O gazeteci arkadaştan bir daha ses çıkmadı. Sonra başka ortamlarda bir veya iki kez karşılaştığımız zaman ne o bana bir şey söyledi, ne de ben ona ne olduğunu sordum.

Bunları **Karamehmet**'e söyleyip söylemediğini elbette bilemem. Belki de hiç söylemedi.

Ocak ayında İstanbul'da yeni gazete için görüştüğüm **Turgay Ciner**'den herhangi bir haber gelmemişti.

Aradan yaklaşık bir ay geçti. **Karamehmet** grubunun çok üst düzey bir yetkilisiyle konuşuyorduk. Ona bir düşüncemi açıkladım:

*"Bak arkadaş, **Bekir**'in Hürriyet'te büyük sıkıntısı var. Pek çok Hürriyet çalışanı gibi o da rahatsız. Hürriyet çalışanları ile gazete arasındaki bütün saygı, sevgi ve gönül bağı sıfırlanmış durumda. Bunu **Serdar Turgut** da biliyor. Biz ikimiz sizin gazetede yazmaya başlasaydık şimdi yaklaşık 180 bin olan Akşam'ın satışını 500 bin'e fırlatırdık. Medyada olay yaratırdık."*

Karamehmet grubunun üst düzey yetkilisi bu önerimi son derece olumlu karşıladı:

"Muhteşem olur. Bizde zaten yazar sıkıntısı var. İki iyi yazar bizi uçurur. Ankara binamızda sizler için boş odalar da var. Yani harika bir olay olur. Hem öyle işler yaparız ki, örneğin bir olay olduğunda, aynı binada bizim Show TV var, Skytürk var. Ânında inip orada taze taze yorum yaparsınız, yazılarınızla bize güç verirsiniz. Büyük bir medya devrimi gerçekleşmiş olur. Ben bunu en kısa zamanda patrona ileteceğim. Ancak burada bir engel var. Siz Hürriyet'ten ayrıldığınız zaman bize Başbakanlıktan telefon edilmişti. 'Emin Çölaşan'ı almayı sakın ola ki aklınızdan bile geçirmeyin' denilmişti. O engelin halen olup olmadığını ben bilemiyorum."

"Herhalde vardır... Çünkü ben kovulduğumda Başbakanlık ve RTÜK'ten televizyon kanallarına da telefon edilmiş ve 'Çölaşan olayını büyütmeyin' denilmişti."

Benzer sözleri, yani baskı sözlerini haftalar önce **Serdar Turgut**'tan da duymuştum...Bana telefonda *"Abi bizim ne biçim baskı altında olduğumuzu kimse bilemez"* demişti.

Konuştuğum arkadaştan uzun süre haber çıkmadı. Yaklaşık iki hafta geçmişti ki, beni aradı:

"Aramakta geciktiğim için özür diliyorum. Yönetimle ancak konuşabildim ve maalesef engeller aynen devam ediyormuş."

Yapacak bir şey yoktu.

Tayyip iktidarının gücü elbette benim gücümü aşıyordu. **Aydın Doğan-Ertuğrul Özkök** ikilisi beni *Hürriyet*'ten babalarının hayrına kovmamışlardı!

Baskının gerçek olduğu birkaç ay sonra, Eylül 2008'de ortaya çıkacaktı. İleriideki bölümlerde onları da belgeleriyle anlatacağım.

***

MediaCat dergisinin Mart 2008 sayısında **Fulya Çimen**'in benimle yaptığı söyleşiden bölümler.

Başlığı *"Çizgisi belli bir insanım, her gazetede yazmam söz konusu değil."*

"Aradığımızda Ankara'daydı **Çölaşan**. *'Ne zaman İstanbul'a gelirsiniz?' dedik, yokmuş öyle bir planı o sıralarda. Röportajı bu sayıda yayımlamak için telefonda yaptık söyleşimizi. Samimi, dobra ve biraz da keskin bir röportaj oldu.* **Emin Çölaşan**'*ın kendisi gibi yani...*

Sözcü gazetesinde yayımlanan (eski) yazıları ile gündeme gelen **Emin Çölaşan**, hangi gazetede, ne zaman yazacağına dair çıkan dedikodulara cevap verdi. **Aydın Doğan** ile olan davası, **Turgay Ciner** ile anlaşıp anlaşmadığı ve gelecek planları hakkında MediaCat'e konuşan **Çölaşan**, 'Türkiye'nin en beğenilen ve en çok okunan köşe yazıları' araştırmasında her iki listede birinci sırada yer almanın, altı aydır piyasada olmayan bir gazeteci için çok mutluluk verici olduğunu söyledi ve 'Bu, çoğu kişiye anlamlı bir mesajdır' demeyi de ihmal etmedi.

– *Sözcü gazetesinde eski yazılarınız yayımlanıyor. Sizin de bu konudan haberiniz olup olmadığı tartışılıyor.*

– *Haberim var tabii ki. Benden izin istediler. O yazılar artık benim malım değil zaten. Onlar, Hürriyet'te yayımlanmış, kamuya mal olmuş, arşivlerde duran yazılar. Benim için bir sakıncası yok ama işin yasal boyutunu bilemem.*

– *Bu ileride bir işbirliğinin habercisi mi peki?*

– *Hayır, onlarla bir anlaşmam yok. Bu işten para da almıyorum ben. Kafalarda bu soru işareti de olmasın. Bu da Türkiye'de hatta belki dünyada bile ilk kez oluyordur. Bir gazetecinin ayrıldığı gazetesinde yazdığı yazılar başka bir gazetede haftada yedi gün yayınlanıyor. Türkiye'de bir ilk oldu-*

ğu kesin. Sözcü şimdi 82 bin dolaylarında satıyor. (Sonraları 155 bin'e çıktı) Benim yazılarımın da çorbada bir tuzu vardır mutlaka.

– Yakın bir zamanda herhangi bir gazetede yazmaya başlayacak mısınız tekrar?

– *Şu anda herhangi bir yerle anlaşmam yok. Biraz daha zaman geçsin, ortalık bir durulsun. Çünkü medyada büyük bir kargaşa yaşanıyor bu sıralar. İstediğim anda da başlayabileceğim çeşitli yayın organları var zaten.*

– **Turgay Ciner** ile prensipte anlaştığınız söyleniyor...

– **Turgay Bey** *ile görüştük İstanbul'da, konuştuk. İlke olarak anlaştık ama bu aşamada ne para ne de başka bir şey geçti. Henüz konuşulmadı onlar. Önümüzdeki haftalarda kendisiyle yine ayrıntılı bir konuşma yapacağız. Bana* **Doğan** *ve* **Çalık** *grubu (Sabah) kapalı. Bu beni üzen bir olay mı? Hayır, bu benim için bir şereftir.*

– Son zamanlarda yaşanan medya sahipliğindeki hareketlenmeler hakkındaki yorumunuz nedir?

– *Sabah gazetesi hükümetindi bir ara. TMSF'deydi ve dolayısıyla AKP iktidarınındı. Dünyada da böyle bir şey olmamıştır zaten. Hükümet gazete çıkartıyor... Şimdi de* **Çalık** *grubunda. Onlar bana, ben de onlara hayır deriz zaten. Sonuçta ben çizgisi belli bir insanım, her gazetede yazmam söz konusu değil. Bana* **Doğan** *ve* **Çalık** *grubu kapalı. Benim rahatça girip çalışabileceğim iki-üç gazete var. Bugünkü patronluk yapısını da biliyoruz. Bu beni üzen bir olay mı? Hayır, bu benim için bir şereftir. Hükümet korkusu yüzünden Hürriyet'ten kovulduk. Bu da benim boynumda taşıdığım bir madalyadır.*

– Sizce medya dünyasını nasıl etkiler bu değişiklik?

– *Etkilemez. TMSF'nin Sabah'ı neyse* **Çalık** *grubunun Sabah'ı da aynı olacaktır, hatta biraz daha hükümete yaklaşacaktır.*

– **Aydın Doğan**'ın size açtığı dava ile ilgili bir gelişme var mı peki?

– *Aydın Doğan kitabımı dava etti. 50 milyar tazminat istiyor benden. Tabii ki kendimizi belgelerle, tanıklarla savunacağız ve onun da üstesinden geleceğiz.*

– Yakın gelecekte yeni bir kitap ya da televizyon programı projeniz var mı?

– *Zaten televizyona pazar günleri ART'de* **Mustafa Balbay** *ile çıkıyoruz, iyi bir program yapıyoruz. Onun dışında yeni bir kitap projem yok ama Bilgi Yayınları benim eski kitaplarımı yayımlayacak tekrar.*

– Türkiye'nin en beğenilen ve en çok okunan köşe yazarları araştırmasında birinci sıradaydınız her iki listede de. Böyle bir sonuç bekliyor muydunuz?

– *Doğrusunu isterseniz beklemiyordum. Çok da mutlu oldum açıkçası. İlk öğrendiğimde bu daha önce, ben yazarken yapılmış bir araştırma mıydı diye düşündüm. Ben Ağustosta kovulduğuma göre Hürriyet'ten, dört ay sonra yapılmış ve hâlâ iki listede de ilk sırada olmak çok büyük bir mutluluk. Şunu gördüm ki, insanlar unutmuyor bazı şeyleri. Ben de unutulmamışım. Kimi görsem, kime rastlasam sokakta aynı şeyi yaşıyorum zaten. 'Yazın artık bir yerlerde' diyor herkes.*

– Yakın zamanda bir anlaşma, plan var mı? Ne zaman tekrar okurlarınızla buluşacaksınız?

– *Hiçbir projem yok. Kafamı dinlendiriyorum şu an. Hiç bilmiyorum ne zaman beni tekrar okurlar. Ben de bilemiyorum neler olacağını. Gelişsin olaylar önce. Ben şimdilik bu gelişmeleri izliyorum. Ama hâlâ unutulmamak çok güzel bir olay. Altı aydır piyasada olmayan bir gazeteci birinci sırada, onu kovanlar da (***Ertuğrul Özkök***) 12'nci, 13'üncü sıralarda yer alıyorsa bu çok anlamlı bir olaydır. Anlayan için tabii."*

***

Gazetelerde haberler çıkıyor:

"*Yayıncısını rekora taşıdı.* **Turgut Özakman'ın Şu Çılgın Türkler** *kitabını basarak 2006 yılı vergi rekortmenleri ligine yükselen Bilgi Yayınevi sahibi* **Ahmet Küflü,** *geçen yıl da* **Emin Çölaşan'ın Kovulduk Ey Halkım Unutma Bizi** *kitabını basarak rekortmenler listesine girdi.*"

"*Korsana çalım atan rekortmen.* **Ahmet Tevfik Küflü,** *vergi rekortmenleri arasında 43. sırada yer aldı.* **Küflü,** *'Bu yılki başarımızın nedeni* **Şu Çılgın Türkler, Diriliş** *ve* **Kovulduk Ey Halkım Unutma Bizi** *kitaplarıdır. Korsan baskılara rağmen bu başarıyı yakalamak bizi sevindiriyor. Korsan olmasa vergi açısından daha üst sıralarda yer alırdık' dedi.*"

***

İzmir'de Nisan ayı sonunda TÜYAP kitap fuarı var. TÜYAP çeşitli illerde yılda bir kez kitap fuarları düzenliyor. Bunlar en ciddi fuarlar oluyor. Bütün yayınevleri bu kitap fuarlarında boy gösteriyor. Yazarlar imza günleri yapıyor, kitaplar indirimli satılıyor.

Ben bu imza günlerini hiç sevmiyorum. Örneğin son kitabım için belki 30 yerden imza günü önerisi geldi, hiçbirini kabul etmedim. Bu iş bana bir anlamda, kitap satmak için yazarın tüccarlık yapması gibi geliyor.

En son imza günümü İstanbul'daki TÜYAP kitap fuarında taa 1989 yılında *Turgut Nereden Koşuyor* kitabım için yapmıştım. Bu kitabım Türkiye'de satış rekorları kırmış, korsanı hariç tam 270 bin adet satmıştı. Yani ben kitabı o zaman basan Tekin Yayınevi'nden 270 bin adet kitabın telif ücretini almıştım. Korkunç bir paraydı.

Turgut Nereden Koşuyor 1989 yılını öyle bir sallamış ve rekorları öyle parçalamıştı ki, TÜYAP kitap fuarında yılın kitabı seçilmiş ve bana ödül olarak büyük ressam merhum **Nuri İyem'**in bugün bile evimde asılı olan bir tablosu armağan edilmişti. (Aradan yıllar geçti, Bilgi Yayınevi piyasada artık hiç olmayan *Turgut Nereden Koşuyor* ve *Turgut'un Serüveni* isimli iki kitabımı birleştirip, Ağustos 2008'de bunları yeniden bastı.)

Ahmet Küflü ve Bilgi'nin bütün çalışanları ısrar ediyor:

"Lütfen bizim hatırımızı kırmayın, İzmir'e katılın. Şimdi sizin Önce İnsanım Sonra Gazeteci kitabını da yeniden basıyoruz. Kovulduk'la birlikte bu iki kitapla yapacağınız bir imza günü muhteşem olur."

Hep itiraz ediyorum:

"Ben bu işi hiç sevmem. 19 yıl geçmiş ve bir tek imza gününe katılmamışım. Ne olur zorlamayın beni."

Sonunda onlar kazandı! 25 Nisan Cuma ve 26 Nisan Cumartesi, iki gün İzmir'de imza günü yapmayı kabul ettim. Program hazırlandı. Her iki günde de imza saat 14.00'te başlayacak, 19.00'da bitecek. Yani toplam 10 saat.

Pazar günü *ART*'deki programdan sonra, arabayla İzmir'e doğru yola çıktık. Ben de planımı yapmıştım. Önce birkaç gün Çeşme'de kalacağım. Kovulma tarihinden beri aradan aylar geçmiş ve bir gün boş kalmamışım, bir gün olsun tatil yapmamışım.

Doğruca Çeşme'ye gittim...

Ve inanmayacaksınız, orada üç gün denize girdim. Mutluluktan havada uçuyordum. **Emin Çölaşan** denizde! Su buz gibi soğuk ama gözüm hiçbir şey görmüyor. Üç gün boyunca yüzdüm, plajda uyudum, Çeşme'de gezindim.

Fakat kafamda hep bir kuşku var. Ya imza gününde bomboş kalırsam, ya hiç kimse gelmezse, ya ben rezil olursam!.. Kime rezil olacağım? Her şeyden önce, fuara gelmiş olan Bilgi Yayınevi ekibine.

Perşembe günü İzmir'e döndüm ve havasını bir göreyim diye bir gün öncesinden kitap fuarına uğradım. İzmir'deki fuar alanında, hayatımda gördüğüm en büyük bina. Neredeyse yüzlerce yayınevinin standı var. Çoğunda bazı yazarlar oturmuş, imza günü yapıyorlar... Ve çoğunun önü bomboş. Bazı yazarlar önlerinde bir veya iki kişiyle sohbet ediyorlar. Belli ki önlerinde birkaç kişiyi tutmak istiyorlar. **Turgut Özakman, Vural Savaş** ve **Ayşe Kulin** hariç hiç kimsenin önünde kalabalık falan yok.

Tur atarken yazarlarla selamlaştık, hal hatır sorduk. Bazıları bana imzalı kitaplarını armağan ettiler ve otele döndüm. Hep tedirginim. Allahım, yarın ben ne yapacağım? Ya rezil olursam!

Cuma günü otelden kitap fuarına doğru çıkmak üzereyim. İnanın, bacaklarım titriyor. Allah'a dua ediyorum:

"Allahım beni mahcup etme... Allahım beni küçük düşürme..."

Saat tam 14.00'te fuar binasından içeri girdim. Gözüme ilk çarpan şey, taa giriş kapısının önünden başlayarak içeriye doğru uzanan ve yüzlerce kişiden oluşan bir kuyruk. İçimden bir an düşündüm:

"Acaba bu kuyruk benim için olabilir mi?"

Kuyruktakilerin arkası bana dönük. Kuyruk boyunca içeriye, Bilgi Yayınevi standına doğru ilerliyorum. Kuyruktan birkaç kişi benim geldiğimi gördü ve alkış başladı. O alkışlar giderek büyüdü...

Ve o zaman anladım ki, en az 50 metre uzunluktaki o kuyruk, beni bekleyenlerin kuyruğudur.

Yerime oturdum ve imzalar başladı.

O gün ilk 15-20 kitaba attığım imzalar titrektir! Ellerim heyecandan kalemi tutmuyordu.

Tam beş saat boyunca, bilmiyorum ama herhalde en az bin kitabımı imzaladım, yüzlerce kişiyle bir an sarmaş dolaş olarak resim çektirdim. Hiç kimseyle sohbet edemedim çünkü kuyruk uzundu ve hiç bitmiyordu. Bekleyenlere saygısızlık etmemek gerekirdi.

İmzaya gelenlerden bazıları bana bir mektup uzatıyor, bazıları bir paket veriyor. Onları görevli arkadaşlar topluyor. Makine gibi imza atıyorum.

Önümden gençler, yaşlılar, kadınlar, erkekler, hatta çocuklar ve engelliler geçiyor... Ve herkes aynı şeyi söylüyor:

"Emin Bey, helal olsun size, sizi kutluyoruz, bunlarla kavga etmeyi sakın bırakmayın, elleriniz dert görmesin... Emin Bey, yazın artık bir yerlerde..."

Hepsine sadece teşekkür edebiliyorum. Bazen öyle sözler duyuyorum ki, içimden oracıkta ağlamak geliyor. Hiç tanımadığınız o insanların size o içtenlikle sarılması, öpmesi, inanılacak gibi değil. Yaşamayan o duyguları anlayamaz.

Genç bir adam kuyrukta bekleyenlere bağırıyor:

"Şu Aydın Doğan burada olsa da şu manzarayı bir görse. Kimi susturmaya kalkıştığını bir anlasa. Onlar sırça köşklerinde, işte biz burada, Çölaşan'ın yanındayız..."

Kalabalıktan alkışlar patlıyor.

Saat 19.00'u geçiyordu. Fuar kapanacaktı ve ilk imza gününü noktaladık.

Çocukluk arkadaşım **Sadri İşçimenler**'i o kalabalık arasında arkamda otururken bir ara görmüştüm. Aradan saatler geçti, imza günü bitti ve orada saatlerce bekleyen, ancak bir selam dışında konuşamadığımız **Sadri** yanımda.

"Arkadaş seni bırakmıyorum. İnciraltı'nda rakı içip balık yiyeceğiz."

Kafam durmuş, kollarım kopmuş durumda. Sadri bırakmıyor. Zorla gittim. **İşçimenler** ailesi, onların bazı arkadaşları hep birlikte masaya oturduk. O gece içtiğim iki duble rakının tadını ve keyfini hiç unutmayacağım. Kendime gelmiştim.

Restoran çıkışında bütün garsonlar ve komiler sıraya dizilmişti.

"Emin Bey sizi çok seviyoruz."

Hepsiyle el sıkıştık, vedalaştık. Bana bir şişe özel zeytinyağı armağan ettiler.

O gece mışıl mışıl uyudum.

Ertesi gün, 26 Nisan Cumartesi, yine imza günü var. Ancak bu kez saat 17.30'da bitireceğiz çünkü Ankara'ya yine arabayla döneceğiz. Yarın, pazar sabahı *ART*'de **Balbay**'la canlı yayına yetişmek zorundayım. Canlı yayın öncesinde yeterli uyku uyumak gerekiyor.

Cumartesi günü saat tam 14.00'te fuar binasına girerken, aynı uzun kuyruğu yeniden gördüm. O kuyruğun bana ait olduğunu artık biliyordum. Bu kez bacaklarım ve ellerim de titremiyordu. Yine aynı kalabalık ve hiç bitmeyen, kısalmayan bir kuyruk.

Fakat 17.30'da oradan ayrılıp yola çıkmak zorundayız. Saat 17.00 dolaylarında kuyrukta bekleyenlere anons yapılmaya başlandı. Fakat kuyruk bitmiyor. Sonunda, çok sayıda insanın gönlünü kırmak pahasına imza günü erken bitirildi... Ve hemen yola çıktık.

Çok ama çok mutluyum. Allah beni mahcup etmedi.

Ertesi gün *Sözcü*'nün manşeti (O sırada pirinç kuyrukları var):

*"Pirinç kuyruğu değil, **Çölaşan** kuyruğu."*

Bir de kitap kuyruğunun resmini koymuşlar.

İmza günü sonrasında *Diva*'da **Gönül Soyoğul**'un yazısından:

*"**Emin Çölaşan** 19 yıl sonra katıldığı ilk imza gününde sevgi, coşku, hayranlık, tezahürat yaşadı. Daha fuarın girişinde alkış ve tezahüratla karşılandı. Fuarın satış ve imza rekorunu kırdı. **Çölaşan** mutluluk, gurur yorgunu, sevgi sarhoşu olmuştu.*

*Fuarda ona yaşatılan 'Ey **Aydın Doğan** sen beni kovsan da milletin kalbinde, gönül tahtında işte böyle oturuyo-*

rum. Senin gücün beni o tahttan indirmeye yetmedi, yetme-
yecek' duygusuydu. Orada **Çölaşan**'a *yaşatılan o sevgiyi gör-*
müş olan bendenize göre de, bu duyguyu dibine kadar yaşa-
makta haklıydı.

Fuarda beş on stand dışında yazarlar birbirleriyle soh-
bet ederken o bir imza almak, eline dokunmak, bir fotoğraf
çektirmek, yanında olduklarını, yazılarını özlediklerini söyle-
mek istediği için saatlerce kuyrukta bekleyen okurlarıyla bu-
luşmuştu.

Kovulduktan sonra hâlâ, belki de artan bir coşkuyla bin-
lerce okura, sevene, sayana, hayrana sahip olmak kaç gazete-
ciye kısmet olabilirdi ki?"

Kitap fuarında okurların bıraktığı zarfları ve paketleri
bagaja doldurmuştuk. Onlara ancak Ankara'ya geldikten son-
ra bakabildim. İçlerinden neler çıktı neler! Küçücük armağan-
lar, kitaplar, sevgi dolu notlar... Bana onları verenleri orada
kucaklamak isterdim ama kalabalık çoktu.

Bir küçücük not:

"Seni çok seviyorum **Emin Amca**. **Ezgi Kaya**."

Bir mektup:

"Çok muhterem **Tansel Çölaşan** *Hanımefendi ve çok*
muhterem **Emin Çölaşan** *beyefendi çiftine.*

En iyi temennilerim ve iyi günlerde kullanmanız dileği
ile, size çeyizimden bir parça sunuyorum. 1950 yılında yastık
yüzü kompoze edilirken, annem bunun 1920'lerden kalma ol-
duğunu söylemişti.

Ayağım sıcak su dökülerek yandığı ve tedavide olduğum
için armağan paketini kızım **Şiir Yücel** *takdim ediyor. Sonsuz*
saygılarımızla, sonsuz sevgilerimizle. **Ayşe Gülruh Büyük-**
yazgan. *26 Nisan 2008."*

Ve zarftan çıkan amatörce yazılmış bir şiir. Ama vatanda-
şın sesi. **Adem Şentürk** yazmış.

Başlığı *"Eminsin biliyorum."*

Eminsin biliyorum, gaflet uykusundan uyanacaklar,
Hainlerden teker teker hesap soracaklar.
Ama göreceğiz bu çölleri aşacağız,
Bu vatanı Cumhuriyetine kavuşturacağız.

Eminsin biliyorum, tanırsın sadakaya muhtaç edenleri,
Elinde kuran, dilinde Allah, vatanı satan Soros'ları.
Ama göreceğiz bu çölleri aşacağız,
Bu vatanı tam bağımsız yapacağız.

Eminsin biliyorum, tanırsın vatan hainlerini,
Çanakkale kan gölüne döndü derler,
Hasımlara bu vatanı haraç mezat satarlar.
Ama göreceğiz, bu çölleri aşacağız,
Bu vatanı sevdiklerine kavuşturacağız.

Eminsin biliyorum, tanırsın vatanperverleri de,
Doğrumuzdan bir an bile şaşmayacağız.
Kömüre, pirince, una aç kalsak da kanmayacağız.
Ama göreceğiz, bu çölleri aşacağız,
Bu vatan halkını sadakadan kurtaracağız.

Eminsin biliyorum, tanırsın din tüccarlarını,
Millet gafletteyken ihanet içinde olanları da.
Ama göreceğiz bu çölleri aşacağız,
Cumhuriyeti bu esaretten kurtaracağız.

Eminsin biliyorum, bilirsin doğruyu yanlışı,
Kimler cehennemde hesap verecek,
Kimler dolara, kimler imana sarılacak?
Bu dünyada, bu çöller aşılacak,
Bu vatan medeniyete kavuşacak.

Adem Şentürk

Bir başka zarftan çıkan not:

"Emin, yıllardır sizi okuyorum. Bir defa da sen beni okursun diye düşündüm. Ben bir gurbetliyim, ben bir garip şairim. Gezerim yaşarım, yazarım ağlarım. Sen ağlama sakın.

Emin, kendine iyi bak, yoksa ağlarım. Emin dikkat et, yoksa üzülürüm. Emin, kalemini kırma, atma. Çalmasınlar yoksa ağlarım. Her zaman olduğu gibi cesur ve doğru haberlerini beklerim. Ahmet Çelik."

Birkaç gün sonra telefonda İzmir'den kuzenim **Nurşin İnce**...

"Emin Abi, imza gününe görme engelli bir kız gelmiş, sana kitap imzalatmış. O kız şimdi hastanede yatıyormuş. Moral olsun diye seninle telefonda konuşmak istiyormuş. Tanıdıklar aracılığı ile bana Melike'nin telefon numarasını verdiler. Bir ararsan çok sevinecekmiş."

O kargaşada görme engelli bir kızı hiç anımsamıyordum. Aradım. **Melike** beyin ameliyatı olacakmış. Konuştuk, moral verdim. Aylar sonra **Melike** beni yine aradı. Yine hastanede yatıyormuş, ameliyatları bitmemiş. Arada sırada onunla konuşmayı sürdürüyoruz. Ama ben dışarıdayım, o ne yazık ki hep hastanede.

***

Benim *Kovulduk* kitabı tezlere, araştırmalara da konu olmaya başladı. İstanbul'dan **Elif Soyseven**'in e-posta mesajı:

"Merhaba. Ben Yeditepe Üniversitesi Fransızca Siyaset Bilimi ve Uluslararası İlişkiler son sınıf öğrencisiyim. Bu sene mezuniyet tezi yazıyorum. Tezimin konusu medya-siyaset ilişkisi çerçevesinde bir genel yayın yönetmeni olarak Ertuğrul Özkök analizi. Tez hocam Yard. Doç. Dr. Demet Lukuslu. Bu bağlamda eğer kabul ederseniz sizinle görüşmek istiyorum. Size nereden ulaşabileceğimi bilmiyorum. Ancak umarım görüşebiliriz."

Elif'i aradım. Ankara'ya geldi. *"Bu tezi yazmaya sizin kitabı okuduktan sonra karar verdim"* dedi. Ona dilimin döndüğü kadarıyla medya rezaletlerini, **Tayyip** iktidarının medyayı nasıl korkutup ele geçirdiğini ve bu bağlamda **Ertuğrul'**u anlattım. Aylar sonra **Elif,** basılı tezini bana gönderdi.

Bir başka mesaj:

"Sayın **Çölaşan,** *Boğaziçi Üniversitesi İşletme Yüksek lisans öğrencileri olarak, bu dönem* **Prof. Dr. Eser Borak***'tan aldığımız 'İş Etiği' dersi kapsamında bir proje hazırlayacağız. Proje konumuz olarak geçen yıl Hürriyet'teki işinize son verilmesini seçmek istiyoruz.*

Bize göre basın özgürlüğüne indirilmiş büyük bir darbeydi ve kitabınızda bahsettiğiniz üzere meslek ahlakı açısından sorgulanması gereken çok kişi ve konu olduğunu düşünüyoruz.

Sizinle uygun olduğunuz bir zamanda buluşup bu konuyla ilgili görüşmek isteriz. Uygun olduğunuz bir tarihte Ankara'ya gelebiliriz. Saygılarımızla. **Dinçer Çetin, Muzaffer İncekara** *ve* **Renin Halegua.***"*

Bana mesaj ekinde gönderdikleri sorulardan bazıları şunlardı:

"– Size göre bir gazetecinin topluma karşı en önemli sorumlulukları nelerdir?

– Türk medyasının etikliği (ahlak düzeyi) ve geleceği hakkında ne düşünüyorsunuz?

– Gazetecilik mesleğini seçen insanların ne tür bir eğitimden geçmesi ve hangi özelliklere sahip olması gerektiğini düşünüyorsunuz?

– Hürriyet'ten ayrıldıktan sonra neden başka bir gazeteye geçmeyi düşünmediniz?

– Sözcü gazetesinde yazılarınız yayınlanırken sizden izin alındı mı?

– *Bekir Coşkun, Tufan Türenç, Özdemir İnce gibi muhalif görüşlü diğer yazarlar alınan bu kararı protesto etmek amacıyla toplu halde istifa etselerdi, Hürriyet yönetimi nasıl bir tavır alırdı?*

– *Sizinle aynı görüş ve kararlılığı paylaşan yazarlarla biraraya gelip, gerekli finansal desteği temin ederek, yeni bir gazete çıkartsaydınız, medyada nasıl bir mevzi elde etmiş olurdunuz?*

– *Aydın Doğan'ın hem medya patronu hem de çeşitli sektörlerde faaliyet gösteren bir işadamı olarak etik bulmadığınız davranışları nelerdi?*

– *Aydın Doğan'a AKP hükümeti tarafından yapılan, kitabınızda belirttikleriniz dışındaki baskılar nelerdi?*

– *Halen Hürriyet gazetesinde genel yayın yönetmenliği yapan Ertuğrul Özkök'ün yaşanılan olaylar esnasındaki davranışları ve tutumu Hürriyet'in güvenilirliğini nasıl etkilemiştir?*

– *Başarısız yöneticiliğin yanında, en temel ahlaki kavramları çiğnemiş olan Ertuğrul Özkök'ün profesyonel hayata devam edebilmesini nasıl buluyorsunuz? Benzer hataları yapan yabancı yöneticilerin akibeti neredeyse her zaman çok ağır cezalar ile sonuçlanmıştır. Türkiye'nin en önde gelen gruplarından birinin böyle amatörce yöneltilmesi hakkındaki fikirleriniz nelerdir?*

– *Birkaç yıl önce Tayyip Erdoğan'a olan yakınlığı ile bilinen Fatih Altaylı'nın, Hürriyet'ten ayrıldığınız dönemde size büyük destek vermesini nasıl değerlendiriyorsunuz?*

– *Eski bir Hürriyet yazarı olarak, Hürriyet yönetiminin çalışanlarına etik ilkelerini ve kurumsal değerlerini anlatmak için neler yaptığına tanık oldunuz?*

– *Vuslat Doğan Sabancı'nın tanımladığı, Ahmet Hakan'a uyan ve size uymayan kurumsal kimliği anlatabilir misiniz?*

– *Günümüz gençliğinin iç ve dış politikaya duyarsızlığı, okumuş cehaleti ve durgunluğu ülkemizin geleceğini nasıl etkileyecek?*

– *Bir ulusalcı hareketin örgütlenip AKP'yi saf dışı bırakabilmesi için sizce neler gerekli? Kanaltürk bu hareket için ne ifade ediyordu?"*

Dinçer ve **Muzaffer** Ankara'ya geldiler, belki beş saat konuştuk. Sordukları her soruya dobra dobra yanıt verdim, olayları ve gerçekleri iyice anlattım.

***

Bugün 10 Mayıs 2008. İlk kitabım olan *24 Ocak, Bir Dönemin Perde Arkası* 1983 yılında, bundan tam 25 yıl önce bugün piyasaya verilmişti. O zaman *Milliyet*'te idim. Gece gündüz çalışıp yazmıştım... Ve kitap büyük rağbet görmüş, 80 bin dolaylarında satmıştı. İlk imza günümü de o zaman İstanbul TÜYAP kitap fuarında yapmıştım.

Şimdi elinizde tuttuğunuz, benim 18. kitabım. Demek ki 25 yıla tam 18 kitap sığdırmışım.

Önce, daktilo ile yazılan kitaplar!.. Şimdi onlara bakıyorum ve bilgisayar öncesinde o kitapları, o binlerce sayfayı daktiloda nasıl yazmış olduğuma hayret ediyorum!

Böyle özel günler benim için önemli oluyor çünkü kısacık bir zaman bulunca geçmişi düşünüyorum. Sıradan bir ekonomi muhabiri olarak 1977'de göreve başladığım *Milliyet*...

O günlerde –Allah rahmet eylesin– **Halil İbrahim Göktürk** isimli yaşlı bir dostum vardı. Gazeteye sık sık gelirdi. **Şevket Süreyya Aydemir**'in de yakın dostuydu ve onunla ilgili kitaplar yazmıştı.

İlk kitabım çıkmıştı ve halen de kulağımda olan kalın ve etkileyici sesiyle beni uyarırdı:

190

"Çölaşan, evlat, bir gün mezar taşları bile yıkılıp gider. Geride sadece kitaplar kalır. İnsanın ismini kitaplar yaşatır. Yaz evlat, kitap yaz. Her zaman yaz."

1985'te *Hürriyet...* Ve kovulana kadar *Hürriyet*'te geçen 22 yıl.

Kovulduğumda 30 yıllık gazeteciyim. Açık alınla, şan ve şerefle görev yapmışım, gece gündüz çalışmışım...

Ve iki kişi, AKP iktidarı gelince benden hoşlanmamaya başlamış!

Hadi canım sen de!..

Binlerce habere, söyleşiye, ropörtaja, araştırmaya, yazı dizisine ve köşe yazısına imza atmışım, nelerle boğuşmuşum... Ve boğuştuklarım hiçbir zaman garibanlar değil. Güçsüzle değil, hep benden daha güçlü olanlarla mücadele etmişim. Egemenler, para babaları, ülkeyi yöneten, soyan, yerli ve yabancı işbirlikçilerine peşkeş çeken en üst düzeyde siyasetçiler, onların yalakası gazeteciler, hırsız belediye başkanları... Cumhurbaşkanları, başbakanlar, bakanlar...

Cebime bir kuruş haram, ahlak ve yasa dışı para girmemiş. Bir sürü ölüm tehdidi almışım, hakkımda nice davalar açılmış...

Korkmadan, yılmadan, dönek olmadan, satılmadan, lekelenmeden, yoluma aynı çizgide devam etmişim.

Gece gündüz hiç ara vermeden çalışmanın sonucu, 1983'ten bu yana satış rakamları bir milyonu geçmiş toplam 18 kitap.

Bugün hep bunları düşünüyorum.

***

Bugün 12 Mayıs 2008. Gazi Üniversitesi'nde ödül töreni var. Duyuruyu daha önce almıştım:

"Gazi Üniversitesi İktisadi ve İdari Bilimler Fakültesi tarafından yapılan anket sonucunda, yılın en iyi köşe yazarı

191

dalında öğrencilerimiz sizi seçtiler. Anketimiz Kasım ayında başladı ve öğrenciler tarafından dolduruldu. Çıkan sonuçta hiçbir şike yoktur. Tamamen öğrencilerin tercihidir... **Didem Zeybek."**

Bu tür toplantılara, ödül törenlerine genelde gitmem. Ancak buna gitmeye karar verdim... Çünkü anketle alınan sonuçlara saygı duyarım.

Aynı gün **Prof. Dr. Şükrü Kızılot**'a da ödül verilecek. **Kızılot**'la birlikte Gazi Üniversitesi'ne gittik. Önce Dekan **Prof. Dr. Muhteşem Kaynak**'ın odasında biraz oturduk ve sonra büyük salona geçtik. Salon dolu. Orada konuşmalar yapıldı. **Kızılot** konuştu, büyük alkış aldı. Ardından **Muhteşem Kaynak** kürsüye çıktı:

"İşte karşınızda **Emin Çölaşan**. *Adam gibi bir adam. Eğilmemiş bükülmemiş, ilkelerinden ödün vermemiş ve başına ne işler gelmiş. Şimdi bu adam gibi adamı hep beraber alkışlayalım..."*

Salonu dolduranlara hitaben yaklaşık bir saatlik bir konuşma yaptım. İnsanlar adeta nefes almadan dinliyordu. Bu işlerden hep kaçardım. Yıllardan beri belki de ilk kez böyle bir topluluğa hitap ediyordum. Hocalara ve öğrencilere medyayı, rezillikleri, dönen dümenleri, kovulma sürecimi anlattım.

Kalabalığın karşısında konuşmayı özlemiş olduğumu gördüm!

***

Bugün 13 Mayıs. *Hürriyet*'ten arkadaşlarım **Fatih Çekirge** ve **Saygı Öztürk** birkaç gün önce aramışlardı:

"Abi özledik. Salı günü öğlen Kavaklıdere Tenis Kulübü'nde buluşup bir yemek yiyelim."

Saat 13.00'te buluşacağız. Tam zamanında gittim. **Saygı** ile sık sık buluşuyorduk ama **Fatih Çekirge**'yi uzun süredir görmemiştim... Ve **Fatih**'e orada mutlaka bir soru soracaktım:

"Fatih, bu **Aydın Doğan** ağzında habire aynı sakızı çiğniyor. 'Emin Çölaşan büyük para vaatleriyle Star gazetesine geçecekti. Sonra iş yattı.' Sen o zaman **Uzan**'lara ait Star gazetesinin başındaydın... Ve sen bana üç kez transfer teklif ettin. Ben kabul ettim mi? Kabul etmeyi de bırak bir yana, seninle bir gün olsun para konuştum mu? Ben bu konularda kaç kez senin bir açıklama yapman gerektiğini hem yazdım, hem de söyledim. Niçin bir gün olsun beni doğrulamadın? Ya da bunun aksi olduysa niçin beni yalanlamadın?"

Bu soruyu **Fatih**'e **Saygı**'nın yanında soracağım.

Tenis Kulübü'ne girerken, benden hemen önce, belki 30 metre önümden **Fatih**'le **Saygı** kapıdan giriyordu. İçeriye girdim... Ve o anda, Anayasa Mahkemesi Başkanvekili **Osman Paksüt**'ün eşi **Ferda Paksüt** bizi görünce ayağa kalktı ve yüksek sesle konuşmaya başladı:

"Polis bizi takip ediyor. Bizi izliyorlar ve ayrıca dinliyorlar. Şimdi bir polis aracını kapıda suçüstü yakaladık. Az önce **Ercüment**'i (Ankara Emniyet Müdürü **Ercüment Yılmaz**) aradım, o da şimdi buraya gelecek. Bu nasıl rezalettir ki, sürekli olarak polis takibi altındayız..."

Dördümüz ayaktayız. **Ferda Paksüt** konuşuyor, biz üç gazeteci şaşkın bir durumda dinliyoruz.

Ferda Hanım'ın anlattığına göre karı koca tam Tenis Kulübü'ne girerken polis aracını görmüşler. Hatta sonradan öğrendiğime göre **Osman Bey**, polisin üzerini bile aramış. Poliste silah çıkmamış. Dinleme aygıtını bulmak için aracın bagajını açmalarını istemiş, polisler reddetmiş ve sonra oradan acele uzaklaşmışlar.

Bütün bunlar olurken, iki metre ötedeki bir masada **Osman Paksüt**'le AKP eski milletvekili, **Tayyip**'in gıcık kaptığı **Turhan Çömez** birlikte oturuyorlar. Fakat onlar konuşmaya hiç katılmıyor.

Ferda Hanım çok sinirliydi. Konuşmasını bitirince üçümüz de onlara yöneldik, geçmiş olsun dedik ve el sıkıştık.

Biraz sonra Ankara Emniyet Müdürü **Ercüment Yılmaz** geldi. **Paksüt** ailesi, **Çömez** ve **Ercüment Yılmaz** dipte bir masaya çekildiler. Ne konuştuklarını duymadık.

Bütün bunlar yaşanırken **Saygı** dışarı çıktı ve *Hürriyet*'in internet sitesine izlenme ve dinlenme haberini yazdırdı. En geç yarım saat sonra olay bütün Türkiye'de duyulmuştu. Ortalık ayağa kalktı ve bu haber günlerce Türkiye'nin bir numaralı konusu oldu.

Ben olayın (rastlantı sonucu) tam göbeğinde yaşamıştım. İçişleri Bakanlığı ve Emniyet böyle bir olay olmadığını, orada bulunan ekibin bir uyuşturucu işinin peşinde olduğunu falan açıkladı. O gün ve sonraki günlerde pek çok televizyon kanalına çıkıp gördüklerimi anlattım. Vicdani kanaatım şöyleydi:

Evet, bu olay doğruydu. İzleme, dinleme, bir şey vardı.

Sonra **Turhan Çömez**'in adı **Ergenekon** olayına karıştırıldı. Tutuklama kararı çıkarıldı. Ancak İngiltere'de idi, dönmedi ve tutuklanması (Eylül 2008 itibariyle yazıyorum) mümkün olmadı.

Çömez, Tayyip'in adeta nefret ettiği bir kimseydi ve partisinden ayrılmıştı... Ve **Çömez** o gün oradaydı. Sonra hep düşündüm:

"Acaba Emniyet ekipleri o gün Osman Paksüt'ü değil de, Turhan Çömez'i mi izliyor veya dinliyordu?"

Bu sorunun yanıtını ben bulamadım. Hiç kimse de bulamayacak.

Fakat işin ilginç yanı, yaşadığımız o kargaşada **Fatih Çekirge**'ye soracağım soruyu soramadım. Birdenbire öyle bir karambolün göbeğine düşmüştük ki, ona zaman kalmamıştı.

Olay sonrasında İslamcı basında yazılar çıktı:

"Emin Çölaşan orada ne arıyordu? Ne işi vardı? Öteki iki Hürriyet yazarı kendilerini niçin gizlediler? Orada olduk-

194

ları **Çölaşan** söyleyince ortaya çıktı. Bu ikili (**Fatih** ve **Saygı**), **Turhan Çömez**'in de orada olduğunu niçin gizlediler? Kamuoyu bunu niçin **Çölaşan** açıklayınca öğrendi?" (Oysa arkadaşların gizlediği bir şey yoktu. Onlar sadece olayın özünü gündeme taşımıştı.)

Özellikle iktidar yandaşı gazetelerde bu konuda bir sürü haber ve köşe yazısı çıktı. "Bu iş şikedir" demeye getiriyorlar ve hadiseyi yine kendi amaçları doğrultusunda saptırmaya kalkışıyorlardı.

***

27 Mayıs 2008 tarihli *Güneş* gazetesinde **Talat Atilla**'nın "Sabah'ın İlacı" başlıklı yazısı. **Talat**'ın bu yazısı, sahibi olduğu *Türk Time* sitesinde de yayımlandı. Bu sırada *Sabah* artık **Ahmet Çalık**'a armağan edilmiş ve tam bir AKP gazetesi olmuş durumda. Gazetede yönetim boşluğu var, satışları düşüyor. **Talat**'ın yazısı şöyle:

*"Geçen hafta Sabah'ta ne oluyor diye etrafa şöyle bir bakındım. Bakındım ama hiç kimseyi de göremedim. Herkes kayıp! Gazetenin Genel Yayın Yönetmeni **Ergun Babahan** dünyanın en büyük şarap üretim merkezlerinden biri olan **Siena Tuscano**'da tatilde. Gazetenin iki numaralı ismi **Doğan Satmış** Antalya'da. Patron **Ahmet Çalık** yurtdışında.*

Haber yapacak kadar bile hareket yok Sabah'ta. (İktidara yağcılık yapmak varken niye haber yapsınlar!)

Şimdi sıkı durun.

Beni Sabah'ın aleyhinde yazmakla itham edenleri utandıracak bir sihirli formül veriyorum Sabah yöneticilerine.

*Sabah'ı hareketlendirecek tek gelişme, **Emin Çölaşan**'ın Sabah'a geçmesiyle mümkün olabilir.*

*Tam bağımsız yazma imkânı verilir ve **Çölaşan** bu teklifi kabul ederse, Sabah, üzerine dökülen betonu kırabilir."*

Bu yazıyı o sabah okumuştum.

Öğle saatlerinde çevresi geniş, kulağı delik ve beni gerçekten sevdiğini bildiğim bir gazeteci arkadaşım aradı. Hani Kebabistan'da yediğimiz yemek sırasında bana *"Benim olduğum yerde lütfen patronum Aydın Doğan'ı eleştirmeyin, buna göz yumamam"* diyen çevresi geniş gazeteci arkadaşım.

"Emin Abi, nasıl buldun Talat Atilla'nın yazısını?"

"Güzel, iyi niyetle yazmış."

"Sabah'tan sana böyle bir öneri gelirse kabul eder misin?"

"Niye soruyorsun ki bunu?"

"Bir bildiğim olduğu için soruyorum."

*"Bak, birincisi onlar bana böyle bir öneri getirmez. Eşyanın tabiatına aykırıdır. **Ahmet Çalık** onca parayı devlet bankalarından tahsil edip Sabah'ı boşuna mı satın aldı? Her şeyden önce **Tayyip** izin vermez ona. Yani onlar bana gel diyemez. İkincisi ve en önemlisi, böyle AKP organı bir gazetede yazmak benim için onursuzluk olur. İsmim lekelenir, bütün saygınlığımı yitiririm. Onun için, bu senin söylediğin, iki taraf için de olmayacak duaya amin demek olur. Ne onlar beni ister, ne de isteseler ve sonuna kadar özgür bıraksalar bile ben bugünkü Sabah'ta görev kabul ederim."*

Talat Atilla bu yazıyı yazdığına ve hemen ardından **Ahmet Çalık'**la iyi ilişkileri olan o gazeteci arkadaşımız beni aradığına göre, mutlaka bir bir bildikleri vardı. Bazı konuşmalar olmuş, yoklamalar yapılmıştı.

Bunu daha sonra öğrendim.

Ancak olmayacak duaya amin bile demek yanlış olurdu.

***

29 Mayıs 2008 günü **Turgay Ciner** ve **Fatih Altaylı** Ankara'ya geldiler. Aradan yaklaşık altı ay geçmişti. **Turgay Ciner'**le neredeyse altı ay aradan sonra ikinci kez beraber oluyorduk. **Erhan Aygün** de vardı.

Yeni çıkacak gazeteyi uzun uzun konuştuk, kadrolardan söz ettik. Tamamen aynı doğrultuda düşünüyorduk.

İsimler üç aşağı beş yukarı belliydi ve çok iyi bir kadro oluşuyordu. Ancak bu isimlerin gizli tutulması gerekiyordu. Öğrenen öğreniyor, bilenler biliyordu ama gelecek arkadaşlarla resmen bağlantı kurulmuyordu.

Yılbaşından hemen sonra çıkacak olan gazetenin dört kentteki matbaa binaları hızla yapılıyordu. Ancak gazetenin temelini oluşturacak İstanbul matbaa binasında sorunlar çıkmıştı. Sonra yolsuzluktan görevine son verilen AKP'li bir belediye başkanı buradan avanta almaya kalkışmış, kendi bölgesindeki inşaatı çeşitli zamanlarda engellemiş, mühürlemiş ve iki ay zaman kaybettirmişti.

Bu görüşmede **Turgay Ciner**'e en kritik soruyu sordum:

*"**Turgay Bey**, şimdi varsayalım bu iş oldu. Siz büyük bir işadamısınız. Devletle, hükümetle çok büyük işleriniz var. Madenleriniz, enerji işleriniz var. Diyelim ki ben ve Bekir sizin gazetede başladık. Doğal olarak Hürriyet'teki yazılarımızla aynı doğrultuda yazılar yazacağız. Bu hükümet size de baskı yapmaz mı? Ben bunu Hürriyet'te fazlasıyla yaşadığım için biliyorum. Sonra sorun çıkmasın? Benim (ve gazetede başlayacak olan öteki birkaç arkadaşın isimlerini sayıyorum)* ve onların yüzünden işleriniz aksamaz mı?"*

Ciner'in yanıtı benim için yeterliydi:

*"**Emin Abi**, ben sadece Allah'tan korkarım. Benim hiçbir işim aksamaz. Bunlar benim malımı mülkümü gaspettiler, Sabah gazetesini elimden aldılar. Bana daha fazla ne yapacaklar? Alacakları bir tek canım var."*

Rahatlamıştım.

Teşekkür ettim.

***

26 Haziran günü **Bay Patron**'un kitabıma açtığı davanın üçüncü duruşması var. Bu duruşmada iki taraf da tanık listelerini mahkemeye sunacak. Bizim tanıklarımız belli. **Bekir Coşkun** tanık olmayı bana kendisi önermişti.

İkinci tanık **Fatih Altaylı**. Fatih'e ben söylemiştim, kabul etti.

Aslında yazılarımın makaslandığı konusu önemli. Bunu mahkemeye bilgisayar belgeleriyle kanıtladık ve tek kelimeyle olsun yanıt veremediler. Ayrıca kitapta yazdığım başka olaylar da var. Onların bire bir tanığı olan arkadaşların tamamı halen *Hürriyet*'te çalışıyor. Onlara *"Bana tanıklık yapın"* diyemem ki. Hepsi zor durumda kalır ve işin sonu onların da kovulmasına kadar varır.

Ben bu öneriyi **Bekir**'e bile götüremezdim. Sağ olsun, büyük bir mertlik gösterip *"Beni tanık göster"* dedi.

Üçüncü tanığımız, pek çok olayı gazetede birlikte yaşadığımız milli eğitim muhabiri, yürekli arkadaşım **Kâmuran Zeren**. Onu da kovdukları için rahatça tanık olacak. Söylediğim anda kabul etti.

Peki karşı tarafın tanıkları kim olacak? Avukatım **Serhan Özdemir** listeyi getirince şaşırdım.

Ertuğrul Özkök, köşe yazarları **Tufan Türenç** ve **Özdemir İnce** ile Ankara Temsilcisi **Enis Berberoğlu**.

Bu konuda kısa bir araştırma yaptım... Ve kesin olarak öğrendim ki, tanık gösterdikleri üç kişinin, **Tufan Türenç**, **Özdemir İnce** ve **Enis Berberoğlu**'nun bu konudan haberi yok. Bir tek **Ertuğrul**'un haberi olup olmadığını bilemiyorum.

Bu bir karşılıklı saygı olayıdır... Ve **Aydın Doğan**'ın burada yaptığı, *Hürriyet*'te çalışan tanıklara karşı saygısızlıktır. Tanık göstereceğiniz kişiye önce sorar ve onayını alırsınız. Üç kişiye sorulmamıştı. Belki **Ertuğrul**'un bile haberi olmamıştı.

Şimdi bir düşünün! **Aydın Doğan**'ın tanık gösterdiği *Hürriyet* çalışanları mahkemede ne diyebilir?

1) Benim kitapta anlatılan konularla ilgili bilgim yoktur.

2) **Emin Çölaşan** doğruları yazmıştır.

Bunları söylemek risklidir. Patronla sorun yaşarlar, başlarına iş açılabilir.

3) **Emin Çölaşan** yalan yazmıştır.

Bunu söylemek de vicdan gerektirir.

Üçüncü duruşmamız böyle geçti ve yine birçok internet sitesine, gazetelere haber oldu.

Dördüncü duruşma Ekim ayında. 22 Ekimde Ankara'daki tanıklar Ankara'da, 23 Ekimde İstanbul'daki tanıklar İstanbul'da dinlenecek.

Bakalım ne olacak!

***

Bu aşamada *Sözcü* gazetesinin Ankara Temsilcisi **Hakan Akpınar**'la bir söyleşi yaptık. İşte *Sözcü*'de yayımlanan bölümlerin geniş bir özeti:

– İzin verirseniz size günlük hayattaki gibi hitap edeceğim. **Emin Ağabey** diyeceğim. Gazetemiz *Sözcü* birinci yılını doldurdu ve satışı 130 bini (kısa süre sonra 150 bin'i geçti) geçti. Bu başarıda sizin de payınız var. Bu konuda ne diyorsunuz?

– *Gerçekten büyük bir başarı olduğunu söyleyebilirim. Çorbada benim de bir tutam tuzum varsa bundan onur duyarım. Bugün Türkiye'de arkasında büyük sermaye olmayan bir gazetenin böylesine saygın bir çizgide bu satış rakamına ulaşmış olması çok önemlidir. Dahası, Sözcü'de promosyon, ikramiye vesaire yok. Bazılarının yaptığı gibi düzmece ve sahte abone rakamlarıyla satış rakamlarını şişirip hava basmak yok. Sözcü iktidar yalakalığı yapmadığı gibi, onurlu bir duruş sergiliyor. Arkasında cemaatler, tarikatlar, din tüccarları ve iktidar desteği yok. Türkiye'de böyle kaç gazete var? Sa-*

yıları üçü beşi geçmez. Sözcü, **Atatürk** *yolunda ilerleyen, ülke çıkarlarını gözeten, ülkeyi hırsızların, namussuzların, din tüccarlarının yönetmesine karşı çıkan birkaç gazeteden biri. Sözcü'yü çıkaran ekibi kutluyorum. Bu arada Sözcü'nün Ankara Temsilcisi olan seni de kutluyorum. Ancak burada benim dikkatimi çeken önemli bir şey var. Bu da Türkiye'nin durumunu gözler önüne seriyor. Dikkat ediyorum, Sözcü'de çok az ilan çıkıyor. Oysa bu gazetenin yarısı kadar satabilen ve çoğunun arkasında AKP, tarikatler ve cemaatler olan gazetelerde sayfalar ilandan geçilmiyor. Ben burada ikinci bir Kanaltürk olayı görür gibi oluyorum. Kanaltürk* **Tuncay Özkan'ın** *yönetiminde iken de aynı olaylar yaşanıyordu. Reklam verilmiyordu.*

– Reklam veren firmaların korkusu mu bu?

– *Elbette öyle çünkü AKP iktidarı irili ufaklı bütün patronları, firma ve kuruluşları korkuttu. Muhalif medya kuruluşlarına ilan vermek adeta bir suç oldu! İktidar, hoşuna gitmeyen yayın organlarına gözdağı verip onları korkutmak amacıyla, gerekeni derhal yapıyor. Örneğin Sözcü'ye ilan verecek bir kuruluş yüzde yüz eminim, birkaç kez düşünüyordur, "Acaba bu durumda benim üzerime gelirler mi, üzerime maliyecileri gönderirler mi" diye.*

– **Emin Ağabey,** geçtiğimiz Ağustos ayından beri, yani sizin deyiminizle *Hürriyet*'ten kovulmanızdan sonra neler yapıyorsunuz? Kendinizi nasıl hissediyorsunuz?

– *Kendimi acayip iyi hissediyorum. Robotluktan kurtuldum. Kendi hayatımı biraz olsun yaşayabiliyorum. Gittiğim her yerde, dükkânlarda, sokaklarda, insanların inanılmaz sevgisiyle karşılaşıyorum. Sarılanlar, öpenler, kutlayanlar...*

– Buna ben de birkaç kez tanık oldum. Sizinle bir yerde karşılaştığımızda ya da sokakta yürüdüğümüzde insanların akla hayale gelmeyecek sevgi gösterilerini gözlerimle gördüm.

Hiç unutmuyorum, birinde Meşrutiyet Caddesi'nde orta yaşlı ve başı örtülü bir hanım sizi kucakladı, öptü, *"Sana kurban olurum ben"* diye bağırdı.

— **Hakan**, *ben bu olayları her gün birkaç kez yaşıyorum... Ve bazen neyi düşünüyorum biliyor musun. Günün birinde* **Aydın Doğan** *ve* **Ertuğrul Özkök** *özgürce sokağa çıkabilseler, şöyle bir yürüseler, insanların yüzüne bir baksalar... Acaba insanlar onlara ne der? Bunu gerçekten merak ediyorum. Acaba bir kişi onları öper mi, sevgi gösterir mi?*

— Sevgi göstermeyi bırakın, acaba tanırlar mı?

— *Bir de insanların onlar için bana her ortamda söyledikleri var. Bir tekinde yanımda olsalar da duysalar, bunu ne çok isterdim. İzmir Kitap Fuarında geçtiğimiz Nisan ayında imza günü yaptık. Son imza günümü tam 19 yıl önce, 1989' da yapmıştım, iki gün boyunca binlerce insan geldi ve imza atmaktan kollarım koptu. Yüzlerce resim çektirdik. Orada bir hanımın bana söylediğini unutamam...* "**Emin Bey**, *siz kovulmakla kendinize yakışanı yapmış oldunuz. Size onlar tarafından kovulmak yakışırdı"* dedi. *Ben görevimi Hürriyet'te 22 yıl boyunca şerefimle, haysiyetimle, yurt sevgimle, boyun eğmeden, hiç kimseye yalakalık yapmadan, korkmadan, ilkelerimden ödün vermeden yaptım. Korkanlar, eğilip bükülenler, "Aman ben iktidarı korkutmayayım da üzerime gelmesinler" diye bacakları titreyenler utansın. Allah'a bin şükür alnım açık, başım dik.*

— **Aydın Doğan** kitabınızı mahkemeye verdi ve sizden 50 milyar tazminat istiyor. Bunu nasıl değerlendiriyorsunuz?

— *Başka ne yapacaktı ki! Gazetecisin ve biliyorsun, Türkiye'de herkes gazetecileri mahkemeye verip tazminat ister. Çoğunun gerekçesi de çok basittir... "Adam yazdı, ben de mahkemeye verdim. Başka ne yapabilirim!" Ben o kitapta isteseydim ne senaryolar uydururdum. Oysa yazdıklarım baş-*

tan sona gerçektir. Bu konuda hem namusum üzerine, hem de Allah huzurunda yemin ediyorum.

– Davasının kendince en önemli unsurlarından biri de, size kendisinin yazdığı bir mektubu kitabınızda açıklamış olmanızmış.

– *Doğrudur. Beni eleştiren bir mektubudur ve onu aynen yayımladım. Sadece beni eleştiren bir mektubudur. Fikir ve Sanat Eserleri Kanunu uyarınca ben bunu yapamazmışım! Dava dilekçesinde diyor ki "Benim ticari sırlarımı açığı vurdu!" Ben onun hangi ticari sırrını bilirim ki açığa vurayım. Şimdi bu büyük medya patronunun çelişkisini herkes anlasın. Geçmiş yıllarda **Nazlı Ilıcak** gazetesinde bu **Aydın Doğan**'a bindirdikçe bindiriyordu. Beyefendi de çok kızıyordu. O zaman iktidarda AKP falan yoktu ve ben onu yazılarımla rahatsız etmiş değilim. Bana **Nazlı Ilıcak**'ın kendisini daha önceden öven üç adet özel mektubunu gönderdi. Şunu diyordu: "Bu **Nazlı Ilıcak** beni geçmişte överdi, saygı gösterirdi, şimdi bindiriyor."*

– Gerçekten kendisi mi gönderdi?

– *Gerçekten kendisi gönderdi. Onları çöplükten veya **Aydın Doğan**'ın dosyalarından bulmadım ya! Bunları yazmam için gönderip göndermediğini sordum, yazmam için izin verdi. Çünkü özel belgeleriydi ve yazmak için iznini almam gerekirdi... Ve ben onları Hürriyet'teki köşemde, çeşitli zamanlarda hem de birkaç kez yayımladım. **Nazlı Ilıcak**'ın o imzalı mektupları halen bendedir. Belki **Nazlı Hanım**'da bile kopyaları yoktur. İsterse kendisine de gönderirim. O mektupları zamanında bana yayımlamam için gönderen şahıs, şimdi kendisinin bana yazdığı eleştiri mektubuna kitabımda yer verdiğim için beni yasayı çiğnemiş olmakla suçluyor ve davacı oluyor! Çelişkisini herkesin görmesini istiyorum.*

– Burada bir konu aklıma geliyor. Mektup açıklamak suç ise o zaman gazetelerin kolu kanadı kırılır. Örneğin siz yazılarınızda herhalde size gelen yüzlerce okuyucu mektubunu açıkladınız. Gazetelerin Okur Temsilcileri var, onlar okurların mektuplarını açıklıyor. Ya da *Hürriyet*'ten örnek vermek gerekirse **Yalçın Bayer** okur mektuplarını hep kullanıyor. Bunlar bizim mesleğimizin gereği olan şeyler...

– *Çok doğru söyledin. Eğer **Aydın Doğan**'ın iddiası geçerliyse, bugüne kadar o köşelerde mektubu yayımlanan her okur Hürriyet aleyhine dava açmalı ve tazminat istemeli. Gerekçesi de şöyle: "Ben o mektubu yayımlamanız için değil, okuyup bilgi edinmeniz için yazmıştım!"* **Hakan,** *iyi bir örnek verdin.*

– Siz mahkemede **Bekir Coşkun**, **Fatih Altaylı** ve **Kâmuran Zeren**'i tanık gösterdiniz. Onların tanıkları ise...

– *Bir dakika, burada sözünü kesmek zorundayım. Bu işin bir nezaketi, haysiyeti vardır. Bana tanık olmayı **Bekir** teklif etti... Çünkü **Bekir Coşkun** benim kitapta anlattığım çoğu olayın bire bir tanığıdır. **Fatih** o dönemde Yazıişlerinde görevliydi. **Kâmuran Zeren** ise Hürriyet Ankara Bürosunda eğitim muhabiri olan bir arkadaşımızdı. Sonra onu da kovdular. Benim tanıklarım bu üç kişi. Birisini hele böyle bir davada tanık göstermek için –hangi konumda olursa olsun– kendisinden öncelikle izin almak gerekir. Bu en basit bir nezaket kuralıdır. Ben hem **Fatih**'e, hem de **Kâmuran**'a önceden sordum ve onaylarını aldım. En azından nezaket kuralını yerine getirdim ve onlara saygısızlık etmedim.*

– Evet, **Aydın Doğan**'ın tanıkları ise **Ertuğrul Özkök, Tufan Türenç, Özdemir İnce** ve **Enis Berberoğlu**.

– *Doğrudur. Son duruşmada bu arkadaşları tanık gösterdiler. Şimdi dikkat et, hepsi de halen Hürriyet'te yazı yazan arkadaşlarımız. Benim kitapta anlattığım olaylarla **Tufan**,*

Özdemir ve Enis'in ne ilgisi var? Onlar hangi somut bilgiye sahip? Düşün ki, patron bey emrinde çalışan insanları tanık gösteriyor ve bu yolla onları köşeye sıkıştırıyor. Ama işin daha da vahim boyutu var. Onları tanık gösterirken **Özdemir İnce, Enis Berberoğlu** ve **Tufan Türenç**'e *bu konuda danışmadılar, izin almadılar, önceden bilgi vermediler. Onlar tanıklık yapacaklarını medyadan öğrendiler. O üç arkadaşımıza "Ben sizi tanık göstereceğim" denilmedi. Belki* **Ertuğrul**'un da *haberi yoktu. Ayıptır, ayıp.* **Aydın Doğan** *isimli medya, holding ve akaryakıt patronunun kendi çalışanlarına karşı patronluk gücünü kullanarak sergilediği en büyük saygısızlıktır.*

– Siz onlardan izin alınmadığını nereden biliyorsunuz?

– *Nereden bildiğim önemli değil. Kesin bilmesem sana söylemem. Kendi çalıştırdığı insanlara bu nezaketsizliği bile yapmayı göze almış* **Aydın Doğan.**

– Ya **Ertuğrul Özkök?**

– *Onun da haberi olmamış olabilir ama öteki üç kişi kadar kesin konuşamam. 23 Ekimde duruşmamız var. Sanırım çok ilginç olacak. Ben şimdi* **Ertuğrul**'dan *bir istekte bulunuyorum. Tanıklık yaparken doğruları söyleyeceğine dair namusu üzerine edeceği yemin beni kesmez. Ben, kamuoyu önünde torunlarının üzerine yemin etmesini istiyorum ve bunu isteyeceğim. Bu isteğimi duruşma öncesinde de yineleyeceğim. Kitapta yazdıklarım doğru mu, yanlış mı? Ondan tek beklediğim budur. Her ne kadar yasal yemin olmasa da* **Ertuğrul** *mahkemede demeli ki "Hâkim Bey burada doğru söyleyeceğime hem namusum, hem de torunlarımın üzerine yemin ediyorum." Ya da bunu duruşma öncesinde medyaya açıklayacak. Bunu kendisinden ısrarla isteyeceğim. Eğer kaçınsa bile, Allah'ın huzurunda söylüyorum, onu torunları üzerine yemin etmiş sayacağım. Ötesini Allah takdir edecektir.*

– Bu arada sorayım, **Kovulduk Ey Halkım Unutma Bizi** isimli kitabınızda anlatmıştınız bu kovulma olayını. Kitabınızın korsan baskılarına kızıyor musunuz?

– *Valla **Hakan**'cığım açıkça söyleyeyim korsan rezaletine kızıyorum ama bu kitabın korsanına kızmadım... Çünkü korsanlar sayesinde de tahmin ediyorum ki en az 500 bin kişiye daha ulaşmıştır. Dolayısıyla korsanlar maddi, ben manevi kazanç elde etmiş oldum ve neresinden bakarsan elbirliği ile bu kitabı yaklaşık bir milyon kişiye okuttuk!*

***

Genelkurmay'dan gelen bir davetiye hepimizi hem güldürdü, hem de düşündürdü.

Haziran ayında İstanbul'da uluslararası bir sempozyum düzenlenmiş. Genelkurmay 2. Başkanı Orgeneral **Ergin Saygun** tarafından gönderilen zarfın üzerindeki unvan ilginçti:

*"Sayın **Emin Çölaşan**.*

Serbest Gazeteci."

Yani "işsiz gazeteci" demenin kibarcası!

***

30 Haziran 2008 tarihli *Star*'da **Şamil Tayyar**'ın *"Vahim İddialar"* başlıklı yazısı:

*"**Emin Çölaşan-Mustafa Balbay** çifti, bir TV kanalında andıca sadık kalarak demokrasi mücadelesi veren kadroları yerden yere vuruyorlar, gazetecilik üslubu ve etiğiyle bağdaşmayan tarzda iktidara yüklenip duruyorlar.*

*Eskilerin 'İshal-i kelam' (söz ishali) dedikleri vaziyete kapılmış durumdalar. Son olarak daha dün aynı kanaldaki programda öyle bir iddiada bulundular ki, evlere şenlik. **Emin Çölaşan**'a göre; Başbakan **Erdoğan**, iki yıl önce Kara Kuvvetleri Komutanıyken* (Genelkurmay Başkanı iken olacak) ***Yaşar Büyükanıt**'la yaptığı görüşmeyi de birkaç gün önce Kara Kuv-*

vetleri Komutanı **İlker Başbuğ**'la yaptığı görüşmeyi de gizlice kayda almış!

Şimdi Başbakanın elinde iki görüşmeyle ilgili ikişer saatten toplam dört saatlik kayıt varmış!

Mustafa Balbay da ara gazı veriyor: 'Kesin öyle, değilse ben **Mustafa Balbay** değilim.' **Çölaşan** üzerine atlıyor: 'Ben de **Emin Çölaşan** değilim...'

Kendi isimleri üzerine iddiaya girecek kadar eminler. O halde **Çölaşan** ve **Balbay**, iddialarını teyit edecek ellerindeki bilgi, belge ve kayıtları kamuoyuna açıklamakla yükümlüdür.

Çünkü iddia vahimdir. Başbakanı görüştüğü komutanları gizlice kayda alan istihbarat görevlisine benzetmek ve sonra bu kayıtları şantaj aracı olarak kullanmakla suçlamak, komutanların da kasetleri yayınlanırsa mahçup olacakları taahhütlerde bulunduğunu ima etmek hangi gerekçeyle açıklanabilir?

Anlaşılan **Erdoğan**'ın **Başbuğ**'la görüşmesi, politikalarını siyasetçi-asker çatışması temelinde yürüten ulusalcı cephede travma yaratmış durumda. Son dönemde bu çatışmayı körükleyici bilgi ve belgeleri simitçi tezgâhına kadar düşürenler, bu görüşmeden bir hayli rahatsızlar. **Büyükanıt**'la hayal kırıklığı yaşadılar, şimdi **Başbuğ**'u etki altına almaya çalışıyorlar."

Star, iktidarın en başta gelen destekçilerinden biri... Ve herhalde rastlantıdır (!) bu yazıdan bir gün sonra **Mustafa Balbay**'ın evi basıldı, gözaltına alındı.

Ancak yazıda çok doğru bir cümle vardı:

"Büyükanıt'la hayal kırıklığı yaşadılar."

Doğrudur. Yaşadık!

206

Bu süreçte **Ergenekon** dosyaları havalarda uçuşuyor. Muhbirlik furyası AKP yandaşı medyada egemen olmuş, ihbarlar birbirini kovalıyor. Şeriatçı *Vakit* yazıyor:

"Avrasya TV (ART) **Ergenekon** *terör örgütü ile özdeşleştirilen birçok ismin program yaptığı, ya da sık sık konuk olduğu bir ekran. Hürriyet'ten kovulan* **Emin Çölaşan**, *Kanaltürk'ten ayrılan* **Hulki Cevizoğlu**, **Ergenekon** *sanığı Cumhuriyet gazetesi Ankara Temsilcisi* **Mustafa Balbay** *gibi isimler bu kanalda programcı..."*

***

Bugün 1 Temmuz 2008 Salı. Sabah erken saatlerde CHP Manisa Milletvekili **Şahin Mengü** evden aradı. O sırada uykudayım:

*"**Emin Abi** nasılsın, iyi misin?"*
"İyiyim yaa, hayrola?"
"Evde misin abi?"
"Evdeyim."
"Uyandırdım mı?"
"Haa, uyandırdın."
*"Abi olanlardan haberin var mı?.. **Hurşit Tolon Paşa'yı**, **Şener Eruygur Paşa'yı**, **Mustafa Balbay'ı**, **Sinan Aygün'ü**, **Ufuk Büyükçelebi'yi** falan evlerini basıp gözaltına aldılar. Sana gelen giden var mı?"*
"Vay be, valla şu dakikaya kadar bana gelen giden olmadı."

Birdenbire kendime gelmiştim!

Maşallah, ortalıkta kan gövdeyi götürüyor ve ben olan bitenden habersiz uyuyorum!

Şahin Mengü benim çok yakın dostum, arkadaşım. Aile boyu dostluğumuz var. *Hürriyet'*te iken bizim avukatlığımızı yapan hukuk bürosunun sahibi idi. Milletvekili olunca avukatlığı bıraktı.

Önceki yıllarda bir gün **Hurşit Paşa** beni arayıp sormuştu:

*"Sayın **Çölaşan**, sapına kadar güvendiğiniz bir avukat var mı?"*

Paşa'ya **Şahin Mengü'**nün ismini ve telefon numarasını vermiştim. Sonra bir araya geldiler ve Şahin onun da avukatı oldu. Bu sabah erken saatlerde evi polis tarafından basılan **Hurşit Paşa** hemen Şahin'i aramış. Fakat **Şahin** milletvekili olduğu için, **Tolon'**un evine aynı hukuk bürosundan avukat **Ahmet Çörtoğlu** gitmiş.

Şahin bana daha sonra anlattı:

"Abi aklıma hemen sen geldin. Seni de götürmüş olabileceklerini düşündüm. Onun için seni erkenden aradım."

Şahin'den sonra eve telefonlar yağmaya başladı. Artık olay duyulmuştu. Herkes başıma bir iş gelip gelmediğini merak ediyor, hatırımı soruyor. Siyasetçiler, gazeteciler, eş dost...

Bu arada yine espri yapma damarım patladı. Örneğin hiç unutmuyorum, **Murat Karayalçın** ve **Yavuz Donat** ardarda aramışlardı. İkisine de söylediğim sözlerin anlamını ve nerelere varabileceğini ikinci telefonu kapattığım anda kavradım:

*"Yaa ben kaç kez bu **Mustafa Balbay'**a söyledim bu **Ergenekon** çetesine girme, bu işten sana hayır gelmez diye. Ama adam beni hiç dinlemedi ki!"*

Oysa telefonlar dinleniyordu. Bunu birkaç dakika bile olsa unutmuştum. Dinlenen telefonlardaki bu sözlerim hem benim, hem de **Balbay'**ın başına iş açabilirdi.

Sonra yüzlerce kişiden hep benzer soruları duydum:

"Acaba seni (sizi) de alacaklar mı?.."

"Seni (sizi) niye almadılar?.."

Herkese aynı şeyi söylüyordum:

"Eğer bir yerde yazıyor olsaydım doğal olarak daha çok devrede olacaktım. Daha çok telefon konuşmalarım olacak-

tı, insanlarla yüz yüze daha çok konuşacaktım ve ister istemez beni de alacaklardı. Ancak yazdığım dönemlerde de ben bu kalabalık işlerin, bireysel ilişkilerin hep dışında kaldım. Örneğin hemen hiçbir toplantıya ve törene gitmezdim. Sadece yazacaklarıma ve yapacağım gazeteciliğe odaklandığım için, o gibi konuları –doğrudur veya yanlıştır– kendi açımdan zaman kaybı olarak görürdüm."

Çeşitli **Ergenekon** dalgalarında gözaltına alınıp bazıları tutuklanan **Hurşit Tolon, Şener Eruygur, Sinan Aygün, Mustafa Balbay, Kemal Alemdaroğlu, İlhan Selçuk, Vedat Yenerer, Ergün Poyraz, Erol Mütercimler, Ufuk Büyükçelebi, Doğu Perinçek** ve Eylül ayında gözaltına alınan **Tuncay Özkan**'ı tanırdım. Hepsi de AKP ve **Tayyip** iktidarına karşı olan yurtsever insanlardı.

En sık birlikte olduğum ve konuştuğum doğal olarak **Balbay**'dı çünkü her pazar günü *ART*'de program yapıyorduk.

Meğer **Balbay**'la yaptığımız bütün telefon konuşmaları da dinlenirmiş. Bir seferinde **Balbay**'a demişim ki *"Bu pazar şu telefon dinlemelerine iyice bindirelim, rezaleti gözler önüne serelim."* Gözaltında iken Savcı soruyor: *"Emin Bey telefon dinlemeleriyle niye böyle alay ediyordu?"*

1 Temmuz operasyonu, **Ergenekon** soruşturmasının altıncı dalgasıydı. En son beşinci dalga Mart ayında patlamış ve **İlhan Selçuk, Kemal Alemdaroğlu, Doğu Perinçek** içeri alınmıştı. **Tayyip, Abdullah Gül** ve **Bülent Arınç**'la ilgili çok önemli kitaplar yazıp belgeler açıklayan **Ergün Poyraz** tam bir yıldır cezaevinde yatıyordu.

Evini basıp gözaltına aldıkları **Mustafa Balbay**'ı aynı gün İstanbul'a götürdüler. O hafta boyunca çok sayıda televizyona çıkıp görüşlerimi anlattım. **Ergenekon** olayının bir faso fiso olduğunu, hiçbir şey çıkmayacağını, içeri alınan pek çok masum insana boşuna ıstırap çektirildiğini vurguladım.

Böyle olaylar, ister istemez belleklerdeki hoş anıları da canlandırıyor. **Yavuz Donat**'ın 3 Temmuz tarihli *Sabah*'taki yazısı:

*"**Mustafa** kafiyeli konuşur, yazısına kafiyeli başlık atar. Bir gün **Emin Çölaşan** (**Mustafa**'ya) dedi ki 'Haydi, bisküvi sözcüğüne de bir kafiye uydur.'*
*   **Balbay** düşündü, uyduramadı ve 'Çuvalladım' dedi. Başladık gülmeye.*
*   Dün **Çölaşan**'la **Balbay**'ı konuşuyorduk. Dedik ki gözaltı için de mutlaka bir kafiye bulmuştur.*
*   Geçmiş olsun **Gülşah**, geçmiş olsun **Mustafa**."*

Yavuz'un bu yazısı da belleğimde bir başka anıyı canlandırdı. Geçmiş yıllarda **Donat-Balbay-Çölaşan** üçlüsü olarak *NTV*'de her salı gecesi "Kapalı Kapılar Ardında" programı yapardık ve büyük ilgi görürdü. Başladığımızda iktidarda AKP yoktu, sonra oldu. Programda **Balbay** ve ben AKP'ye bindirirken, **Yavuz Donat** dengeyi kurardı. AKP iktidar oldu. Bir süre sonra kanalın başındaki **Cem Aydın** bize bildirimde bulundu:

"Bu program miadını doldurdu, artık bitiriyoruz."

Böylesine izlenen ve ilgi uyandıran programın durup dururken bitirilmesi normal değildi. AKP iktidarının birinci yılı henüz dolmuştu.

Daha sonra olaylar geliştikçe, medyanın nasıl baskı altına alındığını izledikçe, bunun nedenini cok iyi anladım.

NTV'nin sahibi, hükümetle bir sürü işi olan işadamı **Ferit Şahenk**'e de Başbakanlık mahallesinden mesaj gitmiş ve program bitirilmişti!

Kibarca kovulmuş oluyorduk. Daha doğrusu kovulmak değil de, programa son verilmiş oluyordu!

***

Şimdi kafamda, hafta boyunca bir soru işareti var.

Bu pazar günü *ART*'de ne yapacağız?

Mustafa gözaltında. Bırakılırsa sorun yok. Eğer bırakılmazsa diye *ART* yönetimi ile B Planı hazırlıyoruz. O takdirde pazar sabahı ekrana haber müdürü **Lale Şıvgın**'la çıkacağım. O bana soracak, ben konuşup gündemi değerlendireceğim.

Her gün ve her saat izliyoruz, **Mustafa**'nın gözaltı süreci devam ediyor.

En sonunda, **Mustafa** cumartesi günü akşam saatlerinde bırakıldı. Savcılık tutuklama istemiyle mahkemeye sevketmişti, mahkeme serbest bıraktı. Cep telefonuna polis el koymuştu. Binbir güçlükle İstanbul'da bulunan **Mustafa Balbay**'a ulaşabildim.

"Mustafa'cığım geçmiş olsun... Şimdi yarın ne yapıyoruz? Ankara'ya gelebilecek misin?"

"Emin Abi şimdi ben gazetedeyim. Yarın için bir yazı yazıyorum. (Bu sırada saat 21.30) Geceyarısı arabayla yola çıkıp sabaha karşı Ankara'ya varacağım ve programa yetişeceğim."

O kargaşada başka bir şey konuşamadık.

Bu sırada *ART* ekranından sürekli altyazı geçiyor:

"Emin Çölaşan ve Mustafa Balbay yarın sabah saat 11.00'de canlı yayında ART ekranında. Balbay gözaltında yaşadıklarını Çölaşan'a anlatacak."

Fakat **Mustafa Balbay** ekranda ne ölçüde konuşabilecek? Bunu ben dahil hiçbirimiz bilemiyoruz.

Program 11.00'de başlıyor. Sabah saat 9.30'da *ART*'ye gittim. Kapıda büyük bir kalabalık birikmiş. İnsanlar ellerinde çiçeklerle **Balbay**'ı bekliyor.

(Sonra kendisinden öğrendim ki **Mustafa Balbay** sabah saat 05.00 dolaylarında evine ulaşıyor, aile bireyleriyle özlem gideriyor, altı gün çektiği çile, yorgunluk ve sadece iki saat uykuyla *ART*'ye geliyor.)

211

Mustafa 10.45'te *ART* binasına alkışlar arasında geldi. Sarılanlar, öpenler... İçeride aynı durum. Yayına beş dakika var. Televizyonda görevli arkadaşlardan izin istedim:

"Bizi bir dakika yalnız bırakın da bir şey konuşalım."

Mustafa yorgun, uykusuz ama zinde.

"Şimdi ben sana bu gözaltı sürecinde yaşadıklarını soracağım. Polis, savcılık, mahkeme... Sorulmasını istemediğin bir şey var mı?.. Çünkü konu kritik ve senin açından çok duyarlı."

"İstediğin gibi sor abi..."

"Her şeyi anlatabilir misin?"

"Her şeyi sor, anlatırım."

İlk kez ve zorunlu olarak danışıklı dövüşü gündeme getirmiştim ama mecburdum. "Şunu sorma" deseydi soramazdım. Hepsi bu kadar. Canlı yayın işareti geldi ve programa başladık. Gazetecilikte yüzlerce söyleşi yapmıştım. Soru sormayı bilen adamdım... Ve sormaya başladım. **Mustafa Balbay** anlatıyor, ben sorularımla onu daha da açıp en merak edilen konulara giriyorum, o da aynen yanıt veriyor. Onu karşımda izledikçe içimden *"Helal olsun"* diyorum. Korkmuyor, bir tek sorumda kıvırtmıyor, ne sorduysam açıkça yanıt veriyor, benim aklıma gelmeyenleri de kendisi anlatıyor.

Böyle bir olay Türkiye'de ilk kez yaşanıyor.

Emniyet, savcılık ve mahkeme aşamasında yaşadıklarını tek tek gözler önüne seriyoruz. **Balbay**'ın oralardaki yaşam koşulları, kendisine sorulan abuk sabuk sorular, gece sağlık kontrolü bahanesiyle uykusuz bırakılması, adliyede savcılık ve mahkeme aşamasında hiç ara vermeden, sandalye üzerinde veya ayakta geçen yaklaşık 36 saati!..

Ve uykusuz bırakarak, yorarak, gererek yapılan manevi işkenceler. Dayak yok, dövmek ve sövmek yok ama onların yerini başka türde şeyler almış.

Normalde en çok 1.5 saat süren "Ankara Rüzgârı" programı o gün canlı yayında 3.5 saate yakın devam etti. Her reklam arasında *ART* çalışanları yanımıza gelip *"Muhteşem oluyor!"* diye bağırıyor.

Programa binlerce sms mesajı yağıyor. Santral ve faks kilitlenmiş durumda.

O gün Türkiye'deki bütün reyting rekorlarını kırdık.

Program bitti. **Balbay**'a sarılıp öptüm ve *"Helal olsun sana, yürekli adam olduğunu bir kez daha kanıtladın"* dedim.

Kapıda yine büyük kalabalık ve ayrıca medya ordusu bekliyor. Biraz Türk Metal Sendikası Başkanı **Mustafa Özbek**'in aynı binadaki odasında oturup sohbet ettik. **Mustafa Bey** de kutladı... *"Ben şimdiye kadar böyle program görmedim, harika oldu"* dedi.

Çıkışta yine büyük kalabalık. Bu kez medya ordusu da gelmiş. En az 50 kameraman, muhabirler... **Mustafa** ile birlikte medyaya ayaküstü demeçler verdik.

Ayrıca ahaliden öpenler, sarılanlar, çiçek verenler... İri yapılı bir adam bana öyle bir sarıldı ve sıkıyor ki, nefesim tutuldu. Göğsümden çat diye bir ses geldi. Kaburgalarım kırıldı zannettim. "Ah" diye bağırmışım. Meğer kırılan kaburgalarım değil, gömlek cebimdeki okuma gözlüğümmüş!

O kalabalıkta orta yaşlı bir hanım yanıma gelip sarıldı, öptü:

*"**Emin Bey**, emekli öğretmenim. Kanser tedavisi görüyorum. Burada sizi gördüm, size dokundum ya, inanın artık ölsem de gam yemem."*

Türkiye'de bu insanların milyonlarcası vardı ama ipler **Tayyip**'lerin mayyiplerin elindeydi. Ülkemizi ne yazık ki onlar yönetiyordu.

***

Mustafa Balbay'la yaptığımız bu program ve çıkışta söylediklerimiz aynı günün akşamında –dinciler ve AKP yandaşları dahil– çok sayıda televizyon kanalında haber oldu. *ART* bu programı baştan sona günlerce yayımladı.

Neydi bunun önemi? **Ergenekon** gözaltılarında çıtayı ilk kez biz devirmiş ve acı gerçekleri gün ışığına çıkarmıştık. Her yerden ve her kesimden kutlamalar yağıyordu.

Ertesi gün. 7 Temmuz 2008. Bizim program pek çok gazetede –*Hürriyet* dahil– manşette. *Hürriyet*'in dokuz sütuna manşeti şöyle:

"Ne Sorgu Ama!"

Fakat uzun ve ayrıntılı haberin hiçbir yerinde benim ismim yok!

Yani o programda ben yokum! O kadar ki, stüdyoda çekilen resimden bile beni yok etmişler, **Mustafa**'yı tek başına koymuşlar!

Bu yapılan çok ayıptı. Gazetecilik ayıbı. Çirkin, yakışıksız bir şeydi. En azından *Hürriyet* okurlarına karşı saygısızlıktı. Geçmişte benim yazılarımı sansür edenler şimdi ismime sansür uyguluyordu.

Sonra bu konuyu deştim... Ve *Hürriyet* Ankara Bürosunda çalışan arkadaşlara doğrudan ve dolaylı olarak sordum:

"Benim adımı haberde siz mi kullanmadınız, yoksa İstanbul mu çıkardı?"

"Bizim geçtiğimiz haberde doğal olarak sizin de isminiz vardı. İstanbul sizin isminizin geçtiği yerleri makaslamış."

Sonra bazı yöntemlerle, Ankara Bürosu tarafından geçilen habere ulaştım. Arkadaşlar doğru söylüyordu. Aynen bana söyledikleri gibiydi.

İsmimi İstanbul'da **Ertuğrul Özkök** çıkartmış, habere sansür uygulamıştı.

Feci tepem attı ve 8 Temmuz 2008 tarihli *Sözcü*'de *"Gazetecilik Ayıbı"* başlıklı şu yazıyı yazdım:

*"Pazar günü ART ekranında **Mustafa Balbay**'la muhteşem bir program yaptık. Üç saat boyunca ben sordum, **Balbay** gözaltı sürecinde yaşadığı inanılmaz olayları anlattı. Dünkü gazetelerin çoğunda bu programın haberi ve konuştuklarımız ya manşettten ya da iç sayfalardan, **Balbay**'la ikimizin isimleriyle, bazılarında fotoğraflarımızla okurlara iletilmişti. Birkaç örnek vereyim ki, Hürriyet gazetesinin biraz sonra anlatacağım saygısızlığını ve habercilik anlayışını daha iyi görün.*

Vatan: 'Balbay, Ergenekon soruşturmasında yaşadıklarını ART televizyonunda Emin Çölaşan'la birlikte yaptıkları programda anlattı.'

Milliyet: 'ART televizyonunda gazeteci Emin Çölaşan'ın sorularını yanıtlayan Balbay...'

Sabah: 'Balbay serbest kaldıktan sonra Emin Çölaşan'la birlikte katıldığı programda...'

Cumhuriyet: 'Balbay dün sabah ART'de gazeteci yazar Emin Çölaşan'la birlikte hazırladıkları ve sundukları haftalık Ankara Rüzgârı programına katıldı...'

Akşam: 'Mustafa Balbay Emin Çölaşan'la canlı yayına çıkıp sorguyu anlattı.'

Sözcü: 'Emin Çölaşan, Mustafa Balbay'a gözaltının ayrıntılarını sordu.'

Star: 'Mustafa Balbay, ART kanalında Emin Çölaşan'la birlikte hazırladıkları programda...'

Güneş: 'Emin Çölaşan televizyonda birlikte program hazırladığı Balbay'ı stüdyonun kapısında bir demet çiçekle karşıladı...'

Tercüman-Lale Şıvgın: 'Balbay'ın pazar sabahı Emin Çölaşan'la birlikte Ankara Rüzgârı programına çıkacağını haber alan vatandaşlar, televizyonun kapısında konuşlanmıştı bile...'

215

*Bunlar benim görebildiklerim. Çok kısa örnekler verdiğim bu haberlerin bazıları fotoğraflı idi. **Balbay** ve benim resimlerimiz de basılmıştı.*

*Şimdi geliyorum o Hürriyet gazetesinin ayıbına ve gazetecilik anlayışına. Ben o gazetede 1985-2007 yılları arasında —tam 22 yıl— onurla, şanla, şerefle çalıştım. O gazeteye on binlerce okuyucu kazandırdım. **Ertuğrul Özkök** yanıma her geldiğinde aynı şeyi söylerdi:*

*'Bu gazetede en çok okunan yazar bir sen varsın, bir de ben varım. Ötekiler hikâyedir. **Oktay Bey** falan hiç okunmuyor. Gazetenin internet sitesinde de durum aynı. En çok ikimiz okunuyoruz. Ama sen patrona (**Aydın Doğan**'a) uzak duruyorsun. Biraz yakınlaş. Yazılarında çok sert gidiyorsun, **Tayyip** bozuluyor! Biz bunlarla er veya geç papaz olacağız, biraz sabırlı ol!'*

*Ben gazeteci idim. Patrona yakın durmanın ne anlama geldiğini bilmez, bazı olaylara hep birlikte tanık olduğumuzda bile hayret eder, gülüp geçerdim. Örneğin **Ertuğrul Özkök** patronla birlikte Ankara'ya geldikleri zaman yemeğe gittiğimizde, **Aydın Doğan**'ın istediği yemeklerin nasıl olması gerektiğini garsona tarif eder, yemek istediği gibi gelmemişse azarlayıp tabağı geri çevirir, patronun salatasına zeytinyağ limonu elleriyle koyar, yemek sonrasında Grappa içip içmeyeceğini sorar ve patronundan yakın ilgisini hiçbir zaman esirgemezdi! Acaba patrona yakın durmak böyle mi oluyordu! Fakat ben bunları yapacak biri değildim.*

Gün geldi, yazılarım AKP iktidarını kızdırdığı için beni gazeteden kovmak zorunda kaldılar. Zaten başka çareleri yoktu. Hem yazılarımdan bunalmışlardı, hem de patron kademesine 'yeterli ilgiyi' gösteremiyordum!

Ve Ağustos 2007'de kovulup göğsüme şeref madalyasını taktım. Bu işin gerçeklerini ve perde arkasını da bugüne ka-

dar toplam yaklaşık bir milyon kişinin okuduğu **Kovulduk Ey Halkım Unutma Bizi** isimli kitabımda anlattım. Olabilir, bir patron, çıkarlarına 'zarar veren' birini kovabilir. Ben onup babasının oğlu değildim ya!

Dünkü Hürriyet gazetesini görünce içim biraz sızladı. **Balbay**'la yaptığımız programı 'Ne Sorgu Ama' başlığı ile manşetten vermişlerdi. Fakat gelin görün ki, benim ismim haberin hiçbir yerinde geçmiyordu. İsmim özellikle cımbızlanmıştı. Ben o televizyon programında hiç yoktum! Yukarıda örneklerini verdiğim gazetelerde gösterilen duyarlılık, kendileri tarafından aforoz edilmiş bir gazeteci için gösterilmiyordu.

Yıllarca referans olarak kullandıkları ismim, bir kalemde çizilmişti.

Bu AKP iktidarı döneminde herkes onları 'Tayyip'in kucağına düştünüz, yeter artık' diye eleştirirken, **Aydın Doğan-Ertuğrul Özkök** ikilisi hep beni ve **Bekir Coşkun**'u örnek gösterirdi eleştirenlere:

'Aman efendim öyle demeyin, **Emin Çölaşan** ve **Bekir Coşkun** bizde yazmıyor mu!'

Bu sözleri duyanlar o sırada benim neler çektiğimi, nelerle boğuştuğumu, yazılarımın nasıl makaslanıp sansür edildiğini elbette bilemezlerdi.

Pazar günü öğleden sonra (programdan sonra) Hürriyet Yazıişleri'nden bir arkadaşım aradı. 'Muhteşem bir programdı. İkinizi de kutluyoruz. Bunu yarın tam sayfa vereceğiz. Ancak kusura bakma, senin ismini kullanamayacağız.'

Kendisine sordum: 'Neden kullanmayacaksınız? Rufailerden emir mi geldi?'

Yanıt ilginçti: 'Emir yüksek yerden geldi.' Gülüştük.

Belli ki emir **Ertuğrul**'dan gelmişti. **Doğan** grubunun emri değildi. Eğer öyle olsaydı, **Doğan** grubu gazeteleri olan Milliyet ve Vatan da benim ismimi kullanmazdı.

Şimdi belki haklı olarak soracaksınız: Arkadaş sen Türkiye'de isim yapmış bir gazetecisin, isminin Hürriyet'te kullanılıp kullanılmaması bu kadar önemli mi?

Bunları sadece Hürriyet'in hangi kafanın emrinde ve yönetiminde olduğunu, nasıl kişisel kaprislerle haber yaptığını vurgulamak için yazdım.

Evet... Dün benim ismimi manşetteki haberde özellikle kullanmamışlardı. Oysa ben o olayın içindeki iki kişiden biriydim.

Geçmişte **Emin Çölaşan** *ismi üzerinden maddi ve manevi kazanç elde ederlerdi.* **Bay Patron**'*a yakın duramayıp kızdırdık, onun çeşnicibaşısı* **Ertuğrul**'*a kendimizi sevdiremedik, şimdi tu kaka olduk!*

Ölümden söz etmeyi hiç sevmem ama bir gün ölsem ve yakınlarım peşin parayı bastırıp Hürriyet'e ölüm ilanımı verseler –bana karşı kin ve nefretleri o boyuta varmış ki– bu kafalar o ilanı bile kabul etmezse şaşırmayın."

***

Mustafa Balbay programda ilginç bir olay anlatmıştı. Savcılık sorgusu yapılırken savcı, görevliye sesleniyor: *"Ahmet Necdet Sezer belgesini getirin..."* **Mustafa** bunu duyunca şaşırıyor ve belge geliyor. Bu belge, bir *Cumhuriyet* okurunun gazeteye ve televizyonlar dahil çeşitli yayın kuruluşlarına çektiği faks. Vatandaş olarak şöyle diyor:

"CHP'nin adam olması ve güçlenmesi için aşağıdaki kişilerin mutlaka CHP'ye girmesi gerekir."

Vatandaşın listesinde **Ahmet Necdet Sezer**'le başlayan, **Sabih Kanadoğlu, Yekta Güngör Özden, Mehmet Haberal, Sinan Aygün, Yalçın Küçük, Erdoğan Teziç, Emin Çölaşan, Hulki Cevizoğlu, Mustafa Balbay, Uğur Dündar, Mustafa Özbek, Saygı Öztürk, Turhan Çömez, Osman Özbek, Mus-**

tafa Koç, Ömer Sabancı, Hikmet Çetin, Vural Savaş, Hüseyin Kıvrıkoğlu gibi isimler var.

Mustafa'nın karşısına, gazetede yapılan aramada bulunan bu okuyucu mektubu savcılar tarafından getiriliyor ve soruluyor:

"Nedir bu?"

Mustafa şaşkın...

"Efendim bu faksı bir vatandaş çekmiş ve masamda duran bir şey. Bize her gün böyle bir sürü okuyucu mektubu gelir. Bu da onlardan biri."

Mustafa bu olayı da bizim programda anlatmıştı. İki gün sonra bu faksı çeken vatandaş ortaya çıktı ve gazetelere haber oldu.

Adı **Muhammet Albuz**. Zonguldak'ta yaşayan yaşlı bir amca. Şöyle diyordu:

"Bunlar CHP'ye girsin faksını her yere ben çektim. Ne var bunda? Eğer suçsa beni de tutuklasınlar. Bu faks nedeniyle Balbay suçlanıyorsa, beni de ipe götürsünler."

Ergenekon soruşturması hızla devam ediyordu!

İddianame henüz ortalıkta yoktu ama bir sürü belge ve bilgi iktidar gazetelerine sızdırılıyor, AKP medyasına açıkça servis yapılıp bilgi kirliliği yaratılıyordu. Ya polis, ya da savcılar tarafından. Açıkça suç işleniyordu.

Bu durum Başbakan, İçişleri Bakanı ve Adalet Bakanının umurunda bile olmuyordu.

Yaz aylarında iddianame ve ekleri nihayet ortaya çıkınca bu iş daha da hız kazandı. İçeride olan insanların sesi soluğu çıkmıyordu. Korkunç bir beyin yıkama kampanyası başlatılmıştı.

Sonra iddianame açıklandığında görüldü ki, bir sürü dedikodu, bir sürü saçma sapan şey, telefonda dinlenen özel konuşmalar, hepsi savcılık belgesinde yer almıştı.

Ayrıntılar bu kitabın konusu olmadığı için girmiyorum. Ancak iddianameyi baştan sona okudum. Sekiz ayrı yerde, sanıkların ifadelerinde benim de ismim geçiyordu. İşte o bölümler (Türkçe hataları aynen korunmuştur):

"Sayfa 749... ALPARSLAN ASLAN'ı tanımadığını, Şemdinli dosyasını internetten ve Ankara'daki gazetecilerden aldığını, Sarem'e zaman zaman gittiğini, Emniyet ifadesinin doğru olduğunu,

*Kendisinde ele geçirilen emniyetteki Fetullahçı yapılanma ile alâkalı olarak aslında **Emin Çölaşan**'a yazılmış olduğunu, posta kutusunu isimsiz olarak bırakıldığını, bu konuları hiç yazmadığını, **Emin Çölaşan**'ın da bu konuları hiç yazmadığını, mektup içeriğindeki olayların gerçek ile bağdaşıp bağdaşmadığını bilmediğini, hatta mektup imzasız olduğu için çok itibar etmediğini.."*

"Sayfa 412... Mektupta yazdığı Süleyman DEMİREL, Deniz BAYKAL, Erdoğan TEZİÇ, Bülent ECZACIBAŞI, Vural SAVAŞ, Şener ERUYGUR, Kemal ANADOL, Kemal GÜRÜZ, Bekir COŞKUN, Emin ÇÖLAŞAN, Tuncay ÖZKAN, Sabih KANADOĞLU, A. Necdet SEZER, Cumhuriyet Gazetesi (yeni), Türkan SAYLAN, Mustafa SÜZER, ABD Elçiliği, Gülay TUĞCU, Orhan PAMUK, Ruhat MENGİ, Lajendik, Wilson ve Patrikhanelere Ergenekon örgütü tarafından saldırılacağını bildiğini, bunun da söylediklerinin doğru olduğunu gösterdiğini..."

"Sayfa 594... Ayrık Otu hareketinin ne olduğunu bilmediğini, ilk defa duyduğunu, Telefon dinleme konusunda yazmış olduğu e-mailin Emin\ ÇÖLASAN'ın telefon dinleme konusunda yazmış olduğu bir fikir alışverişinden dolayı kaynaklandığını..."

"Sayfa 655: Kendisine sorulan şahıslardan Ergün POYRAZ dışındaki şahısları tanımadığını, Ergün POYRAZ ile

2006 Nisan Mayıs aylarında bir lokantada buluştuklarını, internet ortamında Emin ÇÖLAŞAN aleyhine yazılar yazdığını, Ergün POYRAZ'ın da Emin ÇÖLAŞAN'ın samimi arkadaşı olduğunu, Emin ÇÖLAŞAN'ın, muhtemelen Ergün POYRAZ'ı bir bakıma aralarını bulmak amacıyla kendisine gönderdiğini, Ergün POYRAZ ile buluşmalarında "Medya, YAŞ, vb." konularda konuştuklarını ve ayrıldıklarını, bu konuşmanın detaylarını internette yayınladığını, Bir daha ne telefonla, ne de yüz yüze görüşmediklerini..

"Şüpheli Hayrullah Mahmut ÖZGÜR savcılık beyanında;

Şüphelilerden BEHİÇ GÜRCİHAN ve İSMAİL YILDIZ'ı tanıdığını, ERGÜN POYRAZ ile bir defa yüzyüze görüştüğünü, Ankara' da EMİN ÇÖLAŞAN ile ilgili bir konu hakkında görüştüklerini..."

"Sayfa 1045. Tape 1423. 11.01.2008 tarihinde M. Zekeriya ÖZTÜRK ile görüşmesinde özetle G. KÖMÜRCÜ'nün "Duyurmuşlar Güler Kömürcüde katılıcak diye" «Tanınmış gazeteci Yiğit Bulut, Güler Kömürcü, Emin Çölaşan da aranızda olacak ve Bekir Coşkun aynı zamanda" "Şener Eruygur, İzzettin Doğan, Mehmet Haberal, Mustafa Özbek, Hasan Kondakçı, Tuncay Kılıç ,Hurşit Tolon" "Tanıyon mu bunları Vural Savaş, Sadi Somoncuoğlu, Tantan, Yaşar Okuyan" "Ufuk Söylemez onun için yani ... Kamuran İnan" "Ufuk Söylemez dalga geçtik hatta bu böyle olur mu Sharten da diye" dediği, M. Z. ÖZTÜRK' ün "Ekırtlar Tekkesi" dediği ile ilgili, yapılacak toplantının konusunun ne olduğu ve toplantıya gidip gitmediği, gitti ise neler konuşulduğu sorulduğunda, Ankara da katıldığı bir toplantı ile ilgili özel görüşleri olduğunu, bunların hiçbir haber değeri taşımayan görüşlerini arkadaşı ile paylaştığını.."

"Sayfa 1074. Tape 1423. (Yukarıdaki bölümün bir çeşit tekrarı.) 11.01.2008 tarihinde M. Zekeriya ÖZTÜRK ile görüş-

mesinde özetle; G. KÖMÜRCÜ'nün "Duyurmuşlar Güler Kömürcüde kalıcak diye" "Tanınmış gazeteci Yiğit Bulut, Güler Kömürcü, Emin Çölaşan da aramızda olacak ve Bekir Coşkun aynı zamanda. "Şener Eruygur, İzzettin Doğan, Mehmet Haberal, Mustafa Özbek, Hasan Kondakçı, Tuncay Kılıç, Hurşit Tolon" "Tanıyon mu bunları. Vural Savaş, Sadi Somuncuoğlu, Tantan, Yaşar Okuyan. "Ufuk Söylemez onun için yani ... Kamuran İnan "Ufuk Söylemez dalga geçtik hatta bu böyle olur mu Sharten da diye" dediği, M.Z.ÖZTÜRK' ün "Ekırtlar Tekkesi" dediği..."

"Sayfa 954 . Tape 3134. 27.09.2007 tarihinde Nuriye ... ile görüşmesinde özetle Sevgi ERENEROL "BUGÜN Bİ GİR TEPKİMİZE BU REFERANDUM İÇİN Bİ ÇALIŞMA BAŞLATTIK.", OKUDUKTAN SONRA YAZIYI Bİ EMİN ÇÖLAŞAN VE MUSTAFA BALBAY İLE GÖRÜŞ BU KONUDA NASIL BİZE DESTEK VERİRLER NE YAPABİLİRİZ. ART OLARAK NE YAPABİLİRİZ. YANİ BU REFERANDUMDA EVET ÇIKARMALIYIZ VE LEHİMİZE ÇIKARMALIYIZ YOKSA CUMHURİYET GİTTİ ELİMİZDEN. BU SON ŞANSIMIZ." Diyerek, Cumhurbaşkanlığı seçimleri ile alakalı olarak kulis faaliyetlerinde bulunarak, Cumhuriyetin kendi ellerinden gideceğini söyleyerek..."

"Sayfa 678. (Başka bir sayfada bir tekrar daha!) Şüpheli Hayrullah Mahmut Özgür Emniyet İfadesinde Ergün POYRAZ ile 2006 Nisan Mayıs aylarında bir lokantada buluştuklarını, internet ortamında Emin ÇÖLAŞAN aleyhine yazılar yazdığını, Ergün POYRAZ'ın da Emin ÇÖLAŞAN'ın samimi arkadaşı olduğunu, Emin ÇOLAŞAN'ın muhtemelen Ergün POYRAZ'ı bir bakıma aramızı bulmak amacıyla kendisine gönderdiğini. Ergün POYRAZ ile buluşmalarında Medya, YAŞ, vb. konularda konuşup ayrıldıklarını, Bu konuşma-

nın detaylarını internette yayınladığını, bir daha ne telefon nede yüz yüze görüşmediklerini..."

Korku imparatorluğu yaratılmıştı. İddianame henüz ortada yokken bile polisten ve savcılıktan sızdırılan uçuk kaçık bilgi ve belgeler, telefon dinleme kayıtları ve özel konuşmalar AKP medyasına –yasalar paspas gibi çiğnenerek– servis yapılıyor, tutuklanmış oldukları için yanıt verme olanağı bulunmayan insanlara **Doğan** grubu dahil neredeyse medyanın tümü tarafından saldırıda bulunuluyordu.

Ortalık, tek merkezden sızdırılan yalan ve iftira kaynıyordu.

Atatürkçü, laik, yurtsever, ülkesinin soyulmasına karşı çıkan insanlara böyle gözdağı veriliyordu. Evler basılıyor, insanlar çeteci ve darbeci olmakla suçlanıyordu.

Bütün bu olanları ne yazık ki Genelkurmay Başkanı **Yaşar Büyükanıt** bile sessizce seyretmekle yetiniyordu. Kendi emekli orgeneralleri, geçmişin kuvvet komutanları bile bir sürü belirsiz suçlama ile tutuklanırken, askerlerin değil ama Genelkurmay'ın tepkisi "sıfır" oluyor ve emekliye ayrılacak olan **Büyükanıt**'a devlet parasıyla son model zırhlı bir Audi makam aracı alınıyordu. Bugüne kadar görülmüş bir uygulama değildi. Olaylar birbirine ne de güzel denk düşüyordu!

Tutuklanan komutanlar her nedense darbeyi ellerinde büyük güç varken, ordular, kolordular, on binlerce asker varken yapmamışlar, emekli olmayı beklemişlerdi!

AKP, Cumhurbaşkanlığı dahil devletin neredeyse tümünü ele geçirmişti. Bunun sonuçlarını yaşıyorduk.

Bunları *ART* ekranında dilimiz döndüğünce gündeme getirdik. Korkmadan, mertçe konuştuk.

Sinan Aygün bu **Ergenekon** kapsamında önce tutuklandı, sonra mahkeme tarafından serbest bırakıldı. Arayıp geçmiş olsun dileklerimi ilettim. Birkaç gün sonra, kısa teşekkür mektubu elime ulaştı:

*"Değerli ağabeyim, **Ergenekon** soruşturması kapsamında gözaltına alınarak tutuklandığım 14 günlük sıkıntılı süreç boyunca televizyon programınıda verdiğiniz destek için sonsuz teşekkürlerimi sunarım. Bana moral ve güç verdiniz. Hem benim, hem de çalışma arkadaşlarım için sizin yeriniz ayrı. Yiğitliğiniz ve dostluğunuz için binlerce kez teşekkür ederim. Sağlıkla kalın."*

***

Tarih 3 Ağustos 2008 Pazar. Bugün *ART*'deki programı yaz tatiline sokacağız. Birkaç hafta yokuz.

Olaylar çok yoğun geçti, özellikle **Mustafa Balbay** epeyce yoruldu.

O tatile gidecek, ben de işsizlik dönemimde yaşadıklarımı, belgeleri ve arşivi derleyeceğim ve oturup bu kitabı yazmaya başlayacağım.

Aralık 2008'de bu programın dördüncü yılı dolacak. Türkiye'nin en çok izlenen, kendisinden en çok söz ettiren programlarından biri olduk. Niçin?.. Çünkü dobra dobra konuşuyoruz. Korkmadan ve çekinmeden olayları değerlendiriyoruz, eleştiriyoruz. Korkumuz yok çünkü geçmişimiz temiz. Lekemiz, şaibemiz yok, alnımız açık.

Tahmin ediyorum her pazar günü yüz binlerce, belki de milyonu aşkın kişi tarafından izleniyoruz. Gelen mesajlar da bunu gösteriyor. En az geldiği gün 350-400 mesaj geliyor. Kritik günlerde bu sayı binleri aşıyor. Yapılan araştırmalara göre Türkiye'de belli bir programı izleyen her bin kişiden biri mesaj gönderirmiş.

Keşke Türk televizyonlarında bizimki gibi en az 10 program daha olsa. Keşke, keşke.

Daha da önemlisi, *ART* korkmuyor. Üzerimizde hiçbir baskı yok. "Aman şunu söylemeyin, şu konuya değinmeyin, yumuşak gidin, sonra iktidar üzerimize gelir ve başımıza iş açılır" korkusu yok.

O gün tatile girmiştik. Altı hafta olmayacağız. Vedalaşırken Mustafa bir şey söyledi:

*"**Emin Abi**, dikkat ettin mi, son yayın döneminde başımıza ne işler geldi. Geçen yıl 16 Eylül günü yaz tatili sonrasında ilk programı yaptığımızda sen kovulmuştun. İlk programa senin olayınla başlamıştık. Bu yıl, birkaç hafta önce ben gözaltına alındım, sonra bizim o meşhur üç saatlik programı yaptık..."*

*"Doğru söylüyorsun be **Mustafa**. Bir yıl içerisinde neler yaşadık. Ülkemiz neler yaşadı, bir sürü insanın başına ne işler açıldı. Üzerinde ciltler dolusu kitap yazılacak olaylar..."*

"Bunlar hep bu dönemde muhalif olmanın sonuçları abi. İktidara karşı çıkanları affetmiyorlar, herkese gözdağı veriliyor."

*"**Ergenekon** mergenekon... Korku imparatorluğu yaratıp milyonlarca insanımızı sindirmeye kalkışıyorlar ama biz yemeyiz bunları. Çünkü onlar herkesten daha çok korku içinde. Burası Türkiye. Sürprizler ülkesi! Bir bakarsın, bir anda neler değişivermiş!"*

***

Bütün bu bir yıllık süreçte Bilgi Yayınevi'ne gidiyorum ve orada çalışıyorum. İşsizlikte bir şey anladım. İnsanın evi dışında gidecek bir yeri olması, bir çalışma ortamına sahip olması gerekiyor. Bilgi'de rahatım ve keyfim yerinde. Sessiz, sakin bir çalışma ortamı. Sabah istediğim saatte geliyorum, gazeteleri okuyorum, internette haberleri izliyorum. Arkadaşlarla sohbet ediyoruz. Bazen hiç gelmiyorum.

Ayrıca benim gibi bir teknoloji özürlü bir vatandaşa her türlü teknik yardımı hiç gocunmadan ve bıkmadan yapıyorlar. Kitaba gelen ve öteki mesajları kâğıda çekip veriyorlar.

Öğle yemeklerini de çoğu zaman Bilgi'nin karavanasında yiyorum.

Gelen giden arkadaşlar, gazeteciler oraya uğruyor. Televizyon çekimlerini orada yapıyoruz. Randevuların bir bölümünü orada veriyorum.

Sabahları Bilgi'ye gelirken, Kocatepe Camii yanındaki bir parktan geçiyorum. Çankaya Belediyesi'ne ait şirin, küçük bir park. Burası adeta bir güvercin deposu. Bazen parkta oturup güvercinleri yemliyorum. Yemi bazen oradaki yaşlı satıcıdan alıyorum, bazen de evden bayat ekmekleri getiriyorum. Güvercinler uçuşarak üzerime hücum ediyor.

İşsizlikte insanın zamanı daha fazla oluyor!

Parkta güvercin yemlerken aklıma hep **Süleyman Demirel** ve Yugoslavya'nın eski Devlet Başkanı **Mareşal Tito** geliyor.

Önce İnsanım Sonra Gazeteci isimli kitabımda bir olay anlatmıştım. Yıl 1984. Türkiye sıkıyönetimle yönetiliyor. Yasaklı siyasetçilerin basına konuşması, demeç vermesi yasak. **Demirel** de onlardan biri.

Bir gün bize bir haber geliyor. Anlaşılıyor ki, siyaset konuşmamak koşuluyla **Demirel** ilk kez bir şeyler anlatacak. Yani yasağı delecek.

Demirel'in İstanbul Tuzla'daki evine gittik. Söyleşiyi teype almama izin vermedi. Yavaş konuşuyor, ben hem soru soruyorum, hem de verdiği yanıtları not alıyorum.

(Yasaklı **Demirel**'in bu ilk konuşması Türkiye'de olay yaratmıştı.)

Bundan sonra siyasette ne yapmayı düşündüğünü sordum. Sözleri ilginçti:

"Siyaset her zaman bilinmeyenlerle doludur. Bir süre sonrasının ne olacağı belli olmaz. Bakın size bir anımı anlata-

226

yım. *Yugoslavya Devlet Başkanı* **Tito** *18 yıl içerisinde ikinci defa Türkiye'ye gelmişti. Bu dediğim 1976 yılında oluyor. Bir ara resmi ziyafette kendisine dedim ki 'Sayın Devlet Başkanı, ne kadar güzel bir olay. 18 yıl arayla Türkiye'ye Devlet Başkanı sıfatıyla ikinci defa geliyorsunuz.'* **Tito** *bunun üzerine şöyle dedi: 'Aslında bu benim üçüncü gelişimdir ama ilk gelişim bilinmez. İkinci Dünya Savaşı yıllarında Almanlar Yugoslavya'yı işgal ettiğinde gelip İstanbul'da üç ay kalmıştım ve işim gücüm olmadığı için Sultanahmet Meydanında güvercinlere yem atarak zaman geçirmiştim."*

Demirel sözlerini daha sonra şöyle sürdürmüştü:

"Bakınız, nereden nereye gelebiliyor insan. Bir süre boş kalıp güvercinlere yem atıyorsunuz, sonra da ülke yönetiminde yeniden görev alıyorsunuz."

Demirel muhteşem bir benzetme yapmıştı. Bir süre sonra ülke yönetiminde yeniden olacağını bu sözlerle açıklıyordu... Ve dedikleri aynen çıktı.

Ben de parkta güvercinleri yemlerken aklıma hep **Demirel** ve **Tito** geliyor. **Demirel**'in "siyaset" sözcüğü yerine "gazetecilik" sözcüğünü koyuyorum!

Tito'nun ülkesi işgal edilmiş ve boş kalıp güvercin yemlemiş. Ben kovulmuşum, boş kalmışım ve güvercin yemliyorum! Yıllar önce ülkesi işgal edilenle, yıllar sonra kovulanın çizgisi, güvercin yemlemekte kesişmiş! Kaderin cilvesi yani! Bunları düşündükçe gülüyorum.

Bakalım ben nereden nereye geleceğim!

***

Mesajlar gelmeye devam ediyor. Özellikle gençlerden, hatta çocuk yaşta olanlardan gelen mesajlar beni çok duygulandırıyor. Onlara örnek olmak, yazılarımla yol göstermeyi başarmış olmak çok önemli.

Tuğçenur Ekinci yazıyor:

227

"9 Ağustos 2008. Sayın **Emin Çölaşan**, kitabınızı bir gün içinde soluksuz okudum. Düşüncelerimde eksik kalan pek çok şey yerli yerine oturdu. Okuduklarım beni gerçekten çok etkiledi, sinirlendirdi. Yaşadıklarınızı tüm kalbimle hissettiğimi bilmenizi istiyorum.

Ben 21 yaşında bir üniversite öğrencisiyim ve sizin tabirinizle öğle yemeğine bir dergide çalışanlardan biriyim. Okurken boş durmamak ve geleceğimi çizebilmek adına bir dergide çalışmaya başladım, tabii ki parasız ve sanırım bu durum son bulacak. Çok acı ki, ben sizin yaşadığınız patron faciasını bu yaşımda tatmış bulunuyorum. Anlamsız emrine itaat etmediğim gerekçesiyle patronum beni kovdu. 'Emirlerime uymak zorundasın, ben patronum, burada benim kurallarım geçer' diyerek beni ezmeye kalkıştı. Kendimi ezdirir miyim! 'Bunu söylemekten mutlu musunuz, tatmin ediyor mu zorla insanlara emirlerinizi kabul ettirmek' dedim.

Bugüne kadar ona kimse böyle konuşmamıştı. Aynı esnada ise başka bir çalışan arkadaşımız azar yemiş ve ağlıyordu. Ben ağlamadım. Söyleyeceklerimi söyledim, kapıyı çekip çıktım.

Kitabınızı okuduktan sonra kendimle gurur duydum. Demek **Emin Çölaşan** gibi gururlu davranabilmiş, kendimi ezdirmemişim.

Şimdi ne yapacağımı bilmiyorum. Hiç pişman değilim. Ama şunu söyleyeyim, sizin hayatınız bana ibret oldu. Patron, patronluğunu **Emin Çölaşan**'a bile taslayabiliyorsa, ben kimim ki.

Ama ne yapalım ki dünyanın gerçeği buymuş. Bu işi yaptım, artık sonuçlarına da katlanacağım. Siz bu yüzden 22 yıllık yuvanızı terk ettiniz. Benim kaybedeceklerim ne ki.

Bunları yazdım çünkü sizi ne kadar yürekten anladığımı bilmenizi istedim. Ben her zaman iyilerin kazanacağına inanırım. Ödülümüz burada olmazsa öbür dünyada verilecektir.

Size çok saygı duyuyorum. Bu kitabı okumamıza fırsat verdiğiniz için çok teşekkür ediyorum.

*Yeditepe Üniversitesi Siyaset Bilimi ve Uluslararası İlişkiler Öğrencisi **Tuğçenur Ekinci**."*

***

Sıdkı Caba yazıyor:

*"18 Ağustos 2008. Bu yurdun aydın insanı Sayın **Emin Çölaşan**. Ben **Sıdkı Caba**. 16 yaşındayım. Ailem ATATÜRK'ün ilkelerini savunan, devrimlerine sadık, AKP ve yandaşlarının gerçekleştirdiği irticai hareketlere karşı durup, sizin gibi bu ülkenin aydın insanlarına sahip çıkan tam bir ATATÜRKÇÜ'dür. Ve ben aileme, beni ATATÜRKÇÜ düşünceyle yetiştirdikleri için minnettarım.*

İktidarda bulunan, şeriat istemiyle yanıp tutuşan anti-laik AKP iktidarının devletin her kademesine yandaşlarını yerleştirerek halkın üzerine baskı kurduklarını biliyoruz. Medyanın çoğunluğunun da AKP yandaşı olup, sizin gibi aydınları bastırmaya çalıştıklarına sizin kitabınızda şahit olduk. ATATÜRK'ü sevenleri gözaltına aldırtan, devlet dairelerinden ATATÜRK'ün resimlerini kaldırmaya çalışan, Amerika'nın köpekliğini yapıp (affınıza sığınarak ağzımı biraz bozdum) ülkeyi karış karış satanlar Türkiye için çok büyük bir tehlikedir. Fakat bunların bilincinde olan biz ATATÜRK gençliğinin bunlarla sonuna kadar savaşacağından şüpheniz olmasın.

*Şunu da söylemeden edemeyeceğim. **Kovulduk Ey Halkım Unutma Bizi** kitabınızı okurken haksızlığa boyun eğmeyişiniz ve kişiliğinizden asla taviz vermemeniz beni gerçekten çok duygulandırdı ve sizinle gurur duydum.*

Biliyorum, size böyle çok mesaj geliyor ve yoğunsunuz. Fakat bu mesajıma kısa da olsa bir cevap yazarsanız beni çok memnun edersiniz. Sözlerime burada son verirken size sevgi ve saygılarımı sunuyor, ellerinizden öpüyorum."

Bunları yazan 16 yaşında bir delikanlı. Böyle gençler yetiştiren bir ülkeyle gurur duyulmaz mı?

***

Bu kez, elden gönderilen bir mektup. Yazan lise 11. sınıf öğrencisi. Adres, bir kamu kuruluşunun devlet lojmanları. Belli ki annesi veya babası devlet memuru. O nedenle, öğrenci ve ailesi bu iktidardan zarar görmesin diye ismini ve okulunu açıklamıyorum.

"Sizi yakından takip ediyorum. Yazılarınızı hep okurdum, şimdi kitaplarınız ilgimi çekiyor. Olaylar karşısındaki duruşunuz, dünya görüşünüz, farklı bakış açınız beni etkiledi.

Bu yıl .... dersi öğretmenim dönem ödevi olarak ünlü biriyle röportaj yapma görevi verdiğinde aklıma hemen siz geldiniz. Kitaplarınızı araştırdım, okudum. Size sormak istediğim soruları hazırladım. Sizinle tanışmayı da çok isterdim ama bu şekilde de sorularımı yanıtlarsanız çok mutlu olacağım.

Umarım ileride siz ve sizin gibi ileri görüşlü ve aydın kişilerin görüşleri her zaman bizlere iyi bir dünya görüşü oluşturmada yol gösterici olmaya devam edecektir. Sorularımı yanıtlayarak bana yardımcı olacağınızı umuyor ve size teşekkür ediyorum."

Bu da 17 yaşında bir lise öğrencisi. Sorularını yanıtlayıp elden gönderdim.

***

Ali Kırca ile *Show TV* haber bültenine çıktım. Önce **Nazlı Ilıcak** konuştu, sonra ben. Ayrı ayrı konuştuğumuz için aramızda bir tartışma falan olmadı. Şimdi izleyicinin dikkatine bakın. **Sanem Hanoğlu**'nun **Ali Kırca**'ya gönderdiği, bir örneğini de bana ilettiği e-posta mesajından:

"Sayın **Kırca** ... dün konuklarınız **Emin Çölaşan** ve **Nazlı Ilıcak** idi. Ve siz onları anons ederken değerli gazeteci **Naz-**

lı Ilıcak ve gazeteci **Emin Çölaşan** diye anons ettiniz. Kimin değerli gazeteci olduğunun karar mercii siz değilsiniz, biziz. **Emin Çölaşan** bizim gönüllerimizin en değerlisidir. Biz derken, kastettiğim, milyonlardır. **Çölaşan** bu ülkenin en mert, onurlu, satın alınamayan kalemidir. **Nazlı Hanım**'a değerli deyip **Çölaşan**'ı es geçmek adaletsiz olmak demektir.

Son söz: **Emin Çölaşan** sen bizim canımız, kanımız, her şeyimizsin. Seni çoookkkk özledik. Bizim en en en değerlimizsin."

Ben **Ali Kırca**'nın nasıl bir anons yaptığının farkında bile değilim. Ama izleyici dikkatli, izleyici sevgi dolu.

***

Ata TV'de **İsmet Bayhan**'ın programındayız. Yine verip veriştiriyorum, güncel olaylara değiniyorum, medya rezaletlerini ve ülkede yaşanan kepazelikleri tek tek sıralıyorum. İzleyicilerden kutlama mesajları yağıyor. İşte biri:

"*Çölaşan seni çok seviyoruz. İyi ki varsın. Sen ağabeyim, sen babam, sen bir tanemsin. Yurdumun ışığısın.*

Sen adam gibi adamsın ve mükemmel bir insansın. Seni çok seviyoruz."

***

Bir yıldır işsizim. Herhangi bir yerde yazmıyorum, gözlerden uzağım. Ama unutulmadığımı görüp mutlu oluyorum... Ve aynı doğrultuda binlerce yazılı mesajını almaya devam ettiğim bu sevgi dolu insanların hiçbirini tanımıyorum.

Sevil Uğur isimli okurum kısacık bir not göndermiş:

"*Değişmesi imkânsız alışkanlığım, sizi okumak. Size yapılan ayıbın yanısıra, benim de Çölaşan okuma özgürlüğüm elimden alınmış oldu.*

Haddim olmayarak sizden bu özgürlüğümü geri istiyorum."

***

Kanaltürk'ten tanıdığınız **Tuncay Mollaveisoğlu**'nun Temmuz ayında çıkan kitabının adı *Görünmez Holding. Bir Yolsuzluk Belgeseli.* Kitapta, AKP döneminde yapılan inanılmaz yolsuzluklar, soygun ve vurgunlarla birlikte AKP'nin medyayı nasıl korkuttuğu, nasıl ele geçirdiği de belgelerle açıklanıyor. 408. sayfadaki bölümün başlığı *"Çölaşan Operasyonu."* Özetliyorum:

*"Türk basın tarihinin en önemli kalemlerinden gazeteci yazar **Emin Çölaşan**'ın Hürriyet gazetesinden kovulması, AKP'nin medya üzerindeki operasyonunun en çarpıcı örneği oldu. **Doğan** grubu, bükülmez kalemini oyun dışı bırakarak arazi ve imar rantından enerji sektöründeki atılımlara kadar önünü tıkayacak 'ayak bağlarından' kurtulmak istiyordu.*

***Çölaşan**'ın **Kovulduk Ey Halkım Unutma Bizi** adlı kitabı tarihe not düşecek, gazetecilik okullarında ders olacak bir süreci özetliyor. Görünmez Holding **Emin Çölaşan**'ı Hürriyet'ten kovdurmuş, ancak susturamamıştı. Gün olur devran dönerdi elbette.*

***Emin Çölaşan** örneğinde olduğu gibi medya içinde Türk halkına en büyük ihaneti, yanaşmalar yapıyordu. Çünkü onlar rengini belli etmiyordu. Yanaşmalar en tehlikeli olanlarıydı. Tatlı su muhalefeti yapıyor, 'objektif habercilik' oyunu oynuyor, en hayati konularda AKP'den yana tavır alıyordu... Bu, satılmışlığın en büyüğü idi.*

Mantar türedi genel yayın yönetmenleri, altlarına verilen yüz milyarlarca liralık jiplere biniyor, aylık onlarca milyarı cebe indiriyor, saray yavrusu korumalı evlerde yaşıyordu. Gerçeği karartmak, yalakalık yapmak, ruhunu ve onurunu paraya satmak, omurgasız duruşları sayesinde onlar için hiç de zor değildi..."

Tuncay Mollaveisoğlu doğruları yazıyordu.

***

Osman Özbek'in, AKP'nin yüzde 47 oy aldığı 22 Temmuz 2007 seçiminden hemen sonra yayımlanan **Çankaya'da Sonbahar** isimli kitabından:

*"İlk kurban **Emin Çölaşan**. Emin Çölaşan'ın Hürriyet gazetesindeki işine son verildi. Çölaşan hiç kuşku yok ki Türkiye'nin en çok okunan, iz bırakan gazetecisidir. Türkiye'nin karşı karşıya bulunduğu tehlikeleri korkup yılmadan, eğilip bükülmeden yazanlar arasında başı çekenlerdendir. Yazdıkları **Atatürk** ve Cumhuriyet karşıtlarını, ABD ve AB emperyalizmini ve onların içerideki ortaklarını her zaman rahatsız etmiştir.*

*AKP iktidarının adını bile duymaktan rahatsız olduğu **Emin Çölaşan**'ın Hürriyet'teki işine son verilmesi medya dünyasını sarsarken, basın tarihine de damgasını şimdiden vurmuştur...*

Çölaşan *olayını ciddiye alıp ilgilenmek, onu gündemde tutup arkasında durmak bizler için bir vefa, bir dostluk, bir onur, hatta bir namus borcudur.*

*Emperyalizmin, küresel sermayecilerin, bölücülerin ve işbirlikçi köktendincilerin Türkiye'de oluşturdukları koalisyonun en önemli silahı olan medyanın 22 Temmuz seçimlerinden sonra daha büyük baskılar ve dayatmalarla karşılaşacağını bilip beklesek de, **Çölaşan**'ın ayrılmasını kabullenmek yine de o kadar kolay olmadı."*

***

Temmuz 2008. **Fatih Altaylı** Ankara'ya geldi.

Turgay Ciner'in yeni çıkacak gazetesi için ayrıntılı konuşmalar yaptık. En iyi isimlerden oluşacak kadro yavaş yavaş belirleniyor ama bu aşamada açıklamıyoruz. Bazen internet sitelerinde –doğru veya yanlış– sızıntılar çıkıyor. Her şey yıl sonuna doğru kesinleşecek.

Konuştuğum bütün gazeteci arkadaşlar, en başta *Hürriyet*'te olanlar, kurumlarından şikâyetçi. Hepsi yeni bir yer arayışında. Gazetecilerin hemen hiçbirinde, çalıştıkları kuruluşa karşı sevgi ve gönül bağı kalmamış. Kimle konuşsam bunu görüyorum, yakınmaları duyuyorum.

Hemen her gün telefonla aranıyorum *"Abi beni de unutmayın yeni gazete için"* diye.

Sömürü çarkı, iktidar korkusu ve borazanlığı, gazetecilik mesleğindeki yozlaşma ve duyarsız patron takımının sonu gelmeyen gazetecilik dışı kazanç hırsları, düşük maaşlar, sendikasızlık, arkadaşlarımızı işlerinden soğutmuş. Bu patron hırslarının içinde bankacılık, devlet bankalarından cukkalanan beleş krediler, enerji ihaleleri, özelleştirmeden pay kapma yarışları, akaryakıt sektörü, arazi ve imar rantları, iş merkezleri, rezidanslar, ne ararsanız var.

Her şey **Tayyip**'in iki dudağının arasında. İsterse patronu zora koşar, isterse ihya eder. Onunla kedinin fareyle oynadığı gibi oynar. Bunun ne örneklerini gördük biz şu AKP döneminde! **Tayyip**'in elindeki siyaset gücü, medya patronunun elindeki medya gücünü silindir gibi ezip geçer.

İşte bu yüzden –en tepede krallar gibi yaşayan, patron tetikçiliği yapan, ısmarlama yazılar yazan küçük bir azınlık dışında– gazetecilerin hevesleri, istekleri ve heyecanları kırılmış durumda.

Şimdi söyleyeceğime belki inanmayacaksınız ama şeriatçı veya şeriatçı olmayan liboş AKP medyasında çalışan muhabirlerin de çoğu bu duygular içinde! Katlandıkları her şey, ekmek parası uğruna.

Evet, **Turgay Ciner**'in çıkaracağı yeni gazetenin başında **Fatih Altaylı** görev yapacak. İsmi henüz kesinleşmeyen bu çok iddialı gazetenin yazarlarından biri de ben olacağım. En azından, Eylül 2008 itibariyle öyle görünüyor. Böylece, yuka-

rıda satırlarını aktardığım **Sevil Uğur** gibi on binlerce oku-
rum beni okuma özgürlüğüne yeniden kavuşacak.

Meslek yaşamımda yeni bir sayfa açılmak üzere.

Sözleşmeyi imzalayıp **Fatih Altaylı**'ya verdim.

Allah beni de, onları da mahcup etmesin.

***

Ağustos 2008. Kovulalı bir yıl olmuş. **Nuran Yıldız**'ın *Ha-
bertürk* internet sitesindeki yazısından:

*"Benim babam **Emin Çölaşan**'a mektup yazar sık-
ça. Üşenmez, oturur camın önüne, elinde kâğıt kalem. Son-
ra **Çölaşan**'ın yazılarında kendi mektuplarının ipucunu arar.
Bulunca pek sevinir.*

***Çölaşan**'ın Hürriyet'ten ayrıldığını öğrendiğinde 'Bu
mektupları nereye göndereceğim ben şimdi' diye pek üzülmüş-
tü."*

***

Ağustos sonlarında kısa bir tatil için Ayvalık'a gittim.
Plajda ve her yerde yanıma yüzlerce insan geliyordu. Soh-
bet ediyorduk, resimler çektiriyorduk. Bir gün *Hürriyet*'ten
bir arkadaşla, eşlerimizle birlikte buluştuk. Fakat yanımda bir
anda oluşan kalabalık bir türlü bırakmıyor. Arkadaş dayana-
madı:

*"Abi bir parti kurup başına geç. İnsanların bu sevgisi bo-
şuna değil."*

Plajda bir hanım yanıma geldi:

*"**Emin Bey**, sizin için bir şiir yazmıştım. Adresinizi bilme-
diğim için size bir türlü iletemedim. Amatörce yazılmıştır, ku-
suruma bakmayın. Biraz daha burada iseniz şimdi onu evden
getirip size vermek istiyorum."*

Aysel Doğanoğlu isimli öğretmen biraz sonra şiirini ge-
tirdi. Birkaç kıtasını veriyorum:

Bir cengaver gibisin, esip yağdırıyorsun
Kalemin kılıç olmuş, zulme batırıyorsun
Helal olsun ananın verdiği ak süt sana
Yiğitlik pınarından içmişsin kana kana

Doğruların peşinden Emin adım atan sen
Bazen fırtına gibi rüzgâra karşı esen
Tavrınla sarsıyorsun gündüz düş görenleri
Geceleri başlara bin çorap örenleri

Sen çölleri aşarken görüyorsun onları
Bir süngünün ucunda olmasa da sonları
Verilmeyen hesabı Tanrı mutlaka alır
Temennimiz şudur ki, ülkem ayakta kalır

Elindeki meşale aydınlatıyor bizi
Bazen de bir kıvılcım ısıtır içimizi
Hak yoluna baş koymuş bir cengaversin, gerçek
Sevgi ve saygı ile alnından öpülecek.

***

Eylül 2008 başlarında **Tayyip**'le **Aydın Doğan** kapışmasın mı! Birbirlerine yıllarca destek vermişlerdi. **Aydın Doğan**, kendisine ait yedi gazete ve televizyon kanalları ile **Tayyip**'i eleştirmekten hep korkardı. Kalfası ve sağ kolu **Ertuğrul Özkök** eliyle pembe tablolar üretir, her açıdan AKP'ye destek verirdi. Ya doğrudan ya da olanları görmezden gelerek...

Bunlar durup dururken kapışınca **Bay Patron** basın özgürlüğünden, iktidarın kendilerine hep baskı yaptığından falan dem vurmaya başladı. Bir komedi oynanıyordu.

Peki niçin kapışmışlardı? Çünkü **Aydın Doğan** gazeteleri Almanya'daki **Deniz Feneri** vurgununu kazara manşetten vermişler ve **Tayyip**'i kızdırmışlardı. Aralarındaki altı yıllık dostluk ve barışı, sinirlerine hâkim olamayan **Tayyip** bozmuştu.

Beni sustururken basın özgürlüğü falan hiç akıllarında yoktu!

22 Temmuz 2007 seçimlerinden hemen sonra kovulmuştum. Bu olayda hükümetin baskısından söz ettiğim için kitabımı mahkemeye vermiş, yalan yazdığımı ve üzerlerinde hiçbir baskı olmadığını savunmuştu! Şimdi ise tam tersini söylüyor, iktidar baskısından yakınıyordu.

İşte 7 Eylül 2008 tarihli *Hürriyet*'te, kendisine ait olan ve olmayan tüm gazete ve televizyon kanallarında yer alan sözleri:

"Başbakan bize yükleniyor. Herhalde bu yolla susturmak istiyorlar. Basın özgürlüğüne yönelik ağır bir tehdit artık su yüzüne iyice çıkmıştır. Başbakanımız eleştirilmekten hoşlanmıyor. Ama elindeki gücü kullanıp bunu şantaj aracı haline getirmeye hakkı yoktur."

Son iki cümlesi ise çok çarpıcıydı ve bütün gerçekleri dile getiriyordu:

"Şimdiye kadar ellerinden gelen baskıyı yapıyorlardı. Demek ki baskıları daha da ağırlaşacak."

Aferin sana **Aydın Doğan**!

Evet, benim kitabımı mahkemeye verirken hükümetten kendisine hiçbir baskı gelmediğini iddia eden şahıs, o koskoca "Medya İmparatoru", şimdi iğnenin ucu kendisine batınca **Tayyip**'le kapışmış görünüyor ve iktidarın baskılarından, bunun daha da ağırlaşacağından söz ediyordu!

Tam da bu kitabı bitirmek için çalıştığım günlerdi. Hiç niyetim yoktu ama içimden geldi, oturup bir yazı yazmak zorunda kaldım! Aynı günlerde yine televizyon kanallarında ister istemez boy göstermeye başladım.

Kayıkçı kavgasına dönüşen bu komediyi anlattığım yazım 9 Eylül 2008 tarihli *Sözcü* gazetesinde, aynı gün *Gazeteport*, *Turktime* gibi en çok okunan internet sitelerinde yayımlandı. Başlığı *"Kavga etmeyin çocuklar, ayıp oluyor!"*:

"*Tayyip*'le **Aydın Doğan** kapışmış! Türk medyasında en son komediyi izliyoruz. Karşılıklı birbirlerine posta koyuyorlar. İşin içinde milyarlarca dolarlık bir çıkar kavgası var. Rantı kimler nasıl paylaşacak? Büyük pastadan **Aydın Doğan**'a ne kadar pay düşecek, *Tayyip*'in ekibi ne alacak?*

Bay medya patronu bir de rafineri kuracakmış, *Tayyip*'i ziyaret etmiş. Patrona göre Hilton pastası o görüşmede gündeme gelmiş ama *Tayyip* sorduğu için gelmiş. Patron İstanbul'un göbeğindeki Hilton arazisine binalar, rezidanslar falan yapacak, onları satıp durduğu yerde iki milyar dolar kazanacak. Patron *Tayyip*'e demiş ki, 'Ben o kadar parayı Hilton'a boşuna mı yatırdım. İnşaata izin verin.'

Ötekine, *Tayyip*'e göre ise patron kendisine Hilton için gelmiş.

Koskoca iki adam, beş yaşında çocuklar gibi kavga ediyor. Birinin dediği öbürünü tutmuyor. Biz şimdi hangisine inanacağız? Hangisi doğru, hangisi yalan söylüyor?

Birisi çıkıp 'Sen açıklamazsan ben bir hafta sonra her şeyi açıklayacağım' diyor, öteki gazetelerini ve televizyonlarını kullanıp yanıt veriyor:

'Biz zaten hep baskı altındaydık. Basın özgürlüğü diye bir şey var. Biz biat etmeyiz, eğilmeyiz. Başbakan basını susturmak istiyor. Şimdiye kadar ellerinden gelen baskıyı yapıyorlardı. Demek ki baskıları daha da ağırlaşacak.'

İşte burada işin en can alıcı noktasına geliyoruz. **Bay Patron**, basın özgürlüğü açısından da kendilerine hükümet tarafından baskı yapıldığını itiraf etmek zorunda kalıyor.

İşte bu söylediği doğrudur... Ve bu aşamada hadise benim olayıma geliyor.

Peki beni niçin susturdu? Beni niçin Hürriyet'ten kovmak zorunda kaldı?

Tayyip ve AKP iktidarının baskısı nedeniyle.

Doğan grubu, *Tayyip* iktidarına yıllar boyu en büyük desteği verdi. Hürriyet'te yazarken bunu bana açık seçik, yüzlerce defa söylediler: 'Başbakanı, Maliye Bakanını, TMSF'yi fazla eleştirme. Bizim onlarla önemli işlerimiz var.'

Bunların bütün ayrıntılarını ve kovulma olayımı **Kovulduk Ey Halkım Unutma Bizi** isimli kitabımda anlatmıştım.

Hürriyet'te çalışan muhabir arkadaşlarımın tamamı tanıktır. İktidarın hoşuna gitmeyecek dört dörtlük belgeli haberler gazetede kullanılmaz, çöpe atılırdı. Korku dağları bürümüştü. Gazeteci arkadaşlarımız sinirden kahrolur, bazısı çıkmayan haberlerini 'Abi bari bunu sen yaz' diye bana getirirdi. Patronun emektar kalfası **Ertuğrul Özkök** yazılarımı sansür ederdi. Biz Hürriyet'te yıllarca bu koşullarda gazetecilik yaptık.

Bay Patron şimdi kalkmış, 'Üzerimizde baskı vardı. Bu baskı daha da ağırlaşacak' diyebiliyor.

Günaydın bayım!

Şimdi göstermelik kapıştılar. Bunun adına **kayıkçı kavgası** derler. Bugün kavga eder gibi görünürler, yarın yine barışırlar. Barışmaya elleri mahkûmdur çünkü iki tarafın da çıkarları bunu gerektirir. Çünkü **Aydın Doğan**'ın milyarlarca dolarlık parasal çıkarları **Tayyip**'in elindedir.

Öte yanda ise **Tayyip**, **Aydın Doğan** medyasına muhtaçtır. Düşünün ki, yedi adet gazetesi ile yazılı basınının yaklaşık yüzde 40'ı bu patronun elindedir (Hürriyet, Milliyet, Vatan, Radikal, Referans, Posta ve Fanatik). Buna aynı patrona ait televizyon kanallarını ekleyin (CNN Türk, Star, Kanal D). **Tayyip** bu gücü karşısına alabilir mi?

Burada bütün hikâye şudur: Bir medya patronu bir sürü işe girişmişse, devletle ve hele bir tek parti iktidarı ile POAŞ'tan rafinerilere, enerji ihalelerinden özelleştirmelere, Hilton arazisinden bilmem neye kadar binbir işi varsa, ortalıkta milyarlarca dolarlık çıkar ilişkileri mevcutsa, o patron iktidar partisinin güdümünden çıkamaz. Aleyhte birkaç yayın yaptığı anda yaygara kopar ve ona geri adım attırırlar. Patron da zaten haddini bilir ve geri çekilir.

Ben bunları Hürriyet'te iken bire bir yaşamış bir gazeteciyim. Baskılara direndiğim ve ödün vermediğim için kovulma olayını yaşamış biriyim.

Şimdi **Aydın Doğan** itiraf ediyor. Diyor ki 'Bize hep baskı yaptılar. Bu baskılar daha da artacak!'

Ancak, benim kitabımı mahkemeye verdi. Dava dilekçesinde 'Bize baskı yapılmamıştır. **Emin Çölaşan**'ı biz iktidar baskısıyla kovmadık' diyordu! Şimdi soruyorum kendisine: 'O halde niçin kovdunuz? Hırsızlık, ahlaksızlık mı yapmıştım? Kalemimi mi satmıştım? İş mi bitirmiştim? Kendi çıkarlarım doğrultusunda yazılar mı yazmıştım, ne yapmıştım?'

Şimdi basın özgürlüğünden, basının susturulmak istenmesinden dem vuranlar, 'O halde **Emin Çölaşan**'ı niçin susturdunuz' sorusuna yanıt vermekle yükümlüdür. Ancak hiçbir zaman veremeyeceklerdir.

Tayyip yatsın kalksın, iktidarı süresince kendisine en büyük desteği veren **Doğan** grubuna dua etsin.

Aydın Doğan da hiç endişe etmesin. **Tayyip** onsuz yapamaz.

Bay **Aydın Doğan**'ın milyarlarca dolarlık çıkarları, **Tayyip**'in iki dudağının arasındadır.

Birkaç günden beri izlediğimiz **kayıkçı kavgası** geçici bir buhrandır! **Tayyip** susacak ve **Aydın Doğan** en kısa zamanda biat edecektir. Bekleyin ve görün. Bu göstermelik olay en kısa zamanda sessizliğe bürünecek ve iş bitecektir. **Kayıkçı kavgası** da unutulup gidecektir.

2002 yılından bu yana **Aydın Doğan** grubu, AKP döneminin bütün yolsuzluklarına, vurgunlarına seyirci kaldı. Sadece seyirci kalmadı, birkaç onurlu köşe yazarı dışında AKP iktidarına en büyük desteği verdi. Slogan hep aynıydı:

'Aman iktidarımıza yardımcı olalım. Döviz düşük, maliyetlerimiz artmıyor. Özelleştirmeler devam etsin, biz de payımızı alalım. AB yolunda ilerleyelim, bizim de yolumuz açılsın.'

Büyük kitleler Cumhuriyet mitinglerinde **'Tayyip** alana **Aydın Doğan** bedava' diye boşuna slogan atmıyordu.

Aman çocuklar yapmayın etmeyin, sizin ciğerinizin içini bilen milyonlarca insanımızı güldürmeyin. İkiniz de aynı yolun yolcususunuz. Kapışmayın, birbirinizi kırmayın, ayıp etmeyin, oynamakta olduğunuz bu komediye, bu horoz dövüşüne bir son verin!..

Çünkü ikiniz de aynısınız. Ne demiş atalarımız!

'Al birini, vur öbürüne.'"

***

Aynı gün **Zübeyir Kındıra**'nın nefis bir yazısı internet sitelerinde yer aldı. Yazıda sözü edilen "Sarı Öküz" kim?

Emin Çölaşan!

Yazı dört dörtlük oturmuştu ve **Aydın Doğan**'a verilecek en güzel yanıttı. İşte **Kındıra**'nın *"Sarı Öküz"* başlıklı yazısı:

*"Biraz önce **Aydın Doğan**'ın Başbakana yanıtını dinledim.*

Aklıma 'Sarı Öküz' geldi.

Öyküyü bilen çoktur:

Aslan sürüsü, sığır sürüsüne dadanmış. Her gün saldırı... Kimi gün bir öküz kimi gün bir aslan yaralanıyor, ölüyor. Bıkmış usanmış sığır sürüsü. Elçi göndermişler barış için.

Aslanlar, 'Tamam barış yapalım ama şu sizin sürünün içindeki sarı öküz bize ters bakıyor. Ondan hoşlanmıyoruz. Onu bize verin, barış yapalım' demişler.

241

Sığırlar toplanmış. Sürünün en savaşçı üyesiymiş istedikleri. Yaşlı öküz karşı çıkmış, 'Vermeyin sarı öküzü' demiş ama dinletememiş. Sürünün akıbeti için, savaşın bitmesi için sarı öküz feda edilmiş...

Birkaç gün sonra aslanlar, 'Şu kara öküz de, tıpkı sarı öküz gibi bize ters bakıyor. Onu da verin bize. Yoksa barışı bozar, saldırırız...' Sürü toplanmış, tartışmış ve sonunda kara öküzü de vermişler.

Birkaç günü huzurlu geçirmiş, sığır sürüsü. Ama sonra aslanlar yine gelmiş. Bu kez alacalı öküzü, birkaç gün sonra genç bir sığırı istemişler. Bu durum aylarca devam etmiş...

Gün gelmiş, sığır sürüsünün sayısı azalmış. Artık aslan sürüsüne direnecek sayı ve güçleri kalmamış. Aslanlar istedikleri an gelip içlerinden birini alıp gidiyor ve bu duruma karşı hiçbir şey yapamıyorlarmış. Yaşlı öküze sormuşlar, 'Biz nerede hata yaptık?' diye. Yanıt acı vericiymiş:

'Sarı öküzü verdiğiniz gün savaşı kaybettiniz. Direnme gücünüzü kaybettiniz. Hatayı sarı öküzü vererek yaptınız...'

Aydın Bey, siz sarı öküzü verdiğiniz gün bu savaşı kaybettiniz!

(NOT: Sayın **Emin Çölaşan**'dan benzetme için özür dilerim.)"

***

Bir kitabın daha yavaş yavaş sonuna geliyoruz. Bu kitabı, "işsizlik" dönemimde neler yaşadığımı vurgulamak için yazdım. Aslında hiç işsiz kalmadım. Her günüm yoğun geçti. Gazetedeki günlerimle kıyaslandığında tek fark, daha özgürdüm. Zamanıma daha hâkimdim.

Robotluktan kurtulmuştum.

Her gün yazı yazma olayı yoktu.

Sessiz, sakin bir ortamda idim. Konuklarım Bilgi'ye geliyor, canlı yayın dışında bütün televizyon çekimlerim orada yapılıyordu. Bilgi Yayınevi'nde kendim için çalışırken, günlük olayları gazetelerden ve internetten izlerken ve bu kitapları yazarken, tam bir sessizlik ve huzur ortamında idim. İnsanların pek çoğu nerede olduğumu bilmiyordu. Dolayısıyla benim çağırdıklarım dışında gelen giden olmuyor, telefonum günde sadece birkaç kez çalıyordu...

Ve sadece halkın değil, medyanın da beni unutmadığını görüp mutlu oluyordum.

İşsizlik dönemimde hiç saymadım ama tahmin ediyorum ki (her pazar günü *ART'*de **Balbay'**la yaptığımız program hariç) en az 100 televizyon programına katıldım. Nerede önemli bir olay olsa, ya canlı yayına çıkıyordum, ya telefonla bağlanıyordum, ya da çekim yapıyorduk. Buna **Kastelli'**nin intihar olayı dahil!

Örneğin *Başkent TV'*de (*Kanal B*) **Gürbüz Evren'**le bire bir, dört programa çıktım. *Ata TV'*de, satılmadan önce *Kanaltürk'*te, sonra **Tuncay Özkan** ve ekibi tarafından kurulan *Kanal Biz'*de, *ART'*de, *Habertürk'*te, *Skytürk'*te, *Ulusal Kanal'*da, *Cem TV'*de, *Show TV'*de, *Fox*, *Ses*, *Halk TV'*de *TRT'*de ve yerel kanallarda çeşitli programlara, canlı yayında, bant çekimi veya telefonla katıldım.

İşsiz bir gazeteci niçin medyadan böyle bir rağbet görüyordu? Çünkü her şeyi dobra dobra söylüyordum ve izleyici böyle istiyordu. Kimseden korkum yoktu, hayatımda bir açığım da yoktu. O yüzden rahatça konuşuyordum.

Peki bu konuda ambargo uygulayanlar yok muydu? Elbette vardı. Örneğin **Aydın Doğan** kanallarında, İslamcı kanallarda, *NTV'*de bana asla yer olmadı. Zaten olamazdı.

Bir gün gazeteci arkadaşlar Ankara'da Planet Restoran'da yemek yiyorduk. *NTV'*den de üst düzey bir arkadaşımız da bizimle birlikteydi. *"Niçin haber bültenlerinizde biraz daha muhalefet yapmıyorsunuz?"* diye sorduğumda, verdiği yanıt ilginçti:

"Abi sen bizim üzerimizde hükümetin nasıl baskı uyguladığını bir bilsen..."

Üsteledik, daha fazlasını söylemedi. Ama biz o tek cümlesiyle mesajı almıştık. Gerçekleri zaten bütün gazeteciler biliyordu.

Eğer herhangi bir yayın organının sahibi büyük işadamı ise biliniz ki, AKP iktidarının büyük baskısı altındadır. Bir yere kadar gider, sonra durmak zorunda kalır.

Bütün işsizlik sürecim boyunca elime binlerce e-posta mesajı ulaştı. Ne yazık ki çoğuna yanıt veremedim. Kitabıma binlercesi geldi. Kâğıda çektirdiklerimin ağırlığı 9 kilo 200 gram! Yazdıklarıma inanmayan ve bunları görmek isteyen olabilir. Kim isterse göstermeye hazırım.

***

Yine bu süreçte (saymadım ama) en az 50 gazete, dergi ve internet sitesinde benimle yapılan söyleşiler yayımlandı.

Hakkımda yüzlerce haber yapıldı, köşe yazısı yazısı yazıldı...

Ve inanın, İslamcılar ve ötekiler dahil, birinde bile suçlanmadım. Oysa onlarla ne mücadeleler vermiş, haklarında neler yazmıştım.

Bir kişi de *"Emin Çölaşan şöyle bir dümen çevirmişti, o yüzden kovuldu"* diye yazmadı, yazamadı. Dahası, hiç kimsenin aklına da böyle bir şey gelmedi.

Benim için en büyük onurdur.

İşsizdim. Herhangi bir yerde düzenli olarak yazmıyordum. Bu tür yazı ve haberler çıksaydı yanıt vermekte herhalde biraz zorlanırdım.

***

Peki bu süreçte hiç vefasızlık görmedim mi? Çok azdır ama gördüm. Sadece *Hürriyet*'teki birkaç arkadaşımdan. Pek çoğu ile sürekli haberleştik, buluştuk, birlikte olduk. Aramızdaki dostluk aynen devam etti. Korumalar, temizlikçiler, idarede görevli olanlar, muhabirler, hatta köşe yazarları sık sık ziyaretime geldiler. *Hürriyet* Ankara Bürosu'nda hepsiyle öylesine dost ve arkadaş olmuştu ki... Dert ortağı idik. Muhabbetimiz, gırgırımız yerindeydi. Bazen en ciddi konuları tartışırdık, bazen birlikte üzülürdük, birlikte sevinirdik, birbirimizi işletirdik.

Aramızda tam bir abi-kardeş ilişkisi vardı.

Onların tümü benim küçüğümdü. Bir gün olsun birini kırmamış, saygısızlık etmemiş, arkalarından konuşmamış, hor görmemiş, küçümsememiştim. Dertleri benim derdim olmuştu. Çoğu ile ilişkimiz kovulma sonrasında aynen sürerken, bazıları doğal olarak vefasız çıktı. Sadece benimle görünmekten, değil, aramaktan bile çekiniyorlardı.

Vefasız çıkan birkaç arkadaş aslında haklıydı. Hepsi de ekmek parası uğruna çalışıyordu.

Örneğin Ankara Bürosu'nda çok üst düzey bir arkadaşımız vardı. Herkesin yanında bana hep aynı şeyi söylerdi:

*"Abilerin abisi... Sen bu büronun sevgili abisisin... Artık biz de burada abi sistemine geçtik sayılır. Sabah'ta nasıl **Yavuz Donat** abilik yapıyorsa, sen de bizim için öylesin... Burada senin sözün geçer..."*

O da hiç aramadı. Haklıydı çünkü patronun temsilcisiydi. Geçmişteki güzel günler artık unutulmaya mahkûmdu. Patron beni kovduysa, elbette o arkadaşın da gönlünden kovulmuş olmam gerekirdi!

Hürriyet'te bütün arkadaşlar mutsuzdu. Gazetecilik yapamıyorlardı. Hepsi yakınıyordu. Pek çoğu **Turgay Ciner**'in yeni çıkaracağı gazeteye geçmek için gönüllüydü.

Bir akşam, İstanbul'da *Hürriyet*'ten bir grup arkadaş buluşmuştuk. Yemek bitti ve içlerinden biri beni arabasıyla otele getirdi. Otelin önünde, arabanın içinde konuşmayı sürdürüyoruz. Bu gibi konuları aramızda pek konuşmadığımız, ismini hepinizin bildiği bir arkadaş... Bana yanındaki bir kitabı uzattı, bakıyorum. Rastgele bir kitap. Ne olduğunu sordum. *"İçine bak"* dedi. İçine baktım, bir sürü loto kuponu. Arkadaşım şöyle dedi:

"Hayatımda oynamazdım ama artık loto, moto ne varsa oynuyorum. Bir ikramiye kazandığım anda bu gazetede bir dakika durmam ve giderim. Şimdi gidemiyorum çünkü param yok. İşimiz çekilişlere kaldı."

***

Hürriyet'te iken önüme günde ortalama bir veya iki adet yazarından imzalı kitap gelirdi. En tanınmış yazarlardan gazetecilere, en amatör yazarlardan şiir kitaplarına kadar her çeşit kitap. Bazılarını köşemde tanıtırdım.

Ergenekon operasyonunda daha Temmuz 2007'de ilk olarak içeri alınan **Ergün Poyraz**'ın **Tayyip, Abdullah Gül** ve ve **Bülent Arınç**'la ilgili yazdığı kitapları da yazılarımda ben tanıtmış ve yaklaşık yüz bin adet satmalarını sağlamıştım. Bu üçlü fena halde bozulmuştu. Hemen ardından kovuldum!

Hangi kitabı yazsam satışı acayip artardı. Yazarlardan ve yayınevlerinden teşekkür gelirdi... Ve yazmadıklarım için sanırım birileri gönül koyardı.

Kovulma sonrasında bana hangi yazar imzalı kitabını gönderecekti! İnsanlar adresimi bile bilmiyordu. Kaldı ki, artık bir yerde yazmıyordum,

Fakat öyle olmadı. Yanıldığımı anladım. Bu satırları yazarken o kitapları tek tek saydım. Bir yılda işsiz bir gazeteciye tam 124 adet yazarından imzalı kitap gelmişti. Yaklaşık üç günde bir imzalı kitap.

Demek ki unutulmamıştım.

***

Vefasızlık az bile olsa, elbette olacaktı. Ama vefa örnekleri çoktu. Yolda, kapalı yerlerde, aklınıza neresi gelirse, insanların inanılmaz sevgisini ve saygısını yaşadım. Abartmıyorum, hiç tanımadığım insanlar tarafından binlerce kez öpüldüm, binlerce kişiyle resim çektirdim.

Resim çektirirken Türk insanının kuralıdır. Siz ona sarılacaksınız, o da size sarılacak. Kadın, erkek, çocuk, genç, yaşlı hiç fark etmez. Bazen düşünürdüm:

*"Ulan şimdi şu sarmaş dolaş resim çektirdiğim kişi örneğin uyuşturucu kaçakçısı, katil, mafyacı falan olsa ve bir süre sonra yakalansa... Birlikte fotoğraflarımız ele geçip yayımlansa... Mafyacı falanca **Emin Çölaşan**'ın adamıydı... İşte birlikte çektirdikleri resimler... Gel de bunun hesabını vermeye uğraş bakalım!"*

Ancak insanların sevgisi yanında bu kuşku elbette bir mizah olarak kalıyordu.

***

Çocukluk arkadaşım **Mehmet Dülger** geçen dönem AKP milletvekili ve TBMM Dışişleri Komisyonu Başkanı idi. AKP'den seçilince çok kızmış ve tebrik bile etmemiştim. **Tayyip**, Mehmet'i ikinci dönem seçtirmedi. Bir gün Mehmet'le yolda karşılaştık, yürüyoruz. İnsanlar her zaman olduğu gibi yolumu kesiyor, öpüyor, helal olsun diyor. Mehmet bu tezahürata tanık olunca şaşırdı. Birazdan birileri tekrar yolumuzu kesti:

*"**Emin Bey**, Allah bu AKP'nin belasını versin. Bunlar ülkemizi utanmadan sattı..."*

Daha neler neler diyorlar! Mehmet yanımda. AKP'ye sövenler onu tanımıyor. Biraz dikkatli konuşsunlar diye ben tanıtmak zorunda kaldım:

*"Efendim, **Mehmet Dülger Bey** AKP eski milletvekilidir, benim dostumdur!.."*

Biraz sonra bir aile karşımıza çıktı. Onlar da AKP ve **Tayyip**'e veryansın ediyor. Yine tanıtma faslına girdim: *"Aman efendim tanıştırayım,* **Mehmet Dülger Bey** *eski AKP milletvekilidir ama benim çocukluk arkadaşımdır yani."* Mehmet olanlara şaşırmıştı. *"Ulan bu memlekette başbakan olacak adam senmişsin"* dedi!

Gazeteci arkadaşım **Hakan Akpınar**'la sokaktayız. Başı örtülü, orta yaşlı bir Anadolu kadını yanıma gelip beni doğrudan kucakladı:

"Oyy sana kurban olayım..."

Ve belki inanmayacaksınız ama kadın beni havaya kaldırdı!

Yine Hakan'la bir başka gün köfteciden çıkıyoruz. Kapıdaki genç, sarı saçlı mavi gözlü komi elime yapıştı: *"Emin Bey, ben sizin yazdıklarınızla büyüdüm. Ellerinize sağlık. Bize hakkınızı helal edin."*

Hakan dedi ki *"Abi, halkın sevgisi işte budur. Şu sevginin binde birini günün birinde* **Aydın Doğan** *veya* **Ertuğrul Özkök** *acaba görebilir mi?"*

Ben de dedim ki *"Bırak sevgi görmeyi bir yana, acaba bir gün olsun böyle köftecide yemek yiyebilirler mi? Sokakta dolaşabilirler mi? Halkın içinde olabilirler mi? Olamazlar çünkü sırça köşklerinden çıkamazlar."*

Bir başka gün gazeteci arkadaşlarım **Emin Özgönül** ve **Yavuz Semerci** ile tavuklu pilav yiyoruz. Restorandaki neredeyse bütün hanımlar yanıma gelip kutladı. "Birileri" için neler söylediklerini burada yazamam. Hanımların bu ilgisi Yavuz'la Emin'i şaşırtmıştı.

"Biz hayatımızda böyle şey görmedik" dediler.

Murat Karayalçın ailesiyle Trilye'de yemekteyiz. Yanıma orta yaşlı bir bey geldi.

"Emin Bey, ben İstanbul 4. Levent noteriyim. (İsmini unuttuğum için kendisinden özür diliyorum.) *Sizi karşımda*

248

gördüm ya, artık toprağa girsem de gam yemem. Bakın, tüylerim nasıl diken diken oldu. Sizi kovanlar utansın."

Hürriyet'teki arkadaşlarımla da bu açıdan ne olaylar yaşadım. Ne yazık ki, başlarına bir iş gelmesin diye onların isimlerini veremiyorum. Bir gün bir arkadaş bankadan para çekecek; biz ötekilerle kapının yanındaki duvarda oturmuş bekliyoruz. Bazı hanımlar ve genç kızlar yanımıza gelmeye başladı. Öpenler, koklayanlar, kutlayanlar... Fakat kızlarda üniforma gibi bir şey var. Bunun ne olduğunu sordum. Meğer yandaki apartmanda kuaför varmış. Hem çalışanlar, hem de müşteriler dışarı çıkıyor, yanıma geliyor, sevgilerini gösteriyor.

"Emin Bey, şu kâğıda benim kızım için bir imza atar mısınız lütfen..."

Orada yarım saat böyle geçti.

Hasan Tepgeç Tarsus'ta yaşıyor ve Türkiye'de ilk kez çekirdekli üzüm suyu ve değişik soslar üretiyor. *Hürriyet*'te iken bana bir koli göndermişti. İçinde bir de not vardı.

"Emin Abi, hayranınım. İnşallah beğenirsin. Afiyet olsun."

Telefon açıp teşekkür ettim. Sonra kovuldum, **Hasan** kolileri göndermeye devam etti. Bilmiyorum kaçıncı kolide, Hasan'ı bir kez daha arayıp teşekkür ettim.

"Hasan bak, izin verirsen ben sana bunların parasını göndereyim ki, gerektiğinde benim senden istemem mümkün olsun. Şimdi sen beni mahcup ediyorsun."

"Abi ne demek oluyor yani para göndermek? Biz senin yazılarınla bu günlere geldik. Senin gazetede olup olmaman, yazıp yazmaman hiç önemli değil. Sen bizim gönüllerimizin sultanısın. Ama madem paradan söz ettin, senden ricam bana bir 10 lira gönder ve paranın üzerine benim ismimi yazıp imzala. O para benim uğur param olacak ve çerçeveletip işyerimde duvara asacağım."

Bugüne kadar hiç tanımadığım, ancak telefonda sesini duyduğum bu vefalı okurum için bir 10 liralık banknotu imzalayıp kargoyla gönderdim. İki gün sonra **Hasan** aradı:

"Sağ ol abi, parayı aldım, çerçeveletip başucuma astım."

İşsiz gazeteciyi unutmayan, ona Gelibolu ve Samsun'dan balık, Mersin'den muz, Amerika'dan vitaminler, Avrupa ülkelerinden çikolata, Siirt'ten battaniye gönderen, isimlerini ne yazık ki unuttuğum vefalı okurlar... Ve her Şeker ve Kurban Bayramında bir tencere yaprak dolması ve bir tepsi baklava göndermeyi sürdüren Beypazarı Belediye Başkanı **Mansur Yavaş**...

Yine hiç abartmadan yazıyorum ve bu yazdıklarıma, nerede olursak olalım gösterilen sevgiye, yanımda olmuş olan herkes tanıktır. Kim olursa olsun, istisnasız herkes. Bazıları şakayla karışık, şu sözleri de yanımdakilerden öyle çok duydum ki:

"Bu inanılmaz bir şey..."

"Bu insanları önceden haber verip sen mi taşıdın buraya?"

"Gir siyasete arkadaş."

"Emin Abi, bu gözlerimizle gördüğümüz sevgi selini biri bana anlatsa, gerçekten inanmazdım."

"Sen efsane olmuşsun be."

Evet, insanlardan inanılmaz sevgi ve saygı gördüm. Ben her gün, nerede olursam olayım bu mutluluğu ve coşkuyu yaşadım. Araçlarından korna çalarak, el sallayarak selamlayanlar, yollarda önümü kesenler, yanıma gelip konuşanlar, soru soranlar...

Bazılarında ağlayacak gibi oldum, ağlamamak için kendimi zor tuttum. Bazılarında gözlerim doldu.

Bazen birbirimize sarıldık, dakikalarca öyle kaldık. Oysa ben o insanların hiçbirini tanımıyordum. Aramızda hiçbir çıkar ilişkisi, onların benden veya benim onlardan herhangi bir beklentimiz yoktu.

Belki inanmayacaksınız ama ne öncesinde, ne de bu işsizlik döneminde bir tek kişiden bile saygısızlık görmedim.

Karşıma çıkanlardan bir anda öyle sözler duydum ki, şaşırıp kaldım.

"Emin Bey, siz o gazeteden kovulmakla kendinize yakışanı yapmış oldunuz."

Bunları duyduğum ve yaşadığım zaman, kovulma olayının üzerinden günler, haftalar, aylar, bazılarında bir yılı aşkın zaman geçmişti...

Ve benzer sözleri herkesten duyuyordum:

"Hürriyet'i sizden sonra bıraktık, Sözcü alıyoruz artık."

"Aman bizi bırakmayın."

"Nerede yazacaksınız bundan sonra?"

"Devam edin, mücadeleyi bırakmayın, memleket elden gidiyor..."

Bunlar **Ertuğrul Özkök**'ün, yazılarında "azgın azınlık" diye alay ettiği, hafife aldığı, küçümsediği yurtsever insanlardı.

İşsizdim, herhalde ben de unutulurum diye düşünüyordum ama hep tersini yaşadım.

Bilgi Yayınevi'ne, *Sözcü* gazetesine mektuplar, e-posta mesajları yağıyordu. Yolsuzluk belgeleri gönderiliyordu. Bunları çevremdeki gazeteci arkadaşlara veriyordum yazmaları için.

ART ekranında her pazar günü bombalamayı sürdürüyordum. **Mustafa Balbay**'la birlikte milyonlarca kişi tarafından düzenli olarak izleniyorduk.

***

Kovulduktan sonra aylar geçmişti ve unutulmamıştım. Gündemdeki yerimi koruyordum ve bunun için hiçbir şey yapmamış, özel bir çaba harcamamıştım. Her şey kendiliğinden gelişmişti.

Bazen daha salim bir kafayla düşünüyordum...

"Beni niçin kovdular?"

Yanıt net ve belliydi: İktidar baskısı yüzünden. **Bay Patron** ve vekili **Ertuğrul** benden nefret ederlerdi. Patron bana küsmüştü! Koskoca adam, yaşı 70'in üzerinde adam, çocuk gibiydi.

O küsünce, doğal olarak **Ertuğrul**'un da tavır koyması gerekiyordu. Ama **Ertuğrul**, uyanık bir arkadaştı. Nabza göre şerbet vermenin ustasıydı. Yaptıklarını hiç belli etmez, herkese şirin görünmeye çalışır ve bunu çoğu zaman başarırdı. Oynadığı oyunu akıllıca oynardı. Ne zaman saldırıya geçeceğini, ne zaman geri adım atacağını, torunlarının üzerine ne zaman yemin edeceğini çok iyi bilirdi.

Benim kovulma olayımdan hemen sonra, bana başta **Bekir Coşkun** olmak üzere arkadaşlarım kanalıyla dolaylı yollardan mesaj göndermeye başlamıştı... Ve herkese aynı şeyi söylüyor, kulağıma gelmesini amaçlıyordu:

*"Emin'in kovulmasına ben karşı çıktım ama patronu ikna edemedim. **Aydın Bey** bu olayda çok büyük hata yaptı. Onun yüzünden büyük tepki aldık ve alıyoruz."*

Sonra bu mesajlara ufak bir ekleme yapmaya başladı:

"Patron bana herkesin içinde dedi ki, 'Ertuğrul sen bu adamı kovmazsan, ben seni kovacağım.'"

Bu "herkes" sözcüğü ile kimleri kastettiğini bilmiyorum. Kendisinin bu lafları çeşitli zamanlarda basına da yansıdı çünkü her yerde bunları söyleyip herkes tarafından duyulmasını sağlıyordu. İşte en son örnek. **Taha Kıvanç** ismiyle yazan **Fehmi Koru**'nun *Yeni Şafak*'taki 5 Eylül 2008 tarihli yazısından:

*"...**Aydın Doğan**, sonunda çareyi kendisini (**Emin Çölaşan**'ı) gazetesinden uzaklaştırmada buldu. Yayın yönet-*

252

meninin (**Ertuğrul** **Özkök**'ün) *ilişki kesebilmek amacıyla* **Çölaşan**'ın *karşısına çıkabilmesi için de, patronunun 'Ya bu adamı atarsın, ya da atacak birini senin yerine getiririm' zılgıtını yemesi ve kendisini iyice sarhoş etmesi gerekti..."*

Ertuğrul'un herkese anlattığı ve yaydığı bu mesajdaki "inceliğe" dikkat ediniz!

Kendisini kurtarmak için patronunu harcamayı ve suçlamayı göze almaktan çekinmiyordu.

Sonuçta ikisinin birlikte tezgâhladığı bir operasyondu.

Biri patron, öteki de o makamda kalabilmek için onun emirlerini yerine getiren, çıkarlarını savunan, patronu adına iş takibi yapan, onun yemeklerine dikkat eden, gönlünü her zaman ve her yerde hoş tutmayı başaran, salatasının sosunu ve zeytinyağı ayarını denetleyen, patronunun bakışından bile anlam çıkarıp davranışlarını, gazetenin manşetlerini, sayfalara girecek ve girmeyecek haberleri ona göre ayarlayan, her türlü direktifi alıp yerine getiren bir bir genel yayın yönetmeni.

Hep düşündüm!

Bir yanda geçmişte Sirkeci'de Tofaş bayiliği yapan bir tüccar. 1979'da **Koç** ailesinin yardımıyla *Milliyet*'i almış ve 30 yılda "Medya İmparatoru" olmayı başarmış, her alanda yüzlerce işe girişmiş, milyarlarca dolar kazanmayı başarmış uyanık ve işini bilen bir patron...

Gazeteleri, televizyon kanalları var. Türk medyasının yarıya yakını ona ait. Yanında her türlü adamı çalıştırıyor.

Düşman ilan ettiği **Cem Uzan**'ın *Star* gazetesi ile *Star* televizyonunda en üst düzeyde görev yapan ve **Aydın Doğan**'a her gün ağız dolusu sövenler, şimdi kendisi tarafından maaşa bağlanmış durumda!

Birkaç onurlu ve yurtsever köşe yazarı dışında geçmişin hızlı solcuları, darbecileri, **Mao**'cuları, ikinci cumhuriyet soytarıları, artık **Tayyip**'e destek veren devşirilmiş solcular, dö-

1981 yılında *Milliyet*'in önde gelen isimleri. **Aydın Doğan,** *Milliyet*'in çiçeği burnunda iki yıllık patronu. Henüz büyümemiş, yıpranmamış, "Medya İmparatoru" olmamış, özelleştirme ihalelerine, Hilton arazilerine, POAŞ'lara, rafinerilere girmemiş, yedi gazete ve üç televizyon sahibi olmamış sıradan bir iş adamı. Tedirgin değil. Mutlu ve yüzü gülüyor!...

Oturanlar (soldan sağa): **Namık Sevik, Turan Aytul, Aydın Doğan, Mehmet Barlas.**

Ayaktakiler (soldan sağa): **İsmet Tongo, Halit Çapın, Nezih Alkış, İslam Çupi, Emin Çölaşan, Doğan Heper, Turhan Selçuk, Erol Dallı, Mete Akyol, Yekta Okur, Ergin Ünal.**

(Halit Çapın, İslam Çupi, Erol Dallı, Yekta Okur, Namık Sevik ve Turan Aytul vefat ettiler.)

nekler, geçmişteki ülkücüler, Filistin gerillası bozuntuları, liboşlar, iş bitiriciler, büyük sermayenin adamları da onun gazetelerinde ve televizyon kanallarında yönetici, yorumcu ve köşe yazarı!

Dün veya şimdi!..

Gazete ve televizyonlarında **Cem Uzan**'ı "Hortumcu" olarak tanımlayanlar, medyada en büyük para sahibi rakipleri olduğu için üzerine amansızca gidenler, aynı kişinin genel başkanı olduğu Genç Parti'nin paralı ilanlarını seçimlerden önce örneğin *Hürriyet*'in birinci sayfasında günlerce yayımladılar.

Neredeydi ilkeler? Para **Cem Uzan**'dan bile gelse her şey oluyordu!

***

Burada **Bay Patron**'un nerelerden nerelere geldiği konusunda bir alıntı yapacağım. Bilgi Yayınevi, gazeteci abimiz ve ustamız **Mete Akyol**'un *Bir Başkadır Benim Mesleğim* isimli kitabını Ağustos 2008'de yayımladı. İşte, **Mete Akyol** anlatıyor:

*"Milliyet'i satın aldığı günler (**Aydın Doğan**) bir gün odasında bana şöyle dedi: 'Aslında bu gazetenin sahibi siz birkaç kişisiniz. Ben para verip aldım Milliyet'i. Ama siz bir ömür verdiniz.' Biraz da şakaya getirerek gerisini ben tamamladım sözünün: 'O halde kalkın o masanın (makamındaki masa) başından ve buraya, konuk koltuğuna oturun' dedim. 'Ben de o masanın arkasındaki koltuğa (makam koltuğuna) oturayım.'*

*Bu şakamı **Aydın Doğan** hemen ciddi bir uygulamaya dönüştürdü. 'Gerçekten doğru' dedi ve masanın arkasındaki patron koltuğundan kalktı, oraya benim oturmamı söyledi.*

'Ben Milliyet'in patronuyum ama sen sahibisin' dedi.

Direttim, 'Şaka yaptım patron' dedim ama dinletemedim.

Elleriyle koluma sarıldı, beni aldı ve patron koltuğuna oturttu..."

Mete Akyol böyle anlatıyor ve doğrudur. O dönemde ben de *Milliyet*'te idim. **Bay Patron** Sirkeci tüccarlığından basına el atmış ve ilk kez gazete sahibi olmuştu. Mütevazı, sevecen bir adamdı ama eli o zaman bile sıkıydı. Beş kuruşun hesabını yapardı. Onun bu yanlarını *Önce İnsanım Sonra Gazeteci* kitabımda anlatmıştım.

Yeni patron *Milliyet*'te bana da aynı sözleri söylerdi: *"Sevgilim, ben bu gazetenin patronuyum ama sen sahiplerinden birisin."*

Ne güzel, ne kadar heves verici bir tanımlama idi. Elbette ki hiçbirimizin sahiplik iddiası olamazdı. Ama bu sözleri duymak bile hoş olur, coşku verir, çalışma azmimizi artırırdı.

Onun bu sözleri hep aklımda kalmıştı.

Yıllar sonra ben *Hürriyet*'te idim. 1994'te *Hürriyet*'i kelepir fiyata satın aldı ve benim yeniden patronum oldu. Her şey o kadar iyiydi ki, kendimi bazen *"Hürriyet*'in sahiplerinden biri" olarak görür ve kızgın, küskün, sömürü çarkında bunalan, gazetecilik yapamayan, haberleri çöpe giden arkadaşlarıma da aynı şeyi söylerdim:

"Çocuklar unutmayın, patron kademesi ayrıdır. Bu gazetenin gerçek sahipleri biz çalışanlarız. Gazeteyi dışarıya karşı savunmak bizim görevimizdir."

Gerektiğinde hep savunduk. Kan kustuk, kızılcık şerbeti içtiğimizi söyledik. İnanan inandı, inanmayan inanmadı.

Ancak **Bay Patron** artık değişmişti. Her alana el atmış, yeni gazeteler ve televizyonlar almış, basın imparatoru olmayı başarmıştı.

O sembolik "çalışanın sahipliği" kavramı falan artık kafasında yoktu. Belliydi ki, onlar basına ilk adım atışındaki cilveli sözleriydi! Şimdi tek güç, tek patron, tek sahip vardı, o da

256

kendisiydi. Bir de **Ertuğrul** gibi destek kıtalarını oluşturup emirlerini uygulayanlar vardı.

***

Ve **Bay Patron**'un yanıbaşında geçmişin parkalı, postallı devrimcisi, sosyalisti **Ertuğrul!**

Şimdi kendisini *"Beyler ben gazeteci değilim, ben cambazım. Ben patronu, kızlarını, damadını, iktidarları, iş âlemini idare etmek zorunda olan biriyim. Ben bir sürü topu havaya atıp yere düşürmemek zorunda olan bir jonglörüm, rüzgâra doğru yön almak zorundayım"* diye tanımlayan "becerikli" bir genel yayın yönetmeni. Nereden gelmiş, nerelere ulaşmış!

Ülkemizin en duyarlı konusu olan laikliği de, kendi şarapçılığı doğrultusunda sadece içki içmekle özdeşleştiren, laikliği savunanları halkın kafasına "ille de içkici" olarak sokup en büyük yanlışı sergileyen biri.

Yıllar boyunca *Hürriyet*'te ve bunlara bağlı yayın kuruluşlarında çalışan köşe yazarından muhabire, korumadan temizlikçiye, yöneticiden şoföre kadar yüzlerce insanı tanıdım, konuştum, dertleştim.

Bu ikiliyi seven, bırakın sevmeyi de bir yana, haklarında ağır konuşmayan bir kişi bile görmedim. Ama insanların sesi doğal olarak çıkmıyordu. Her şey ekmek parası uğruna!

Evet, hep düşünüyorum...

Ertuğrul'un sesi kulaklarımda çınlıyor:

"Senin yüzünden ben fırça yiyorum patrondan. **Emin** *yaa, patronu öven bir yazı yaz yaa!.. Başbakana, Maliye Bakanına, TMSF'ye lütfen dokunma, onlarla bir sürü işimiz var yaa!.. Uğraşma bu işlerle, keyfimize bakalım, hayatımızı yaşayalım be kardeşim. İyi maaş alıyoruz, gül gibi geçinip gidiyoruz yaa!.."*

Düşündükçe afakanlar basıyor. Bir gün bana gelişi:

"Patronun sana üç önerisi var. Birincisi, bundan sonra AKP iktidarını eleştirmeyeceksin. İkincisi, uzun süreli bir izne çıkacaksın ve yazı yazmayacaksın. Üçüncüsü de, gazeteden istifa edeceksin. İstifa edip gidersen patron sana çok iyi bir para verecek."

Bana hiç sıkılmadan bunları söyleyebiliyordu ve reddettim. **Kovulduk Ey Halkım** kitabında her şeyi anlatmıştım.

Bazen *Hürriyet* Ankara Bürosu'nun Cinnah Caddesi'ndeki binasının önünden geçiyorum (sonra başka yere taşındılar), o boş binayı görünce geçmişe dönüyorum ve aklıma hep bunlar geliyor. Başımı kaldırıp beşinci kattaki odamın pencerelerine bakıyorum, duygulanıyorum.

22 yıl boyunca gece gündüz demeden açık alınla, üzerimde bir tek leke ve şaibe olmadan bu gazeteye hizmet vermiştim. Yüz binlerce okurum vardı. Onlarla aramızda inanılmaz bir gönül bağı kurulmuştu.

O halde niçin kovulmuştum?

Yanıtını bugüne kadar veremedikleri soru işte bu.

Tek bilinen, **Bay Patron** bana küsmüş, gıcık kapmış! Niçin? O da belli değil!

Patron küsünce, onun kalfası da bana kovma tebligatını yapıvermiş!

Bu kadar basit.

***

Basında bugüne kadar binlerce gazeteci kovuldu. Buna isim sahibi ünlüler de dahil. Fakat hiçbir gazeteci, kovulma sonrasında gündemde fazla kalamadı. Peki ben niçin kaldım? Beni diri tutan, ayakta tutan neydi?

1) *Sözcü* gazetesi Ağustos 2007'den başlayarak her gün eski yazılarımı yayımladı. Hem de her zaman birinci sayfadan ve çoğu zaman manşetten. (*Sözcü* Eylül 2008'de 155 bin tiraja oturdu ve spor gazeteleri hariç Türkiye'nin sekizinci büyük

gazetesi olmayı başardı.) Böyle bir olay değil Türkiye'de, dünyada bile bir ilkti. İşsiz bir gazetecinin eski yazıları her gün bir gazetede yayımlanıyor ve okunuyor. *Hürriyet* benim yazılarımı asla birinci sayfadan göstermezdi. Bu 'onur' benden esirgenirdi... Çünkü **Ertuğrul**'la ahbap çavuş ilişkim yoktu.

2) *ART*'de her pazar günü **Mustafa Balbay**'la yaptığımız, milyonlarca kişi tarafından izlenen ve bence bir benzeri olmayan program.

3) Kovulma olayından hemen sonra yazdığım *Kovulduk Ey Halkım Unutma Bizi* isimli kitabım. Bu kitap bir yılda (Eylül 2008'e kadar) 75 baskı yaptı. Korsanı dahil, yaklaşık bir milyon kişinin okuduğunu tahmin ediyoruz. "Tahmin ediyoruz" diyorum çünkü korsan baskıların ne kadar sattığını bilemiyoruz. Gerçek baskı kadar satmış olduğu varsayılıyor. **Bay Patron** kitabımı mahkemeye verdi, tazminat istiyor!

4) Halkın inanılmaz sevgisi ve saygısı.

Bu dört şıktan hangisi en önemliydi? Hangisi birinci sırada yer alır?

Bence dördüncü şık.

Ötekilerin sıralamasını yapmam mümkün değil.

Halktan, toplumdan gördüğüm o acayip ilgi ve sevgi olmasaydı, belki de şöyle düşünürdüm:

"Ben bu ülke için görevimi yaptım. Hiç kimse bana 'Arkadaş memlekette bunlar olurken sen neredeydin, niçin tavır koymadın, niçin görmezden geldin, yoksa sen de sus payını mı aldın' diye soramaz. Bu doğrultuda her iktidar döneminde görevimi fazlasıyla yaptım. Soyguna, vurguna, yolsuzluğa, ülkemin yerli ve yabancı işbirlikçilere peşkeş çekilmesine, sömürge yapılmasına, şeriat düzenine, bölücülüğe, Tayyip'lere mayyiplere kelle koltukta karşı çıktım. Korkmadan yazdım, konuştum. Bu uğurda kovuldum. Yeter artık. Bundan sonra bu görevi başkaları yerine getirsin..."

Ve köşeme çekilirdim, hayatımı yaşardım.

259

Son bir yıl boyunca Türkiye'deki "medya rezaletini" hep gündemde tuttum ve bu mücadeleyi tek başıma başlattım. Bunları *Hürriyet*'te iken yazamazdım. O patronun gazetesinde o patronu, ekibini ve benzerlerini nasıl eleştirecektim?

Medya rezaletini, tekelleşmeyi, kartelleşmeyi, büyük iş adamlarının sahip oldukları medya kuruluşlarını kendi çıkarları doğrultusunda nasıl silah olarak kullandıklarını, maaşa bağladıkları gazeteci kimlikli tetikçilerini, dönen dümenleri, milyarlarca dolarlık rantları ekranlarda, gazetelerde, dergilerde ve internet sitelerinde hiç korkmadan açıkladım.

Bugün bu büyük medya patronlarının bir bölümü iktidarın amansız destekçisi. Onlar iktidardan besleniyor. Bir bölümü ise korkuyor! Evet, o koskoca para babaları korku içinde. Kendi çıkarları öyle gerektirdiği için korkuyorlar.

Sahip oldukları yayın kuruluşları halkın ve toplumun değil, kendi şirketlerinin, holdinglerinin, kazanç, çıkar ve rant hesaplarının sesi. Sesi olmanın ötesinde borazanı.

Arada sırada pastadan daha fazla pay kapma konusunda, ya da nasırlarına basılınca göstermelik kavgalar çıksa da, kayıkçı kavgaları en kısa zamanda bitiriliyor.

Artık bu ülkede "medya gücü, basının gücü" yok.

Ya ne var?

Güçlerin, para babalarının basını ve medyası var...

Ve bu çarpık düzene son verecek bir iktidar yok, başka bir güç yok. Çünkü hepsi bu düzenden besleniyor. Kendi yalaka medyasını oluşturan, **Fethullah** ve tüm şeriatçı, entel-liboş, solculuktan dönme kesimin desteğini sağlayan, bunlara bir sürü gazete ve televizyon kurduran, *Sabah* ve *ATV*'yi devlet parasıyla adamı **Ahmet Çalık**'a armağan eden AKP iktidarı mı bu düzene karşı çıkacak?

***

Deniz Feneri isimli, şeriatçı *Kanal 7* televizyonu ile özdeşleşmiş ve **Tayyip**'in en yakın çevresinde yer alan yardım (!) kuruluşu trilyonlarla oynamış ve yardım paraları bir sürü katakulli sonucunda buharlaşıp bizim bazı "Müslümanların" cebine girmişti. Almanya'daki sanıklar o ülkede yargılandı ve üç kişi de hapis cezası aldı. AKP yandaşı İslamcı dolandırıcılar, Müslümanlardan topladıkları tam 16 milyon Euro'yu cukkalamıştı. Bu paralar nereye gitmişti!!!

Bugüne kadar AKP iktidarının hemen hiçbir büyük yolsuzluğunun üzerine ciddi biçimde gidemeyen **Doğan** medya grubunun bazı gazeteleri Almanya'da görülmekte olan bu davayı manşetten verince **Tayyip** çileden çıktı ve **Bay Patron**'a yüklendi. Ondan sonra kirli çamaşırlar tek tek ortaya dökülmeye başlandı.

Ceyhan'da rafineri istekleri, Hilton arazisi, geçmişte yazarları şikâyet... Ve **Bay Patron**'un hükümetten uzun süredir baskı gördüğünü itiraf etmesi...

Ve dikkat ediniz, bu kavganın nedenleri arasında bir tek ülke çıkarı, ülke sorunu, kamu yararı, inanç ve ilke yoktu. Bütün hikâye, yemekle bitmeyen o büyük pastanın paylaşımından kaynaklanıyordu.

Biri *"Ben bu düzeye gelmiş girişimci, iş bitirici bir medya patronuyum. Pastadan daha çok pay ver bana. Kolaylıklar sağla"* derken, öteki *"Yok arkadaş, o pay benim adamlarıma, benim yakınlarıma gidecek"* diye bastırıyordu.

Tayyip'le **Bay Patron** arasındaki bu **kayıkçı kavgası** Eylül 2008 başında başladı ve kısa sürede bitti. **Bay Patron** acı konuştu:

"Şimdiye kadar ellerinden gelen baskıyı yapıyorlardı. Demek ki baskıları daha da ağırlaşacak."

Bravo!

Tayyip 14 Eylül günü partisinin Şişli ilçe kongresinde bir nutuk daha verdi. Aşağıda alıntı yapacağım sözleri aynı gün televizyonlarda, 15 Eylül günü de *Akşam, Radikal, Cumhuriyet, Milliyet, Sabah* ve *Hürriyet* gazetelerinde aynen yer aldı.

Tayyip, Aydın Doğan için şöyle diyordu:

*"Bir gün geldi yanıma yine bazı meseleleri konuşmak üzere. Yine tabii (gazetelerinde) bazı hakaretler, şunlar bunlar vesaireler var. Arkadaşlarıma söyledim 'Hazırlayın arşivden şu gazeteleri' diye. Sonra koydum gazeteleri (**Aydın Doğan**'ın) önüne.*

'Sayın Başbakanım ben ne yapayım, ben bu adamlarla baş edemiyorum ki' dedi. Bir patron ki, kendi yazarlarıyla baş edemiyor! Kendi yazarlarıyla başa çıkamayan bir adam!"

Tayyip bunları açıkça, ilçe kongrelerinde binlerce kişinin ve kameraların önünde söylüyordu. **Aydın Doğan** bu sözleri yalanlamadı. *"Başbakan doğru söylemiyor. Aramızda böyle bir konuşma geçmemiştir"* diyemedi.

İşte benim biletim, ikisinin arasında geçen bu konuşmalar sonrasında kesilmişti!.. Ve ben, çeşitli zamanlarda Başbakanlık mahallesi ile **Aydın Doğan** mahallesi arasında bu doğrultuda konuşmalar geçtiğini biliyordum. Ancak bunları açıkça yazamıyordum çünkü kanıtlayamazdım. İki taraf da inkâr ederdi.

Bu sözleriyle **Bay Patron** üzerinde iktidarın baskısı olduğunu, **Tayyip** ise bazı yazarlardan yakındığını ve onları **Bay Patron**'a şikâyet ettiğini açıkça itiraf ediyordu.

Oysa 11 ay önce *Kanaltürk*'te yaptığımız programda **Merdan Yanardağ**'ın *"Hükümetin (**Emin Çölaşan** için) size siyasi baskısı oldu mu Aydın Bey"* sorusuna *"Hayır olmamıştır. Olamaz da Allah'ın izniyle"* diye yanıt veren kendisiydi!

Olamazmış Allah'ın izniyle!

Tayyip'in şikâyet ettiği yazarlardan en önde geleni, bir numaralısı bendim.

Kayıkçı kavgası başladığında, *Hürriyet*'te ve öteki gazetelerinde 7 Eylül 2008 günü yayımlanan sözlerinde basın özgürlüğünden, gazetecilerin susturulmasından, üzerlerindeki baskılardan dem vuran, *Kovulduk Ey Halkım* kitabını mahkemeye verip benden 50 milyar tazminat isteyen **Aydın Doğan**, dava dilekçesinde kendisine hiçbir siyasi baskı yapılmadığını iddia etmişti.

Bundan daha somut baskı ve baskı itirafları mı olur?

Zora girince birini kendisi itiraf ediyor, ötekini **Tayyip**!

Fatih Altaylı'nın *Habertürk* internet sitesindeki 14 Eylül 2008 tarihli yazısından:

"...Aydın Doğan'ın Başbakana 'Yazarlarımı engelleyemiyorum' dediğini de öğrendik bu arada. Emin Çölaşan'ın kovulma hikâyesi de böylece aydınlanmış oldu."

Evet, aynen doğrudur...

***

CHP Muğla Milletvekili **Ali Arslan**, 15 Eylül günü TBMM Başkanlığına bir soru önergesi verdi. Aynen iletiyorum:

"Aşağıda yer alan soruların Sayın Başbakan Recep Tayyip Erdoğan tarafından yazılı olarak yanıtlanması için gereğini arz ederim:

Şişli İlçe Kongresinde yaptığınız konuşmada Aydın Doğan'la bir görüşmenizde, kendisine hakkınızda çıkan haberlerin bulunduğu gazeteleri gösterdiğinizi ifade ettiniz.

1) Aydın Doğan'a hakkınızda çıkan haberleri ve eleştirel yazıları hangi amaçla gösterdiniz?

2) Amacınız gazetecileri patrona şikâyet maksadını mı taşıyordu?

3) Bu yazı ve haberleri göstererek patrondan gazetecileri uyarmasını mı istiyordunuz?

4) Arşivleri, yazı ve haber sahiplerinin sansürlenmesi amacıyla mı Aydın Doğan'a gösterdiniz?

5) Bu görüşme ne zaman gerçekleşti?

6) Aydın Doğan'a hedef gösterdiğiniz gazeteciler kimlerdi?

7) Bu gazeteciler arasında Emin Çölaşan da var mıydı?

8) Emin Çölaşan'ın Hürriyet'ten gönderilmesinde katkınız olduğunu düşünüyor musunuz?

9) Medya patronlarına gazetecileri bizzat veya Basın Sözcünüz Akif Beki aracılığı ile şikâyet etmek, alışkanlığınız haline mi gelmiştir?

10) Partinize ve şahsınıza yandaş bir medya oluşturduğunuz bilinmektedir. Son günlerde medyaya açtığınız savaşı ısrarla sürdürmenizde bu oluşumun etkisi nedir?"

Şimdiden ilan ediyorum. **Ali Arslan**, bu sorularına asla yanıt alamayacaktır... Çünkü bunlar, işlerine gelmeyen önergelere –Anayasa, yasalar ve TBMM İçtüzüğünü çiğnemek pahasına– asla yanıt vermezler. Bu önerge TBMM ve Başbakanlık arşivinin tozlu raflarında unutulup gidecektir.

***

Eylül 2008 ortalarında gazeteci arkadaşım **Kadir Çelik** Ankara'ya geldi ve "Objektif" programı için bir çekim yaptık. *Fox* kanalında yayımlanan programda, aramızda özetle şu konuşma geçti (Bant çözümünden):

– ...**Aydın Bey**'in bizzat bana söylediği, sizin kitabınız çıktıktan sonraki sözleridir: "Ben sağlığımda, öldükten sonra da çocuklarıma vasiyet ediyorum, **Emin Çölaşan** benim şirketlerimin, gazetelerimin kapısından içeri giremez."

– Vasiyet etmesine falan hiç gerek yok. Ben zaten girmem yani. Öyle şey olur mu! Kovulduğumun daha ikinci, üçüncü günü bana Bekir Coşkun'la mesajlar gönderdiler Vuslat Doğan Sabancı ve Ertuğrul Özkök... "Aman Emin sabırlı olsun, hiçbir şey yazmasın, hiçbir şey konuşmasın. Biz onu Milliyet'te başlatacağız." İşte Bekir hayattadır ve tanıktır. Gidin Bekir'e sorun. Ben dedim ki "Böyle bir şey aklımın köşesinden bile geç-

264

*mez. Ben kendimi küçültecek adam mıyım bunların karşısında?" Beni niye kovdu bunlar? Bugüne kadar açıklayamadılar. Niye, çünkü iktidar baskısı vardı üzerlerinde. İşte şimdi söylüyor **Aydın Doğan**. "Üzerimizde hep baskı vardı zaten" diyor. Beni feda etti baskı uğruna.*

– Yani baskının kurbanı siz mi oldunuz?

– Gayet tabii ben oldum. Çünkü bir numaralı hedefiydim AKP iktidarının. Beni feda ediyor, ondan sonra beni alacak, başka bir gazetesinde çalıştıracak. Ben o işe gelecek adam mıyım? Yani mümkün mü böyle bir şey?

– Asla olmaz diyorsunuz.

– Asla olmaz, olmadı. Olsaydı, şimdiye kadar susardım. Şimdi belki işte Milliyet'te, Vatan'da, onun herhangi bir gazetesinde yazmaya başlamış olurdum. Ben oturdum, kitabımı yazdım aslanlar gibi. Bir milyon kişiye okuttuk o kitabı biz. Benim işim bitti onlarla. Onlarla benim hayatta başka hiçbir işim olamaz. Yani ben onların tanıdığı, bildiği gazeteci tiplerinden falan değilim.

Bu program sonrasında **Aydın Doğan**'ın bu vasiyeti medyaya yansıdı. Benim görüşümü soran ve bunu haber olarak kullanan gazetecilere *"Onun vasiyetidir. Allah kabul etsin. Beni ilgilendirmez. Ben zaten **Aydın Doğan** grubunda çalışmayacağımı çok önceden söylemiştim"* demekle yetindim.

***

265

Ne yazdıysam, ne söylediysem haklı çıktığımın son kanıtı, 1 Ekim 2008 günü bir kez daha, hem de yine **Aydın Doğan**'ın sözleriyle ortaya çıktı. **Bay Patron**'la **Tayyip** arasındaki çatışmanın göstermelik olduğunu, en kısa zamanda biteceğini iddia etmiştim. **Bay Patron** bir yerde "durmak" zorundaydı. Aksi takdirde zararı giderek artardı.

Doğan grubu gazeteleri –en başta *Hürriyet*– Almanya'daki **Deniz Feneri** davasını kazara manşetten verince kıyamet kopmuştu. **Tayyip**, geçmişten beri böylesine içli dışlı olduğu **Deniz Feneri**, *Kanal-7* ve RTÜK Başkanı **Zahid Akman**'ın isimlerini manşetten verip üzerlerine giden **Aydın Doğan** gazetelerine ve dolayısıyla **Bay Patron**'a açıktan posta koymuş, veryansın etmeye başlamış, Hilton, POAŞ, rafineri konularını birdenbire gündeme getirmiş ve Eylül ayı başlarında aralarında "çatışma" çıkmıştı. Birbirleriyle sözlü ve yazılı olarak göstermelik bir kavgaya girişmişlerdi.

Bunları iyi tanıyan bir gazeteci olarak bunun bir "**kayıkçı kavgası**" olduğunu ve en kısa zamanda biteceğini, iki tarafın çıkarlarının da bunu gerektirdiğini, en başta **Bay Patron**'un geri adım atacağını ısrarla söyledim, yazdım, vurguladım... Çünkü iki taraf da birbirine muhtaçtı, elleri mahkûmdu.

Bu konuda da –ne yazık ki– haklı çıktım. **Aydın Doğan**'ın **Yavuz Donat**'a söylediği sözler, 1 Ekim 2008 tarihli *Sabah* gazetesinde yayımlandı. Bunlar bir ibret belgesidir. Aynen şöyle diyordu:

"Bana göre o olay oldu, geçti, bitti. Kapandı gitti. Sayın Başbakan'a karşı kişisel hiçbir husumetim yok. Bu olay nerden çıktı, onu da anlayabilmiş değilim... Ama oldu bir şey. Benim açımdan konu kapanmıştır. Uzatılacak bir husus olduğunu düşünmüyorum."

Bu sözleri okuyunca bir kez daha gördüm ki ben bunların kafa yapısını ve ciğerlerinin içini, taa kılcal damarlarına kadar biliyorum!

İşin ilginç yanı, geri adım atarken verdiği bu barışma mesajını kendi gazetelerinde değil, AKP iktidarının sözcüsü olan *Sabah* gazetesinde veriyordu! Söylediği bu sözler –her nedense– kendi yayın organlarında tek sözcükle bile yer almadı!

Bunlar kendi yayın organlarından, onların milyonlarca okuyucu ve izleyicisinden özenle gizlendi.

Acaba niçin!

Çünkü mesajı açıktı:

"Sayın Başbakanım, ben bir hata yaptım, özür dilerim. Sen büyüksün, beni bile bağışlarsın."

***

267

Bu kitabımda işi elinden alınan bir gazetecinin yaşadıklarını, duygularını, bunlarla birlikte bazı ülke gerçeklerini ve medya rezilliğini size anlatmaya çalıştım. Burada "rezillik" derken, medyanın her kademesinde görev yapan nice dürüst, onurlu, yurtsever gazeteciyi ve öteki emekçileri tenzih ediyorum. İnanın bana, o amansız **Tayyip** ve iktidar yalakası yayın organlarının çalışanları dahil, hepsi bu medya düzenine karşı... Çünkü düzen, tam bir sömürü düzeni. Emekçi ezilecek, çoğu ayın sonunu getiremeyecek ama patronlar ve onların az sayıdaki yardakçıları, danışmanları, tetikçileri malı aile boyu götürecek!

Ama ekmek parası uğruna hiç kimsenin sesi çıkmıyor. Haklılar. Çünkü medyada ekmek aslanın ağzında. İşsiz kalan, atılan bir medya çalışanının başka bir yerde iş bulması mucizelere bağlı. *Hürriyet*'te iken, trilyonlar kazanan patron biraz daha kazansın diye işten kovulan nice garibanın ıstırabını yaşamış, gözyaşlarına tanık olmuş biriyim ben.

Çok insanın ah'ını aldılar.

Atalarımız *"Alma mazlumun ah'ını, çıkar aheste aheste"* demiş. Bu kirli düzende çıkıp çıkmayacağını belki görürüz, belki de görmeyiz!

Bu mücadelemde bugüne kadar işten çıkardıkları, sokağa ve açlığa terk ettikleri nice arkadaşımızın da sözcüsü olmayı amaçladım. Bu satırlarda, bu sayfalarda sadece benim değil, aslında onların yaşadıkları da var.

Bu süreçte, bu acı ülke gerçeklerinde, korkak, çıkarcı, işbirlikçi para babalarının ve onları başarıyla sindiren siyasal iktidarın içler acısı durumu konusunda kendi çapımda bir mücadele sergiledim. Patrona endeksli gazeteci, liboş, dönek olmadım. Kıvırtmadım, korkmadım. Yeterlidir veya değildir ama ben elimden geleni yapmaya çalıştım.

Her kuşun etinin yenmeyeceğini "birilerine" kanıtladım. Şimdi çok mutluyum çünkü gerçekler ortaya çıktı. **Bay Patron**, AKP iktidarından baskı gördüğünü, Eylül 2008'de itiraf etti. **Tayyip**, **Bay Patron**'un kendisine *"Bazı yazarlarından yakındığını ve onlarla baş edemediğini söylediğini"* anlattı.

İşte bu süreçte, bu karşılıklı oyunlarında, ben saf dışı bırakıldım. Türk medyasının durumu, AKP iktidarı ile içler acısı ilişkisinin tablosu —ne acıdır ki— böyle.

İşte böyle efendim. Biliniz ki, bu kitapta, *Kovulduk Ey Halkım Unutma Bizi* isimli kitabımda, öncesinde ve sonrasında yazdığım ve söylediğim her şey kesin doğrudur. Lütfen bu konuda kafanızda en ufak bir kuşku oluşmasın. Eksiği çoktur, fazlası, yalanı, abartısı hiç yoktur.

Her konuda ne dediysem ve ne yazdıysam doğru olduğunu ve doğru çıktığını, gelişmeler hepimize kanıtlamıştır.

Kitabımı okuduğunuz için size teşekkür ediyorum, beğenmiş olmanızı diliyorum...

Ve son noktayı bir şiirle koyuyorum:

Hasandağı arpalıktır, eğer saban yürürse
Her derede bir değirmen, eğer suyu gelirse
Her kümesten bir tavuk, eğer millet verirse
Güzel gidiş bu gidiş, eğer sonu gelirse.

Emin Çölaşan
Ankara, Ekim 2008

Bu kitapla ilgili görüşleriniz için **Emin Çölaşan**'a ulaşabilirsiniz:
ecolasan@bilgiyayinevi.com.tr
faks: (0312) 431 77 58